루터의 밧모섬

LUTHER'S FORTRESS

Martin Luther and His Reformation Under Siege

이 도서의 국립중앙도서관 출판예정도서목록(CIP)은 서지정보유통지원시스템 홈페이지(http://seoji.nl.go.kr)와 국가자료공동목록시스템(http://www.nl.go.kr/kolisnet)에서 이용하실 수 있습니다.(CIP제어번호: CIP2016026767)

루터의 밧모섬

바르트부르크 성에서 보낸 침묵과 격동의 1년

제임스 레스턴 지음 | **서미석** 옮김

이른비

프로테스탄트 종교개혁을 이끈 마르틴 루터(루카스 크라나흐, 1521~22).
'융커 외르크'라는 가명을 쓰고 바르트부르크 성에 숨어 지낼 때의 모습이다.
머리와 턱수염을 길렀으며, 정치적 이유로 곤경을 겪고 은신 중인 편력 기사처럼 행세했다.
힘든 상황에 처해 있음을 말해주듯 마른 얼굴에 눈빛은 더욱 형형해 보인다.

(위) '95개조 논제'를 못 박고 있는 루터(율리우스 휘브너, 1878).
1517년 10월 31일, 루터는 비텐베르크 성 교회 나무문에 가톨릭교회의
면벌부 판매행위를 조목조목 비판한 이 반박문을 내걺으로써 종교개혁의 불을 댕겼다.
(아래) 보름스 국회에 출두해 카를 5세 황제 앞에서 항변하는 루터(파울 투만, 1872).
지붕의 기왓장처럼 많은 악마들이 진을 치고 모두 합세하여 싸우러 나온다고 해도 주님의 이름으로
보름스에 가겠다고 했던 루터는 권력 앞에서도 믿음과 소신을 굽히지 않았다.

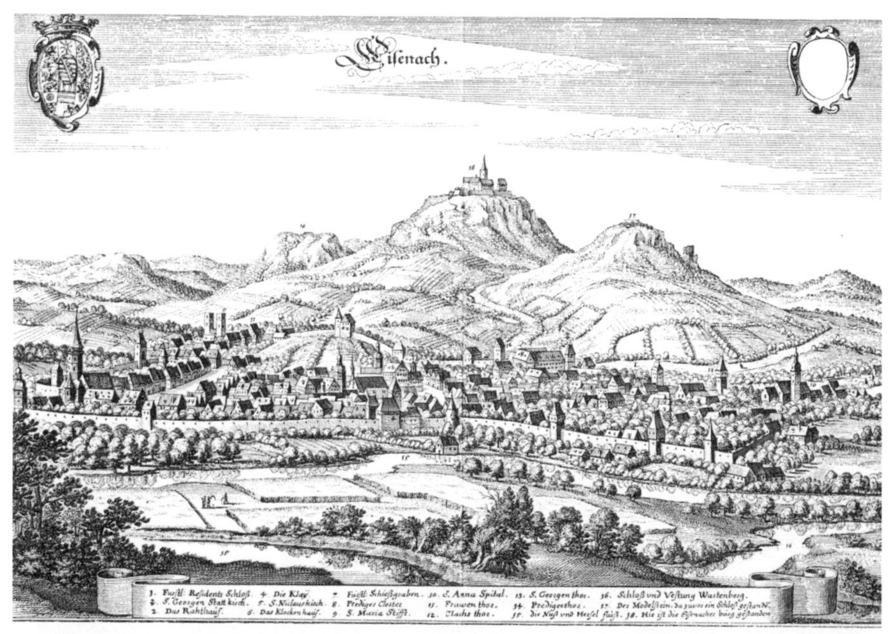

멀리 바르트부르크 성이 보이는 아이제나흐의 옛 시가지 전경과 오늘날의 바르트부르크 성. 보름스 칙령에 따라 이단자로 낙인찍힌 루터는 프리드리히 선제후의 은밀한 조치로 이 성에 몸을 숨길 수 있었다. 고립된 환경 속에서도 그는 친구들과 서신을 주고받으며 개혁의 흐름을 주시했고, 세상을 향해 쉼 없이 글을 썼으며, 독일 민중을 위해 성서를 번역했다.

비텐베르크 시립교회 제단화 중 '성만찬' 부분(루카스 크라나흐, 1547).
크라나흐는 열두 사도들 가운데 한 명으로 '융커 외르크'의 모습을 한 루터(오른쪽 잔을 받고 있는 이)를 그렸다. 이 그림을 제단화 중심에 가장 크게 그렸다는 것은 성만찬에 대한 루터의 생각을 잘 반영하고 있다. 루터는 빵과 포도주가 그리스도의 몸과 피로 실제로 바뀐다고 주장하는 가톨릭교회의 성변화(화체설)와 일반 신자들에게는 포도주를 허락지 않는 것을 비판했다.

(위 왼쪽부터 시계방향으로) 프랑스의 왕 프랑수아 1세, 교황 레오 10세, 신성로마제국의 황제 카를 5세, 잉글랜드의 왕 헨리 8세. 이들은 루터 당대에 유럽 역사를 좌지우지했던 권력자들이었다.

(위 왼쪽부터 시계방향으로) 루터와 종교개혁을 지지했던 작센의 선제후 프리드리히와
그의 조카인 요한 프리드리히 1세, 면벌부 판매에 앞장섰던 마인츠의 대주교 알브레히트,
루터에게 적대적이었던 보수주의자 작센의 공작 게오르크.

(위 왼쪽부터 시계방향으로) 루터에게 큰 영향을 주었지만 견해차도 컸던 인문주의자 에라스무스, 루터와 평생 우정을 쌓았던 종교개혁의 진정한 조력자 필리프 멜란히톤, 선제후의 궁정사제이자 루터의 친구였던 게오르크 슈팔라틴, 루터의 친구이자 선제후의 궁정화가 루카스 크라나흐.

바이마르에 있는 성 베드로-바울 교회의 제단화 '십자가 위의 예수'(루카스 크라나흐 2세, 1555).
그림 오른쪽에 그리스도를 가리키는 세례자 요한, 두 손을 모은 루카스 크라나흐 1세, 성경 본문을 펼쳐서 가리키는 마르틴 루터. 구원은 인간의 행위(율법)로써가 아니라 예수 그리스도의 십자가 희생과 그 피 흘리심의 구속(救贖) 공로를 '오직 믿음으로' 말미암는다는 사실과, '오직 성경' 말씀에 절대적 권위를 부여한 루터의 종교개혁 정신을 잘 표현하고 있다.

요한의 환시가 견고한 로마제국의 힘에 균열을 냈듯이
루터의 계시 역시 새로운 로마제국의 힘에 균열을 내기 시작하여
본래의 신앙을 회복하도록 이끌 터였다.
루터는 그렇게 믿었고, 믿는 대로 되었다.

| 차례 |

머리말 · 17

제1장 반골의 탄생 · 21

제2장 보름스 국회 · 49

제3장 알텐슈타인에서의 납치작전 · 69

제4장 루터의 밧모 섬 · 81

제5장 일개 수도사 대 높으신 왕 · 101

제6장 불온한 사상, 파괴의 불길 · 123

제7장 주도권 다툼 · 137

제8장 악마와의 투쟁 · 147

제9장 새로운 피조물 · 159

제10장 비밀 사명 · 173

제11장 10주 만에 번역한 신약 27권 · 185

제12장 로마의 상황 · 201

제13장 오직 믿음으로 · 217

제14장 광신의 물결 · 225

제15장 해방 · 237

제16장 통합 · 251

제17장 루터의 성서 세상에 나오다 · 263

맺음말 · 281

저자 후기 · 301

참고문헌 · 311

종교개혁 깊이읽기 루터의 모든 책을 불사를 수는 없었다 · 317

옮긴이의 말 역사 속 루터의 인간적 매력을 만나다 · 327

일러두기

- 본문의 성경 구절은 『성경전서 표준새번역』(대한성서공회 발행)에서 인용했다. 더러 전례와 관련된 통상문은 가톨릭 성경 구절을 따르기도 했다.
- 성경 책명이나 인명·지명은 개신교 표기법에 따랐고, 전례나 교계 관련 용어들은 대체로 가톨릭 표기를 따랐다.
- 각주는 이해를 돕기 위해 모두 옮긴이가 달았다.

머리말

이 작품은 위대한 종교개혁가 마르틴 루터의 일생에서 가장 강렬하고도 중요한 시기를 다룬 이야기다. 루터가 보름스 국회에서 이단 혐의에 대해 소명한 후 1521년 4월에서 1522년 3월까지 1년여 동안 바르트부르크 성에 홀로 유폐되어 있던 때다. 이미 몇 달 전 로마 교황청은 루터를 이단이라고 공식 선언했고, 신성로마제국의 황제 카를 5세는 국회가 끝난 후 소집한 비밀회의에서 결정된 내용을 이른바 보름스 칙령이라는 이름으로 발표했다. 그 칙령을 통해 세속 세계에서 가장 심한 공격을 퍼붓고 법의 보호를 박탈함으로써 루터를 이중으로 위험에 빠뜨렸다. 그 후 루터는 발각되면 체포되어 화형당할 수도 있다는 두려움에 빠져 11개월 동안 종적을 감추었다.

이 위험한 시기 동안 루터의 목숨과 마찬가지로 그의 개혁운동 역시 바람 앞의 등불처럼 위태로웠다. 개혁운동의 중심지인 비텐베르크에는 몇 년 전 루터의 주장에 동조했다가 바티칸으로부터 함께 파문당했던 무리들이 있었는데, 이들은 루터가 바르트부르크에 발이 묶여 있는 사이 점점 분별력을 잃고 있었다. 루터가 죽기라도 한다면 개혁운동은 내분으로 심각하게 타격을 입을 것이 불 보듯 뻔했다. 루터와 개혁운동 자체가 역사의 뒤안길로 사라질 수도 있는 일이었다. 서구 문명사에서 매우 중요한 이 전환기에 어쩌면 프로테스탄트 종교개혁이 일어나지 못했을 수도 있다.

바르트부르크에서 심적 고뇌와 육체적 고통에 시달리며 홀로 모든 것을 타개하지 않으면 안 될 처지에서 위대한 개혁가 루터는 정신적으로 온전히 버텨내지 못할 수도 있는 상황이었다. 그러나 루터는 그리스도인의 삶에서 가장 근원적인 질문들인 사제로서의 서원, 금욕, 성, 사제의 결혼, 천국과 지옥, 순종과 불순종, 교회의 권위, 각 개인의 신앙 증거 등의 문제와 씨름했다. 또한 보통 사람들을 위해 성경을 번역했다. 교황의 인도를 받지 않는 그리스도교를 구상했고, 새로운 성서 교리를 만들었으며, 성서를 다시 정경화했다. 또 그사이 미약한 개혁운동이 살아서 약동하며 외부의 거센 위협과 내적 불화를 딛고 안정될 수 있도록 멀리서나마 애썼다. 그리고 이 시련의 시기를 기적적으로 잘 극복했을 뿐 아니라 전성기를 구가할 수 있었다.

이렇게 숨어 지내는 동안 루터는 편지·강론집·소논문·번역물 등 실로 방대한 저작물을 남겼다. 육체적 고통, 불길한 운명에 대한 예감, 지옥과 사탄에 대한 환영, 죄의식에 시달리는 악몽으로 신산한 가운데에서도 이 모든 저작들을 완성해냈다. 외딴 성에 유폐되어 있다 보니 참고할 만한 책도 거의 없는 상황에서, 루터는 로마 가톨릭교회에 대한 저항을 지속적인 대안 종교로 변화시켰듯이 독일어의 수준을 상당히 끌어올리는 데 성공했다.

루터는 열정과 탁월함, 놀라운 집중력을 발휘하여 개혁운동을 지켜낼 수 있었고, 로마 가톨릭과는 분리된 별도의 교리를 확립함으로써 프로테스탄트가 태동할 수 있게 만들었다. 그리고 자신이 이룬 성취 덕분에 루터는 유럽 교계 변방의 평수도사라는 지위에서 일약 그리스도교 사상의 정점으로 우뚝 서게 되었다. 바르트부르크로 쫓기듯 숨어들었다가 박해자들에 맞서 마침내 그들을 제압할 수 있는 힘과 명성을 갖추고 다시 모습을 드러냈다.

루터의 생애에 해당하는 1483년에서 1546년까지의 시기는 잉글랜드의 헨리 8세, 프랑스의 프랑수아 1세, 유럽 대부분을 다스렸던 신성로마제국의 황제 카를 5세, 메디치가 출신 교황들인 레오 10세와 클레멘스 7세, 콘스탄티노플을 점령한 술레이만 대제 등 내로라하는 인물들이 즐비한 시대였다. 카를 5세와 프랑수아 1세가 이탈리아를 두고 각축을 벌였고, 1527년에는 독일에서 온 프로테스탄트 군대가 로마를 약탈했으며, 1529년과 1532년에는 술레이만 대제가 빈을 포위공격하며 라인 강을 따라 모든 곳을 이슬람의 영토로 만들겠다고 위협했다. 또한 크리스토퍼 콜럼버스가 신세계를 발견했고, 바스코 다 가마가 인도로 가는 길을 열었으며, 미켈란젤로·다 빈치·라파엘로·뒤러·마키아벨리 등의 선각자들이 르네상스 시대를 열었다.

루터는 생전에 그리스도교계가 이제껏 본 중에 가장 강력하고도 흥미로운 인물들이 교황의 자리에 오르는 것을 지켜보았다. 1500년에 대희년을 화려하게 거행한 후 1503년에 교황으로 선출된 율리우스 2세는 중부 이탈리아에서 프랑스와 베네치아의 지배력을 저지하려고 애썼고, 볼로냐를 비롯한 중요한 교황령을 회복할 수 있었으므로 '전사 교황'으로 알려지게 되었다. 그러나 그의 여러 공헌 가운데 후세까지 영향을 미친 것은 바로 교황들의 성당인 낡은 베드로 대성전을 허물고 기념비적인 새 건물을 짓도록 명령한 일이었다. 도나토 브라만테가 디자인한 베드로 대성전은 '지상에서는 모든 교회들에 우선하며 그리스도교의 안전을 보장하는 것'이 건립 목적이었다.

루터 이야기에서 핵심이 되는 부분은 바로 이 거대한 프로젝트와 바티칸이 그 비용을 지불하려고 고안해낸 방안이었다.

베를린
니더작센 주
엘베 강
브란덴부르크 주
베저 강
작센안할트 주
비텐베르크
노르트라인
베스트팔렌 주
아이슬레벤
할레
라이프치히
나움부르크
아이제나흐
에르푸르트
바르트부르크 성
바이마르
작센 주
고타
헤센 주
튀링겐 주
츠비카우
알텐슈타인 성
프랑크푸르트
마인 강
헝가리-
보헤미아 왕국
오펜하임
보름스
뉘른베르크
라인 강
바이에른 주
바덴뷔르템베르크 주
도나우 강
아우크스부르크

제1장

반골의 탄생

마르틴 루터는 1483년 11월 신성로마제국의 중심지였던 독일 작센안할트 주의 소도시 아이슬레벤에서 태어났다. 엄격했던 아버지 한스는 처음에는 아이슬레벤과 만스펠트의 구리 광산에서 광부로 일했다. 그곳은 산의 굉음만 들어도 간담이 서늘해지고 광산이 붕괴하거나 폭발할 위험이 상존했으며 부상과 사망이 속출하는 곳이었다. 당시의 광부들은 동정 마리아의 어머니인 성 안나를 믿었는데, 성 안나에게 열심히 빌면 모른 체하지 않고 늘 '행운과 재물'로 보답해준다는 말이 있었기 때문이다. 광부들의 건강과 안위를 지켜주는 수호성인도 성 안나였다. 그리고 행여나 사고가 일어나면 그것은 운명이 아니라 바로 죽음의 왕자인 악마의 소행이었으므로 사람들은 악마를 몹시도 두려워했다.

중세 유럽 사람들에게 악마는 언제나 어디에나 있는 존재였다. 사람들은 악마가 파괴와 절망을 퍼뜨릴 뿐 아니라 말할 수 없이 교활하게 온갖 창의력을 발휘하여 방심한 사람들을 속이고 못된 장난질로 괴롭힌다고 생각했다. 루터는 이렇게 회고했다. "악마는 광산의 인부들을 괴롭히고 못살게 굴었다. 악마의 장난으로 인부들은 새로운 은광을 발견했다고 생각하여 열심히 파고 또 팠지만 결국에는 환영에 속은 것으로 드러났다."

루터의 아버지가 초자연적인 힘에 시달리고 있었다면 어머니는 커튼 뒤에 악령들이 숨어 있다고 생각했다. 특히 아이들은 악령들의 주술과 함정에 취약했다. 루터는 어릴 적 아이들에게 주문을 걸었다는 이유로 마녀를 처벌하는 실수를 범했다가, 오히려 마녀의 마법에 걸려 시름시름 앓다가 죽은 한 주임사제를 기억했다. 아이들은 바람이나 요동치는 물결에 실려 오는 이상한 소리를 조심해야 했고 어두운 숲, 특히 습지가 있는 곳으로 너무 깊이 들어가지 말라는 주의를 들었다. 무심코 그곳에 발을 들였다가는 여러 형태로 숨어 있던 악령들의 표적이 된다고 생각했기 때문이다. 악마는 자주 곤충이나 벌레로 위장했다. 특히 벌레가 의심을 받았는데, 스멀스멀 기어 다니고 색을 바꾸는 모습이 '악마의 표상'으로 생각되었기 때문이다. 악마는 그저 사람들을 직접 죽이거나 죽게 만드는 곤충이나 뱀의 형태를 띠는 데 그치지 않았다. 악마는 전 세계의 화학자들이 합심하여 만들어낼 수 있는 것보다 훨씬 더 많은 독을 가진 노련한 살인자였다. 하지만 동시에 사람들을 기만하고 속이기 위해 순진한 양의 탈을 쓸 수도 있었다.

한마디로 말해서 세상은 무시무시한 곳이었다.

1491년 루터의 가족은 근처의 소도시 만스펠트로 이사했고, 그곳에서 아버지 한스는 성공하여 구리 제련소를 몇 개나 운영하는 동시에 존경받는 시의원이 되었다. 어린 루터는 만스펠트와 튀링겐 주에 있는 아이제나흐의 가톨릭 학교에서 라틴어를 배웠다. 아이제나흐 위쪽으로는 유명하고 웅장한 바르트부르크 성이 있었는데, 그곳은 바로 30년 후 루터가 그리스도교의 하나님을 대변한다고 자칭하던 인간 세력들로부터 피신해 숨어든 곳이기도 하다. 소년 루터는 쾌활하고 노래 부르는 것을 즐거워했으며 음악을 사랑했고 루트 연주에 통달했다고 한다.

1501년 루터는 독일에서 가장 유서 깊고 뛰어난 에르푸르트 대학 교양학부에 입학했다. 16세기에 에르푸르트는 독일어권에서 네 번째로 큰 도시로서 인구는 프랑크푸르트와 라이프치히의 두 배인 2만 4천 명이나 되었다. 에르푸르트 대학은 중부 유럽에서는 가장 많은 학생 수를 자랑했다. 학생 시절 루터는 다변가로 알려져 '철학자'라는 별명을 얻기까지 했다. 1505년에는 학사 학위를 받은 뒤, 당시 영향력 있는 중산층이 되어 있던 아버지가 원하는 대로 법률대학원 과정을 시작했다.

그러나 스물한 살이던 1505년 7월 시골에 머무르던 중 슈토테른하임 근처 한적한 길에서 심한 뇌우를 동반한 폭풍우를 만났다. 겁에 질린 루터는 나무 아래로 기어가며 구리 광산의 광부들이 늘 그러듯 성 안나에게 살려달라고 소리쳤다. 그리고 만일 그 폭풍우에서 살아남게 된다면 수도자가 되겠다고 즉흥적으로 맹세했다. 루터가 그 결심을 밝히자 아버지는 최소한 자기와 먼저 상의하지도 않고 법률가의 길을 포기했다고 불같이 화를 냈다.

"성경에 아버지와 어머니를 공경해야 한다고 씌어 있는 것을 보지 못했단 말이냐?" 아버지는 성경까지 들먹이며 역정을 냈다.

나중에, 루터는 그 맹세가 진심이었는지 의문을 품는다. 1521년에 쓴 「수도서원에 대하여」라는 소논문에서 다음과 같이 적고 있다. "나는 자유롭게 또는 원해서 수도자가 된 것이 아니라 갑자기 죽을지 모른다는 공포와 고통에 짓눌려 마지못해 어쩔 수 없이 서약했다." 어쨌든 슈토테른하임의 폭풍우가 있던 날로부터 12일 후 갖고 있던 책 가운데 베르길

리우스와 플라우투스의 저작만 빼고는 모두 팔아치우고 에르푸르트에 있는 아우구스티노 수도원으로 들어갔다. 그로부터 6년 동안 루터는 아우구스티노 수도회의 엄격한 규율에 따라 살았다. 그런데 시간이 점점 흐르면서 그곳에서의 삶에 회의가 들기 시작했다.

그에 대해 루터는 이렇게 회고했다. "나는 하나님께 화가 나 있었다. 비참한 죄인들이 원죄로 인해 영원히 방황하고 있다는 설명만으로는 뭔가 충분치 않은 것 같았다. 죄인들이 십계명이라는 율법에 매어 갖가지 불행에 짓눌려 있는 것도 납득되지 않았다. 그러자 성서에 적힌 대로 하나님께서는 언제 진노할지 모르는 무서운 분이며 고통을 가중시키는 존재로 다가왔다. 그래서 나는 극심한 양심의 가책을 받는 것에 몹시 화가 났다."

루터의 고해신부는 그에 대해 이렇게 대답해주었다. "자네는 어리석군. 하나님께서 화를 내고 계신 것이 아니라, 자네가 그분께 화를 내고 있는 걸세."

1507년 4월 사제서품 뒤 루터는 아우구스티노 수도회의 부총장인 요한 폰 슈타우피츠로부터 영적 지도를 받게 되었다. 슈타우피츠는 루터의 재능을 높이 샀지만 그의 심각한 회의와 불안감을 우려했다. 그래서 이 젊은 사제의 고해를 들어주며 그를 다독여주었다. 루터는 늘 하던 고해성사조차도 몇 시간이나 지속할 때가 자주 있었다. 학업에 매진하다 보면 내적인 성찰에만 집중하던 데서 벗어날 수 있으리라 생각해, 슈타우피츠는 루터에게 학문 쪽으로 진로를 바꿀 것을 권유했다. 그리고 1512년 루터가 박사학위를 받자 신생 비텐베르크 대학의 성서학 교수 자리를 물려주었다. 그 후로 몇 년 동안 루터는 인문주의의 도전에 대한 내적 논쟁과 성경 교리의 첨예한 부분에 대한 소논문을 쓰는 데 전념했다. 1514년에 비텐베르크 교회의 주임사제로 부임한 후에는 뛰어난 강

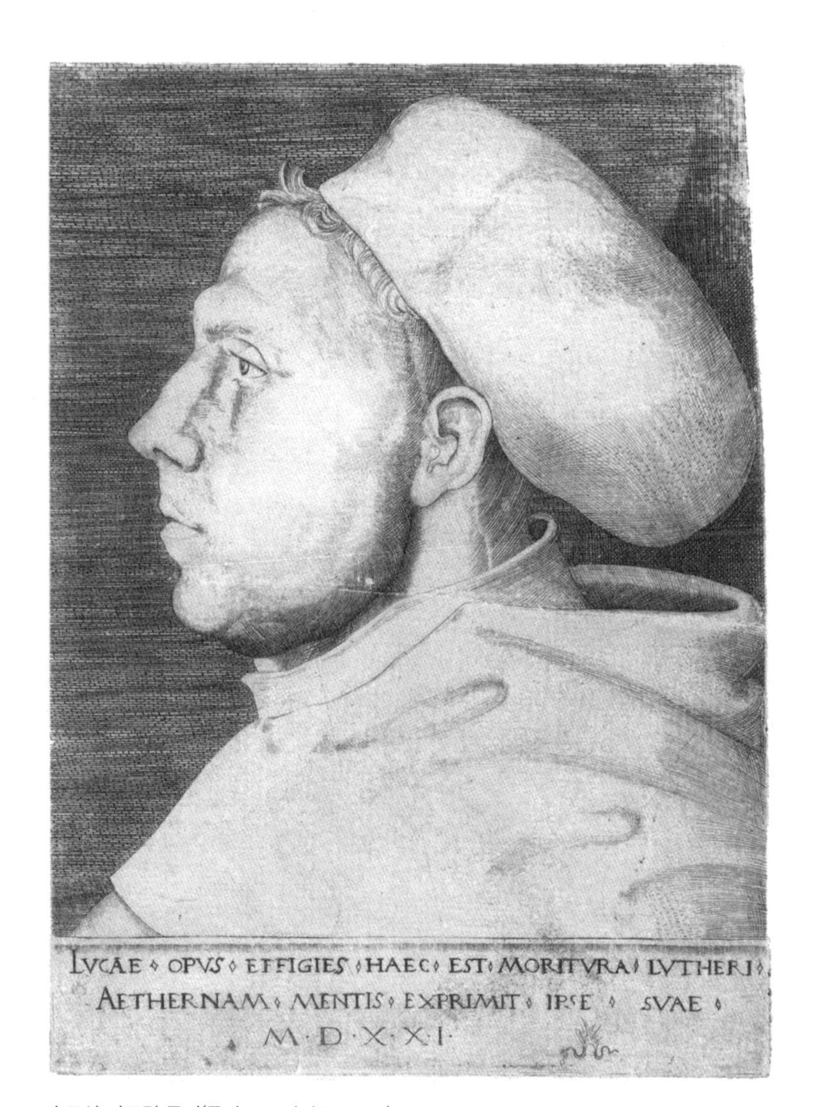

수도사 마르틴 루터(루카스 크라나흐, 1521).
그는 수도원 생활에 충실히 적응해갔지만 동시에 그곳에서의 삶에 점점 회의가 들었다.

론으로 이름을 날렸다. 특히 성서의 이야기들을 사람들이 이해하기 쉽게 단순한 언어로 설명하는 능력이 뛰어났다.

로마 가톨릭교계 내에서 루터는 더 막중한 책무를 맡게 되었음에도 교황청과의 관계는 점점 멀어졌는데, 그 이유는 율리우스 2세 서거 뒤 새로 취임한 교황이 원인을 제공한 측면이 크다.

1513년 교황으로 선출된 레오 10세는 피렌체의 거대한 은행가 집안인 메디치 가문에서 처음으로 배출된 교황이다. 일 마그니피토(위대한 자) 로렌초 데 메디치의 차남으로서 왕처럼 행세한 레오 10세는 지나친 월권행위로 루터가 교회에 반대하게 만든 문제 많은 인물이었다.

전쟁과 율리우스 2세의 엄격한 치세를 겪고 난 뒤, 레오 10세는 예술·과학·문학에 관심을 집중한 메디치 가문의 기풍을 로마로 옮겨왔다. 교황은 특히 고전 작품과 고대의 유물에 관심이 많았다. 라파엘로 산치오 다 우르비노는 교황이 가장 중요하게 후원했던 화가였으며, 미켈란젤로와 레오나르도 다 빈치(이 무렵 둘 다 로마에 있었다)보다도 라파엘로의 그림들이 이른바 레오 교황 시대의 화려함을 잘 대변한다. 1520년 4월에 사망하기 전까지 라파엘로는 교황이 서류를 결재하는 집무실인 서명의 방(Stanze)과 개인 서고, 침실에 유명한 벽화를 그리기도 했다. 또한 베드로와 바울의 행적들을 묘사하는 태피스트리의 밑그림을 완성하기도 했다. 교황은 시스티나 성당에 걸어놓기 위해 이 걸작들을 주문한 것이었다. 라파엘로는 또한 한쪽 벽면이 트인 바티칸의 3층 아케이드 로지아(loggia)를 고전 테마들로 장식했다. 1515년 레오 10세는 베드로 대성전을 신축하는 중책을 라파엘로에게 맡겼다.

라파엘로가 그린 것으로 현재 피렌체의 피티 궁전에 걸려 있는 레오 10세의 유명한 초상화를 보면, 그는 중키에 큰 머리와 통통한 얼굴, 눈처럼 흰 손을 가진 인물이었다. 대식가로 유명했기에 그림 속에도 비만한 모습으로 그려져 있다. 라파엘로의 초상화에 등장하는 교황은 모제타(mozetta)로 알려진 붉은색 짧은 망토를 걸치고 카마우로(camauro)라고 불린 흰담비털이 달린 붉은 모자를 쓴 채, 근시인데다 한쪽 눈이 거의 보이지 않았으므로 돋보기 알을 들고 의자에 앉아 있다. 그리고 채색 필사본 옆에 놓인 장식된 종은 예술과 문학에 대한 교황의 관심을 강조하고 있다.

이 시기에는 회화와 조각 못지않게 문학 역시 융성했다. 1백 명이 넘는 시인들이 바티칸 궁정과 트라야누스 포룸에 있던 회합 장소에 드나들었다고 한다. 그중에 많은 사람들이 후원자인 교황에게 바치는 찬가를 쓰느라 바빴다. 레오 10세는 친척과 예술가들뿐 아니라 이 시인들에게도 선물 세례를 퍼부음으로써 그에 화답했다.

레오 10세 치하에서는 친족 등용 또한 횡행했다. 교황에 오른 뒤 레오 10세는 친척 두 사람을 추기경으로 임명했는데, 줄리오 데 메디치는 스무 살, 조반니 안젤로 데 메디치는 겨우 열네 살에 불과했다.

교계는 교황이 하나님의 영원한 도성 로마에 몰고 온 윤택한 생활을 반기는 분위기였다. 교황으로 취임하면서 레오 10세가 했다는 말이 널리 떠돌았다. "하나님께서 우리에게 교황의 지위를 주셨으니 살아 있는 동안 제대로 누려봅시다."

진위 여부를 떠나 이 말의 어조로 보아 레오 교황의 성향이 어떠했을지 짐작해볼 수 있다. 관대하고 너그러운 태도와 열성적인 유머 감각을 갖추었을 뿐 아니라 그 자신이 낭랑한 음성을 가진 것으로 전해지는 뛰어난 음악가였다. 세련미와 매력을 갖춘 것으로 유명한 그는 거리의 통속극을 즐겼다.

이렇게 세속적인 오락을 즐겼으므로 레오 10세는 신앙심을 의심받았으며 인문주의자 교황이라는 딱지가 붙었다. 레오 교황이 관대하다고 생각하는 사람도 많았다. 그러나 일단 교황이 되고 나자 어쨌든 겉으로는 신앙심이 깊은 척했다. 교황의 개인 경당인 니콜리나 예배당에서 매일 아침 미사를 드렸는데, 그곳은 60여 년 전에 또 다른 인문주의자 교황 니콜라우스 5세의 요청으로 프라 안젤리코가 벽화를 그린 바티칸 궁정의 또 다른 보고이기도 하다.

레오 10세의 사치스러운 기행 가운데 하나는 애완동물에 대한 집착이었는데, 바로 포르투갈 왕 마누엘 1세로부터 선물 받은 '한노'라는 이름의 하얀 코끼리였다. 마누엘 왕은 아프리카 만을 따라 희망봉 부근까지 이르는 기념비적 항로를 개척한 덕분에 유럽이 인도와 교역을 개시할 수 있게 해준 바스코 다 가마 같은 포르투갈 항해가들의 영웅적 공적을 기념하는 의미에서 표범 두 마리와 페르시아 종마 한 마리와 함께 이 이국적인 애완동물을 선물한 것이었다. 교황은 한노가 겸손하게 무릎을 꿇고 있다가 다른 짐승이 가까이 다가오면 큰 소리로 우는 습관이 있었으므로 특히 좋아했다. 그런데 한노가 갑자기 병에 걸리자 금이 섞인 하제*를 비롯해 온갖 특별한 처방을 다했음에도 살려내지 못했다. 결국 한노가 죽자 정신이 반쯤 나간 교황은 애통해하며 라파엘로에게 죽은 친구를 위해 추모비를 설계하고 송가를 지으라고 명령했다. 찬가는 코끼리의 크기(열두 뼘)와 '인간적인 감정들'을 강조했고 2행 대구로 끝맺었다. "자연이 빼앗아간 존재를 / 우르비노의 라파엘로가 예술로 되살리다."

* 이 코끼리가 병이 들어 겨우 호흡만 하는 지경에 이르자 교황은 주치의들을 불러 진단하게 했는데, 의사들은 코끼리가 후두염에 걸렸고 그로 인해 변비가 심해졌다는 진단을 내렸다. 그리고 코끼리에게 금이 섞인 하제를 먹여야 한다고 처방했다. 당시 사람들은 약간의 금을 섞어 설사약을 처방했다고 한다.

도를 넘은 교황의 사치스러운 삶 때문에 바티칸의 재정은 점점 고갈되었다. 설상가상으로 1515년 이탈리아를 침략하여 밀라노를 점령한 프랑스는 중부 이탈리아의 교황령을 넘보고 있었다. 2년이 안 되어 바티칸의 금고는 바닥났고, 레오 10세는 점점 더 돈에 혈안이 되었다. 무슨 수로 전쟁 자금을 마련하고, 라파엘로의 작품 활동과 베드로 대성전 건립에 자금을 대며, 호화로운 연회를 주최하고 알랑거리는 예술가들과 추종자들에게 기부금을 뿌려대겠는가? 점점 더 은행가들에게 의지하게 된 교황은 40퍼센트의 고리로 막대한 돈을 빌렸다.

손실분을 메우기 위해 거금을 받고 추기경직과 주교직을 파는 짓까지 서슴지 않았다. 1517년 7월 31일에는 31개의 새 추기경직을 만들어서 임명하는 대가로 30만 두카트(현재 화폐로 환산하자면 대략 600억 원)를 받았다. 이렇게 횡재한 돈을 손에 넣으며 교황은 놀랍게도 냉소적으로 말했다고 한다. "예수에 관한 이 신화가 얼마나 대단한 황금알을 낳는 미신인지 우리는 잘 알고 있지."

거꾸로 성직자들은 찾아낼 수만 있다면 크든 작든 가리지 않고 금융가와 증여자로부터 돈을 빌려 이 값비싼 관직을 사들였다. 가장 악명 높은 성직 매매는 레오 10세가 교황으로 즉위한 다음 해에 발생했는데, 당시 교황은 독일 마인츠의 대주교직을 브란덴부르크의 알브레히트라는 방탕한 젊은 귀족에게 팔아넘겼다. 대주교직을 사들이는 값으로 지불한 돈은 금화로 2만 1천 두카트(약 42억 원)였다. 이 막대한 금액을 모으기 위해 알브레히트는 당시 이탈리아의 메디치 가문에 견줄 만한 재력과 힘을 가지고 있던 독일의 가장 강력하고도 부유한 은행가 집안인 푸거 가문에서 돈을 빌려야 했다. 알브레히트는 특별 면제인 관면(寬免)을 교묘하게 왜곡한 면벌부*를 팔아 은행에서 빌린 돈을 되갚아도 된다는 허락을 받아냈다.

면벌부는 살인·축첩·신성모독·도둑질·위증·마술 등의 죄를 저지른 데 대해 영적 고통을 덜어주는 일종의 수단이었다. 두둑한 액수를 내면 죄인은 교황의 면제를 통해 연옥에서 보내게 될 연수를 줄이거나 없앨 수 있었다. 면벌부를 구입하면 사악한 자들도 진심으로 참회하는 모습을 보여준다고 생각되었다. 그 은총은 빈부는 물론 산 사람과 죽은 사람을 구분하지 않고 모든 이들의 죄에 적용할 수 있었다. 현대 가톨릭 사전에 솔직담백하게 표현되어 있듯이, "신자들 가운데 순진한 이들로부터도 현세에서의 지속적인 행복과 내세에서의 영원한 영광을 약속하며 돈을 우려냈다." 1515년 레오 10세는 베드로 대성전을 건립하는 데 필요한 연간 할당액으로 6만 두카트(약 120억 원)를 책정했다. 면벌부 판매는 기금을 모으는 주요 재원이 되었다.

레오 10세는 교황이 죄를 감면하고 용서하며 '천국의 열쇠가 가진 힘'으로 죄인의 처벌을 완화할 수 있다고 주장함으로써 면벌부 판매행위를 정당화했다. 이 개념은 성경 속 그리스도와 시몬 베드로 사이에 주고받은 대화를 지칭한 것이다. "나는 이 반석 위에다가 내 교회를 세우겠다. 죽음의 세력이 그것을 이기지 못할 것이다. 내가 너에게 하늘 나라의 열쇠를 주겠다. 네가 무엇이든지 땅에서 매면 하늘에서도 매일 것이요, 땅에서 풀면 하늘에서도 풀릴 것이다."(마태복음 16:18~19) 바티칸 시국의 상징인 문장에는 교차시킨 두 열쇠가 들어 있는데, 그 열쇠는 바로 그리스도께서 최초의 교황인 베드로에게 주신 하늘나라의 열쇠다. 레오 10세는 면벌부가 400여 년 전 교황을 섬긴 거룩한 전사들을 위한 보상으로 처음 창안된 이후 계속 존재해왔다는 말을 덧붙였을 것이다.

---

* 일반적으로 '면죄부'라는 말을 써왔으나, 죄가 아니라 죄의 벌을 면제해준다는 뜻이므로 면벌부가 옳은 번역이다. 가톨릭에서는 '대사'(大赦, 라틴어 indulgentia) 또는 대사부(大赦符)라고 한다.

레오 10세와 두 명의 추기경(라파엘로, 1518~19).
왼쪽이 훗날 교황 클레멘스 7세가 되는 줄리오 데 메디치다.
레오 10세의 사치스러운 삶은 바티칸의 재정을 축냈고,
결국 면벌부라는 로마 교회의 폐단을 초래했다.

알브레히트는 독일 면벌부 판매책으로 요한 테첼이라는 이름의 부지런한 도미니코 수도회 수도사를 지명했는데, 면벌부를 팔러 다니던 그의 주문이 지금까지 전해져온다.

> 봉헌함에 금화가 딸그랑거리며 떨어지는 순간
> 구원된 영혼은 천국으로 곧장 올라간다네.

루터는 면벌부를 무분별하게 남발하는 것을 개탄했지만 그 관습을 항상 반대한 것은 아니었다. 사실 1510년 아우구스티노 수도회 대표단의 젊은 수사로서 로마를 여행했을 당시 루터의 태도는 완전히 달랐다. 그것은 그의 일생을 통틀어 로마에 간 유일한 여행이 되고 만다.

제 역할을 하지 못하는 도시와 그곳 성직자들의 사치스러움에 큰 충격을 받기는 했지만, 당시의 루터는 나중에 보여준 모습과 달리 언성을 높이는 과격론자는 아니었다. 사실상 그는 면벌부를 실행 가능한 수단으로 받아들일 준비가 기꺼이 되어 있는 것 같았다. 유다가 목을 매 자살했다는 밧줄 등과 같은 고대 유물과 유적지를 둘러본 후 라테라노 궁전의 성스러운 계단에 도착했다고 한다. 전설에 따르면 이 계단들은 그리스도께서 본디오 빌라도의 법정으로 올라갔던 예루살렘의 바로 그 계단이었다. (4세기에 천사들에 의해 로마로 옮겨졌다고 한다.)

훌륭한 참회자들처럼 루터 역시 무릎으로 기어서 계단을 올라갔다. 그렇게 하면 한 계단마다 속죄 기간을 9년 면제받고, 그리스도께서 넘어지셨던 계단은 두 배인 18년을 면제받는다고 믿었기 때문이다. 나중에 루터는 그 여행을 회고하며 로마에서 목격한 "인간쓰레기와 비열한 짓"에도 불구하고 "모든 것을 믿었다"고 했다. 그리고 살아계신 부모님께 연옥에 대한 자신의 믿음을 전파할 수 없어 애통하다고 표현하기까지

했다. 인생 말년 무렵인 1545년에 루터는 그 이야기를 약간 바꾸어 말했다. 로마로의 순례는 미몽에서 깨어난 시간이었다고 말이다. 자신이 "양파를 가지고 갔다가 마늘을 갖고 돌아왔다"고 말했다. 무릎으로 기어서 마지막 계단에 이르렀을 때 갑자기 루터는 그렇게 기어온 것이 효과가 있을지 의심이 들었다. 그는 "의인들은 믿음으로 산다"는 성경 구절을 기억했다. 그런데 그 자신의 표현에 따르면 그 순간 갑자기 혼자 중얼거렸다고 한다. "이 기도가 소용이 있을지 알게 뭐야?"

1517년 무렵 마르틴 루터는 비텐베르크의 지역 명사이자 존경받는 신학 교수이며 인기 있는 강론가였다. 개신교 역사에서 가장 중요한 날이자 모든 성인 대축일 전날인 10월 31일 루터는 비텐베르크 성(城) 교회 나무문에 내건 95개조 논제에서 면벌부를 조목조목 반박했다.

루터가 밝힌 개혁 논제의 목적은 "진실을 이끌어내는 것"이었다. 그는 넓은 캔버스 천에 교회의 교리와 관습에 대한 불평을 가득히 적어놓았다. 특별히 그의 표적이 된 것은 목전에서 벌어지고 있던 면벌부 판매 행위였다. 면벌부는 죄와 범죄로부터의 구원을 참된 통회의 표출이라기보다는 순전히 금전거래로 만들어버리기 때문에 효력이 없다고 주장했다. 면벌부를 구입하는 것은 고해성사 증서를 구입하는 일과 같았다. 루터는 진정한 참회야말로 하나님께로부터 거저 받는 참된 선물이라고 생각했다. 누군가가 구원을 위해 돈을 지불했다면 진짜 죄는 전혀 줄어들지 않는다. 진정한 참회는 행위를 통해 겉으로 드러나야 한다. 그리고 교황은 죄인을 죄나 죄로 인한 벌에서 자유롭게 해줄 힘이 전혀 없었다.

> 21조: 면벌부를 사라고 설교하는 사람들이 교황의 면벌부로 모든 형벌을 면제받고 구원받을 수 있다고 말한다면 잘못된 생각이다.
>
> 27조: 돈이 봉헌함에 쨍그랑 떨어지는 순간 영혼이 연옥에서 벗

브란덴부르크의 알브레히트
(루카스 크라나흐, 1521).
방탕한 젊은 귀족이었던 그는
막대한 돈으로 레오 10세로부터
마인츠의 대주교직을 샀다.

어난다고 한다면 단지 인간의 교리를 가르치는 데에 불과하다.

28조: 돈이 봉헌함에 쨍그랑 떨어지면 탐욕과 욕망이 커지는 것은 확실하다. 그러나 교회가 탄원하면 그 결과는 오직 하나님의 손에 달려 있다.

29조 논제에서는 연옥에 있는 영혼들이 정말로 구원되기를 원하는지 의심했다. 그리고 50조와 86조 논제에서는 면벌부가 베드로 대성전의 건립과 관련이 있음을 밝혔다.

50조: 만일 교황이 면벌부를 파는 사람들의 착취를 알게 된다면 순진한 양들의 가죽과 살과 뼈로 베드로 대성전을 건립하느니 차라

요한 테첼(작가미상, 18세기).
도미니코 수도회 수도사였던 그는
알브레히트의 지명을 받아
독일 면벌부 판매책이 되었다.

리 한 줌의 재가 되도록 내버려두었어야 한다는 것을 그리스도인들은 알아야 한다.

86조: 오늘날 교황의 수입은 세상에서 제일 부유한 자의 수입보다도 많은데, 베드로 대성전 하나쯤이야 궁핍한 신자들의 돈이 아니라 교황 자신의 돈으로 지어야 하는 것 아닌가?

한마디로 구원을 돈과 연관 짓는 행위는 교활하고 신을 모독하는 짓으로서 교회와 교황을 조롱거리로 만들며 그리스도인들을 불행에 빠뜨릴 뿐이었다.

루터는 강경하게 비판하는 한편 그 비판 행위가 단지 교계 안에서 벌어지는 활발한 토론에 지나지 않는다는 사실을 보여주려는 의도에서 당연히 이 논제들의 사본을 브란덴부르크 대주교와 자신의 관할 주교에게 보냈다. 그러나 그 이의제기는 교계를 벗어나 멀리까지 순식간에 퍼져 버렸다. 67년 전 구텐베르크가 가동활자를 채택한 후 발전했던 대량인 쇄술 덕분에 문서는 라틴어로 인쇄되어 유럽 전역으로 배포된 것이다.

교황청의 반격은 거셌다. 루터 사태는 하나님의 충견 도미니코 수도회에 즉시 보고되었다. 당시 도미니코 수도회는 가장 중요한 그리스도교 사제들에 대한 교황의 최고 권위를 포함하여 가톨릭 교리의 순수성을 감독하고 보호하는 역할을 했다.

그 사건을 조사하게 된 '교황청 감독관'인 도미니코 수도회 학자 실베스터 프리에리아스는 95개조 논제를 검토한 뒤 공식적으로 "이단을 확산시킬 소지가 다분하다"고 주장하는 상세한 조서를 작성했다.

프리에리아스는 루터에 대해 이렇게 썼다. "악마가 자신이 벌여놓은 모든 짓거리에 의기양양해하듯 그대에게서는 악의가 묻어나도다." 바티칸은 배교자로 낙인찍힌 루터에게 당장 로마로 와서 종교재판을 받으라고 요구했다.

그러나 루터는 아프다는 핑계로 이의를 제기했고 교황청을 '총체적 난맥과 불길함으로 가득한 곳'이라고 선언했다.

낭패를 본 교황청에서는 루터를 굴복시켜 데려오도록 교황 특사를 독일로 보냈으나, 루터에 대한 찬성 여론이 점점 커져 널리 퍼지고 있음을 알게 되었을 뿐이다. 아우크스부르크에서 루터와 교황 특사 사이에 공개 토론이 열렸지만 격렬한 말싸움으로 번지고 말았다.

"썩 꺼져서 주장을 철회할 준비가 되기 전에는 돌아오지 마라!" 특사가 소리쳤다.

루터가 되받아쳤다. "내가 그리스도인이 되게 만든 지론들을 부인함으로써 이단이 되지는 않겠습니다. 차라리 불에 태워지거나 추방당하거나 저주를 받겠습니다."

루터는 1519년 초까지만 해도 로마와 공식적으로 소통하는데 가식적이긴 해도 적절한 태도를 유지하고 있었다. 1519년 3월 교황에게 보내는 서신에는 이렇게 썼다. "로마 교회나 교황의 권위를 공격하려는 마음은 추호도 없습니다. 오히려 로마 교회의 권위는 다른 모든 것보다 우위에 있으며 예수 그리스도를 제외하고는 그 무엇보다 높다는 점을 인정합니다." 그런데 거의 그 무렵 작센의 선제후* 프리드리히 3세의 궁정사제인 게오르크 슈팔라틴에게 쓴 편지에서는 교황이 정말로 적그리스도인지 아니면 적그리스도가 보낸 사자인지 결론을 내릴 수 없다고 말했다.

물론 루터가 내뱉은 많은 무례한 언동은 교황의 귀에까지 들어갔다. 교황은 루터의 정중한 편지를 받고는 분명히 껄껄 웃었을 것이다. 그래도 복종의 표시로서 교황에게 편지를 보내는 쪽을 택했으니 말이다. 당시는 마키아벨리·귀차르디니·에라스무스가 활동한 시대이니만큼 레오 10세는 유명한 문필가 피에트로 벰보와 줄리오 사돌레토를 개인 비서로 두고 있었는데, 덕분에 교황의 모든 서신은 이 두 사람이 우아하고 유려한 라틴어로 멋지게 작성했다. 교황의 서신을 작성해주는 이 문필가들에 대해 전해 들었을 때 루터는 이렇게 말했다. "교황이 내게 맞서 글을 쓸 재능을 알아보고 사돌레토를 뽑았군. 오 하나님, 부디 그를 비추시어 옳은 길로 인도하소서!"

루터에게 보낸 답신에서는 아버지처럼 다정한 인내심이 풍겨났다. 교황은 "반성하는 듯한 루터의 복종에 기뻐하며 당장 로마로 와서 주장을 철회하라"고 초대했다. 루터는 여비가 없다는 핑계를 대며 그 초대를 받아들일 수 없다고 했다. 그러자 교황은 로마까지 오는 비용을 부담해주

* 선제후(選帝侯): 신성로마제국의 황제를 뽑을 수 있는 선거권을 가졌던 독일의 제후들.

겠다고 제안했고 루터는 그에 답하지 않았다. 이제 루터는 교황을 적그리스도로 생각하고 있었으므로 로마를 적그리스도의 소굴인 악령의 도시 바빌론으로 언급하기 시작했다. 루터의 표현을 빌리자면 로마 사람들은 "이탈리아인 특유의 교묘한 술수와 독살이나 암살로" 그를 잡으러 나섰다. 자신은 그리스도의 양들로부터 젖과 털을 갈취하려고 혈안이 된 탐욕스러운 수전노들과 돈독이 오른 맘몬의 자식들에게 중상모략을 당했다고 했다. (루터가 이러한 비난에 탐욕을 계속 들먹인 것은 레오 10세의 식습관을 빗댄 것이 분명하다.)

많은 사람들이 루터가 1519년을 기점으로 논객에서 벗어나 혁명가로 바뀌었다고 평가하고 있다. 당시 루터보다 더 원색적 비난을 일삼은 독일의 혈기왕성한 주요 반가톨릭 인문주의자들이 루터를 지지하며 보호하고 있었다. 이 선동가들 가운데 한 사람이 바로 울리히 폰 후텐이었다. 그는 세속에 대한 교회의 영향력을 약화시키려고 애쓰고 있던 신성로마제국 황제기사단이라는 모임을 이끌던 호전적인 독일 학자였다. 후텐은 교황에게 "거대한 흡혈충"이라고 악담을 퍼부었다. 그리고 극단적인 표현도 서슴지 않았다. "이 헛간 앞마당에 배가 터질 정도로 곡식을 먹어치우는 쌀벌레가 앉아 있다. 똑같이 탐욕스러운 벌레들이 그 주위에 무수히 포진해 있는데, 이들은 처음에는 우리의 고혈을 빨아먹다가 살을 먹어치우고, 이제는 뼈까지 갈아 남김없이 먹어치우려 하고 있다. 그러니 독일인들이여, 분연히 일어나 불과 칼로 그들을 때려잡아야 하지 않겠는가?"

그사이, 또 다른 기사단원이었던 질베스터 폰 샤움베르크와 프란츠 폰 지킹겐은 병사들을 이끌고 루터를 보호해주겠다고 제안했다. 루터는 몹시 기뻐하며 아우구스티노 수도회의 한 동료에게 이 두 군인 지지자들 덕분에 자신이 "모든 사람들의 눈치를 보지 않아도 된다"고 자랑했다. "프란츠 폰 지킹겐은 나를 모든 적들로부터 보호해주겠다고 후텐을 통해 약속했네. 질베스터 폰 샤움베르크도 프랑켄의 귀족들과 함께 그렇게 해주겠다고 하네. 이제 나는 더 이상 두렵지 않네. 그래서 교황을 향해 적그리스도에게 말하듯이 격한 언어로 쓴 그리스도교의 개혁에 관한 독일어 책을 출판할 거라네."

이 책은 1520년 『그리스도인의 자유에 관하여』라는 제목으로 출간된 루터의 세 번째 소책자이며, 교황 레오 10세에게 보내는 서신의 형태로 서문이 실려 있다. 그 서신에서 루터는 교황을 적그리스도라고 부르는 것을 자제하고 대신 로마의 세태에 맞서 싸우는 죄 없는 사람으로, 사자굴에 갇힌 다니엘(다니엘서 6:1~28)과 전갈들에 둘러싸인 에스겔(에스겔서 2:6)처럼 옥좌를 에워싼 사악한 아첨꾼들에게 희생당하고 있는 모습으로 그렸다. 그리고 속마음과는 다르게 다음과 같이 썼다. "교황께 한 번도 악의를 품은 적이 없습니다. 오히려 영원한 축복이 함께 하시길 바라고 있습니다." 그는 몇 번이나 레오 10세를 '복되신 분', '교황 성하', '지존하신 레오 교황님' 등으로 언급했다. 교황에게는 그렇게 거짓 미사여구를 아끼지 않는 한편 교황 주위의 사악한 자들이 교황의 이름으로 그리고 교황의 허락 없이 은연중에 대혼란을 일으키고 있다고 경고했다. "한때 모든 교회 가운데 가장 거룩했던 로마 교회가 이제는 가장 무법천지인 도둑들의 소굴이요, 가장 수치스러운 매음굴이요, 온갖 죄악과 죽음과 지옥의 왕국이 되어버렸습니다. 그래서 설령 적그리스도가 온다 하더라도 더 사악한 흉계를 꾸밀 수 없을 정도로 타락했습니다."

루터는 로마가 바빌론일 뿐만 아니라 소돔과 같다고 주장했다. 세상에 온갖 악취를 풍기며 교황의 권위가 점점 약해지고 있다고 했다. 로마의 궁정보다 더 해롭고 역겹고 부패한 곳은 없었다. 그저 인간에 불과한 교황을 무엇이든 원하는 대로 휘두를 수 있을 정도로 신격화하려는 그

세이렌*들을 조심하라고 경고했다. "그자들에게 속지 마십시오. 그들은 마치 교황님께서 세속의 군주처럼 그리스도인이 되게 할 수 있는 허가권을 갖고 있다고 기만하며, 천국과 지옥과 연옥을 주관하는 힘이 있다고 허튼 소리를 하고 있으니까요." 루터는 이사야서 3장 12절을 들먹이며 그들이 교황의 적이라고 썼다. "교황님을 복되다고 부르는 자들이 바로 기만하는 자들입니다. 그들은 교황님을 잘못하게 만들고 앞길을 망치려 들고 있습니다."

루터 자신은 이 독충들의 근거지를 공격하고 있는 중이었다. 그는 로마의 궁정을 경멸의 눈초리로 바라보며 그곳과 절연하고 있는 중이었다. 이 발언에서는 요한계시록 22장 11절을 인용했다. "불의를 행하는 자는 그대로 불의를 행하도록 내버려두고, 더러운 자는 그냥 사람이 더러운 채로 내버려두어라. 의로운 사람은 그대로 의를 행하게 하고, 거룩한 사람은 그대로 거룩한 사람이 되게 하여라."

1517년 10월에서 1520년 말 사이에 로마와의 갈등은 더욱 깊어졌고 루터의 입장은 더욱 강경해졌다. 이제는 가톨릭 신앙의 신성불가침과도 같은 전례들을 대놓고 문제 삼았다. 혼인성사와 종부성사(죽기 전의 마지막 의식)를 포함하여 7성사의 효력에 이의를 제기했다. 성체성사 중에 회중이 하늘을 우러를 필요가 없다고 했고 그리스도인들이 빵과 포도주가 그리스도의 성체와 성혈로 바뀐다고 믿어야 할 필요가 있는지 의구심을 드러냈다. 그리고 사제에게 독신을 강요하는 것을 악마의 소행으로 생각하기 시작했다. 그리고 나중에 루터 교리의 핵심이 되는 '오직 믿음에 의한 의화(義化)' 개념으로 나아갔는데, 이는 하늘나라의 구원을

* 아름다운 얼굴에 독수리의 몸을 가진 바다의 님프. 이탈리아 서부 해안의 절벽과 바위로 둘러싸인 사이레눔 스코풀리 섬에 살며 가까이 다가오는 배의 선원들을 아름다운 노랫소리로 유혹하여 바다에 뛰어들게 만들었다. 유혹 또는 속임수를 상징한다.

얻는 데 선행이 꼭 필요하고 중요하다는 생각을 부인하는 것이다. 루터는 중재자가 필요 없이 오로지 청하는 이의 양심에만 의거한, 신앙인과 절대자 사이의 직접적인 관계를 옹호하기 시작했다. 특히 로마에 있는 교황의 모습에서 극단적으로 드러나듯이 미사 중에 착용하는 사치스러운 사제복에 대해 개탄했다.

루터는 핵심 교리에 이의를 제기할 뿐 아니라 세속에서의 정치권력을 문제 삼음으로써 로마 교회의 기초 자체를 흔들고 있었다. 16세기 초 교회는 전능했으므로 교회의 정치적 권위 및 도덕적 권위를 감히 문제 삼을 사람은 아무도 없었다. 교회는 왕위를 좌지우지했고, 통치 행위에 도덕적 구속력을 부여했으며, 마음에 들지 않는 유력 인사들에게는 지지를 보류했고 천국으로 갈 사람과 지옥으로 갈 사람을 결정했다. 상황이 그러했으니 이러한 도전이 교황과 왕의 분노에 불을 댕긴 것은 전혀 이상할 게 없었다.

달이 지날수록 반교황적 언사는 점점 격해졌고, 대량 인쇄술 혁명이 가속화되어 저항정신은 독일 전역으로 퍼져나가고 루터는 더욱 대담해졌다. 하나님께서 당신의 교회를 개혁하라고 자기를 통해 말씀하고 계시다고 주장하면서 그의 성명은 점점 더 메시아적으로 변했다. 교회와의 화해 가능성은 점점 희박해져갔다.

1519년 6월 라이프치히의 플라이센부르크 성에서 군중도 참석한 가운데 공개적으로 다시 한 번 토론회가 개최되었다. 루터의 적수로는 독일 전역을 통틀어 가장 유명한 신학자이자 잉골슈타트 대학의 부총장인 요한 에크가 나섰다. 루터는 그다지 잘 대처하지 못했고 대체로 에크가 핵심 쟁점에서 승리를 거두었다고 전해진다. 그러나 토론회가 끝나자 에크는 로마로 달려가 루터를 타도해야 한다고 설득했다. 이전 논쟁에 참여했던 교황 특사와 합세해 에크와 동료들은 파문 교서를 작성했

레오 교황의 파문 교서.
루터의 저작과 설교에서 41개의 명제를 단죄하고 비난했으며, 루터의 모든 저작들을 불태우도록 명령하고 있다.

다. 레오 10세가 마지막으로 다듬은 후 교서는 추기경단의 승인을 얻기 위해 정식으로 제출되었다.

1520년 6월 15일 교황의 교서 「주여 일어나소서」(*Exurge Domine*)가 발표되었다. 교서는 이렇게 시작한다. "오, 주여 일어나소서, 그리하여 이 사건을 판결해주소서." 교서는 루터의 저작과 설교에서 41개의 명제를 단죄하며 비난했다. 그리고 루터의 모든 저작들을 불태우도록 명했는데, 사실 이것은 만만치 않은 일이었다. 1518년에서 1520년 사이에 루터는 왕성하게 저작활동에 몰두했으므로 그의 저작물은 150권에서 570권으로 늘어나 있었다. 루터가 60일 후에도 주장을 철회하지 않으면 추방당하거나 체포되어 종교재판소의 화형대로 끌려가게 되리라고 협박했다. 교서는 이렇게 끝맺고 있다. "그러므로 루터 본인과 추종자들, 그를 비호하거나 돕는 사람들은 우리 하나님의 자비로운 마음과 우리 주 예수 그리스도의 피흘림을 통해 다음의 사실을 알기 바란다. 우리는 그가 교회의 평화와 일치와 진리를 방해하는 짓을 멈추기를 진심으로 권하고 간청한다. 사악한 잘못을 그만 저지르고 우리에게 돌아오게 하라. 그들이 정말로 복종한다면, …… 우리 안에 아버지의 사랑이 넘쳐, 자애심이 흘러나오고 자비와 온유가 봇물처럼 터져 나오는 것을 보게 될 것이다. 그동안, 루터는 모든 설교와 강론 활동을 중단할 것을 명령한다."

한 추기경은 이렇게 말했다. "교서가 독일어로 발표되자마자 대부분의 사람들이 루터를 저버려야 할 텐데." 교서가 발표되고 나자 루터의 적들은 독일과 네덜란드 전역의 가톨릭 도시들에서 그의 저작들을 불사르는 의식을 대대적으로 벌였다.

그러나 아무리 불태워도 새로 찍어내는 데는 당해낼 재간이 없었고, 루터의 반응은 거칠고 강경했다.

파문 교서가 발표된 한 주 동안 루터는 이렇게 썼다. "불행하고 타락했으며 신을 욕되게 하는 그대 로마여 작별이다. 하나님의 진노가 그대에게 내렸고, 그대는 마땅히 그럴 짓을 했다. 우리는 바빌론이 된 로마를 열심히 보살폈건만 조금도 나아지지 않았다. 그러니 이제는 그곳이 바벨이라는 이름에 걸맞게 용·유령·마녀들의 소굴이 되어 온갖 사악한 잡신들이 들끓는 영원한 혼돈으로 가득 차게 내버려두세."

발표된 교서는 루터에게 잘못을 철회하라고 두 달 동안의 말미를 주었다. 그 기한이 한참 지난 1520년 12월 10일 루터는 소란스러운 학생들과 지지자들을 이끌고 비텐베르크의 엘스터 성문으로 가서 극적이고도 인상적인 장면을 연출했다. 교황 교서를 공개적으로 불태워버린 것이다. 그리고 체념한 어조로 선포했다. "이 시대를 함께 호흡하며 살아가는 형제들에게 쓸모 있는 존재가 되기 위하여 조용히 평온하게 종교학이나 연구하려던 삶을 내 스스로 포기한다."

그것으로 로마와는 완전히 결별하게 되었다.

1521년 교황청은 루터를 최종 파문하는 것으로 새해를 시작했다. 1월 3일 레오 10세는 새로운 교서 「로마 교황은 이렇게 말한다」(*Decet Romanum Pontificum*)를 발표했다. 이로써 루터의 파문은 무조건적이고 공식적인 것이 되었다. 저항운동을 지지하던 모든 지역들에 성무정지령이 내렸다. 이 말은 그 지역의 사제들이 성체성사나 세례성사 또는 종부성사를 비롯해 교회의 모든 성사들을 줄 수 없다는 의미였다. 2주 후인 1월 18일 레오 10세는 신성로마제국 황제 카를 5세에게 파문 교서를 독일 전역에 공포하라고 다급하게 요청했다. 황제가 이교도들과 이단에 맞서 힘을 제대로 사용하지 않는다면 추상 같은 그의 권위도 힘을 잃게 되리라고 설득했다.

1521년 1월 중순부터 레오 10세는 거의 독일 문제에만 신경을 쓰다시피 했다. 상황은 갈수록 악화일로를 걷고 있었다. 대체로 낙관적 태도를 견지하던 독일 교황 대사 지롤라모 알레안데르는 다음과 같이 썼다. "독일인들 열 사람 가운데 아홉 사람은 '루터'를 외칩니다. 나머지 한 사람은 이렇게 소리치죠. '교황에게 죽음을!'" 만일 루터 문제에만 집착했더라면 교황 역시 두려움을 느낄 수도 있었을 것이다. 그러나 어쨌든 그해 초반까지 교황은 우려하는 티를 내지 않기 위해 최선을 다했다.

당분간, 로마는 전해 스물한 살의 나이에 황제로 선출된 합스부르크가 출신의 카를 5세가 사태의 확산을 막아주지 않을까 희망을 걸고 있었다. 교황이 젊은 후보 카를 5세가 황제로 선출되도록 지원한 데는 그만한 이유가 있었는데, 루터에 맞서려면 카를 5세의 도움이 있어야만 했기 때문이다. 카를 5세가 황제로 선출되자마자 교황은 신임 황제에게 편지

교황 교서를 불태우고 있는 루터(파울 투만, 1872).
1520년 12월 10일 루터는 비텐베르크의 엘스터 성문으로 가서 이 극적이고도 인상적인 장면을 연출했다. 그는 조용히 종교학이나 연구하려던 삶을 포기하고 시대의 문제를 직시했다.

를 썼다. "하늘에 모든 별들의 광채를 압도하는 두 행성, 태양과 달이 있듯이 지상에는 다른 모든 대공들을 지배하고 복종시키는 위대한 두 인물 교황과 황제가 있습니다." 그로부터 2주 후 교황은 황제에게 다시 편지를 보냈는데, 이번에는 이제까지 루터에게 관용을 보여준 것을 자책했다. 편지에서 교황은 루터의 자만심은 자비로 '치유될' 수 있는 수준이 아니라고 했다. 강경하게 대처해야 할 때가 온 것이다.

그러나 젊은 황제는 교황에 대한 충성과 독일 영토 내에서 반란이 일어날지도 모른다는 우려감 사이에서 망설였다. 물론 황제는 언제라도 루터에게 유죄를 선고할 준비가 되어 있었다. 그러나 정치적 상황을 고려해, 루터의 열렬한 추종자들에게 보내는 일종의 제스처로 다가올 4월 보름스 국회에서 공정한 청문회를 열겠다고 루터에게 약속했다.

레오 교황에게는 더 좋은 생각이 있었다. 증인 배석 없이 황제가 루터를 개인적으로 접견하지 않을까? 루터가 스스로 이단을 시인한다면 황제는 교황의 사면을 약속하거나 로마나 스페인의 종교재판소까지 오는 동안 신변 보호를 약속할 수도 있다. (종교재판소까지 안전하게 호위하겠다는 교황의 제안을 받게 되면 루터는 틀림없이 격렬한 반응을 보일 것이다.) 루터가 만일 제안을 받아들이지 않는다면 황제는 루터와 그 추종자들에 대해 조치를 취해야 한다. 만일 제안을 받아들이되 자기주장을 철회하지 않는다면 루터의 서적을 불태우는 조치를 더욱 강화해야 할 것이었다. 교황의 조카로 수석보좌관인 줄리오 데 메디치 추기경은 황제에게 다음과 같이 말하라고 교황 대사 알레안데르에게 명령했다. 종교 '개혁가'들은 교회의 권위 못지않게 제국의 권위를 전복하는 데도 관심이 많으므로 루터의 저항은 교황은 물론 황제에게도 문제가 된다고 말이다. 젊은 황제는 격려가 필요한 것 같았으므로 교황은 그를 치켜세우는 전략을 썼다. 2월 25일 교황은 카를 황제가 한껏 기뻐할 만한 내용을 적어

보냈다. "교회 명예를 지키려는 폐하의 열성이 콘스탄티누스 대제, 샤를마뉴 대제, 오토 1세 못지않다는 것을 알게 되어 기쁘기 그지없습니다." 황제에게 힘을 준 하나님을 찬양했다.

3월이 되어도 상황이 별로 달라지지 않자 황제가 직접 처리하려고 나섰다. 교황이 보면 비굴하다고 느낄 만한 말투를 써가며 루터에게 초대장을 발부한 것이다. "고귀하고 존경스럽고 친애하는 마르틴 루터에게, 우리와 국회는 그대가 그대의 책과 가르침에 대해 답변하기 위해 안전한 호위를 받으며 보름스까지 와줄 것을 요청하기로 결정했노라. 21일의 말미를 줄 테니 준비하라."

이것은 초대라기보다는 소환에 가까웠다. 세속의 최고 권력자로부터 온 것이니 스페인 종교재판소로 오라는 교황청의 '권유'를 무시했던 것처럼 황제의 초대를 무시할 수는 없었다. 소식을 들은 루터는 기뻐했다. "폐하께서 이 일을 내 문제가 아니라 모든 그리스도인들과 온 독일 민족의 문제로 여기시겠다니 진심으로 기쁘다"고 지지자에게 썼다. 교황 대사는 루터가 보름스 국회에 출두하는 것은 악마에게 '사악한 가르침'을 펼칠 무대를 주게 될 뿐이라며 불만을 토로할 수밖에 없었다.

그 초대에서 결정적인 요소는 신변 보호에 대한 약속이었다. 틀림없이 백 년 전의 '이단자' 얀 후스의 사례가 루터의 마음을 무겁게 짓눌렀을 것이다. 지금 루터가 주장하는 것과 같은 견해를 피력한 후스 역시 상해나 폭력으로부터 보호해주겠다는 약속을 받아들여 움직였지만 곧바로 화형대의 불길로 내몰렸을 뿐이다. 그럼에도 루터는 특유의 허세를 부리며 한 친구에게 이렇게 썼다. "단지 내 주장을 철회하라고 초대하는 것이라면 가지 않겠네. 내게 원하는 것이 단지 철회라면 거기까지 가지 않고도 여기에서 완벽하게 잘 해낼 수 있으니. 하지만 나를 죽이려고 초대하는 것이라면 기꺼이 가겠네. 내 피를 손에 묻힐 자들이 다른 누구도 아닌 교황의 세력들이길 바라네. 적그리스도가 득세하겠지. 주님의 뜻이 이루어질 걸세."

그리하여 저 유명한 역사적 대결을 펼칠 무대가 준비되었다. 저항의 물결이 널리 퍼지게 될 것인가, 아니면 그것을 막아낼 수 있을 것인가? 만일 루터가 죽임을 당한다면, 강력한 교회와 제국의 세력이 그 불길을 꺼버려 루터의 연약한 저항운동은 곧 잊히고 말 것인가? 잘못을 인정함으로써 어떻게든 살아남는다면 루터가 주위의 모든 급진적 개혁운동가들로부터 거부당하고 저항운동은 자기부정으로 장렬히 소멸되고 말 것인가? 모든 것이 보름스에서 어떻게 하느냐와 그 이후의 일들에 달려 있는 상황에서 루터가 가지고 있던 내적 힘의 원천은 무엇이었을까?

루터는 자신이 겪는 고난과 수난을 그리스도의 고난과 수난에 비유했지만 거기에는 한 가지 커다란 차이점이 있었다. 빌라도 앞에서 침묵을 지켰던 그리스도와 달리 루터는 카를 황제 앞에서 대담하고 장황하게 변론할 계획을 세웠다.

그리고 그곳에 서게 되기를 손꼽아 기다렸다.

제2장

보름스 국회

1521년 성지주일에 비텐베르크 교회 밖에서 호리호리하고 건장한 마르틴 루터가 자신의 소박한 이륜마차에 오르며 독지가들과 대학동료들, 아우구스티노 수도회 형제들이 모인 앞에서 선포했다. "우리는 그리스도께서 고난을 받으시고…… 살아나셨음을 알고 있으니 저 또한 보름스에 가야만 합니다." 그곳에 모인 사람들의 마음에는 자신들의 영적·도덕적·정치적 지도자의 안위뿐 아니라 이제 막 태동한 개혁의 미래에 대한 불안감이 팽배했다. 저항가들을 결속시키고 있던 것은 루터의 통찰력과 허세였다. 그런데 이제 그들에게 루터가 없다면 어찌 될까?

그곳에 모여 있던 사람들 가운데는 루터의 스승들과 동료들도 있었다. 젊은 시절의 루터를 빼닮은 수석 제자 필리프 멜란히톤, 루터에게 박사학위를 수여했고 나중에는 주요 경쟁자가 되는 대학 학부장 안드레아스 카를슈타트, 루터의 가장 열렬한 지지자이자 조언자요 젊은 수도사

시절 회의감에 빠져 있던 루터를 양성한 사제이자 아우구스티노 수도원 원장인 요한 폰 슈타우피츠 등이 동석했다. 그들은 모두 루터의 저항운동에 관련되어 있었다. 교황의 교서는 루터뿐 아니라 그의 모든 지지자들·추종자들·동조자들을 '그리스도 안에 있지 않은 열매 없는 가지들'로 규탄했다. 그들은 특히 황제가 지도자인 루터에게 정식으로 유죄를 선고하기라도 한다면 모두 위험에 처할 터였다.

낡은 이륜마차 외에, 대학에서는 곤경에 처한 루터 교수에게 금화 20두카트를 지원하고 여정에 함께할 두 사람을 물색해주었다. 그 가운데 한 사람은 비텐베르크 학부의 신학자 니콜라스 폰 암스도르프였다. 한편 황제 측에서는 그 악한의 행렬을 호위하여 신변보호 약속을 집행할 의전관을 보내주었다.

그러나 그 약속이 진심이었을까? 알 길이 없었다. 루터는 파문당한 신분으로 여행하고 있었다. 이단자들에 대한 사도 바울의 가르침을 따르고 있다고 생각하는 골수 신자가 있다면 라인 강까지 가는 위험한 여정 중 어느 때고 그를 잡아서 종교재판소에 넘길 수도 있었다. 군중 다수는 루터가 비텐베르크까지 살아서 돌아갈 가능성은 희박하다고 확신했다.

1521년만 해도 루터는 나중과 달리 아직 살집이 붙지 않은 모습이었다. 절친한 친구인 화가 루카스 크라나흐가 그해 초 루터를 새겨 넣은 동전을 만들었는데, 말쑥한 교수모를 쓴 루터는 윤곽이 뚜렷한 옆모습에 구레나룻이 가득한 얼굴로 표현되어 있다. 몇 달이 지나면 루터는 이 수염을 말끔하게 밀어야 할 일이 생길 터였다.

그가 택한 경로는 라이프치히를 경유해 남쪽으로 가는 길이었는데, 라이프치히에서는 새로 도입된 인쇄기를 통해 그의 소책자와 저서들이 수천 부씩 찍혀 나오게 될 것이었다. 루터는 가는 곳마다 영웅에 버금가는 환영을 받았다. 나움부르크에서는 열광적이지만 약간 아둔한 지지자로부터 23년 전 루터와 마찬가지로 교황에게 도전하고 조롱했다가 화형당한 지롤라모 사보나롤라의 초상화를 선물받기도 했다. 그런데 교황에 대한 루터의 조롱은 사보나롤라의 배교에 비할 바가 아니었고 그의 저항은 로마에 훨씬 더 위협적이었다. 바로 며칠 전 루터는 한 친구에게 다음과 같은 내용의 편지를 보냈다. "이번 보름스 청문회에서는 지금까지의 주장을 철회하겠네. 예전에 나는 교황이 그리스도의 대리자라고 했었지. 그 말을 이제 철회하네. 교황은 그리스도의 적이며 악마의 사도라고 하겠네."

보름스로 가는 도중에 루터의 연설을 듣는 군중이 점점 더 늘어나자 개혁자들은 그의 수난을 그리스도의 수난에 비유했다. 그의 여정은 예루살렘으로 향하는 그리스도의 여정과 유사하게 순교를 향해 나아가는 길이었고, 그가 탄 이륜마차는 그리스도가 타고 가신 나귀를 연상시켰다. 루터는 군중에게 적그리스도가 군림하고 있으며 황제는 그의 종이라고 설교했다.

바이마르를 지나면서부터 행렬은 더욱 의기양양해졌다. 16년 전 루터가 아우구스티노 수도회에서 사제서품을 받았던 에르푸르트에서는 한 사제가 도시의 '오물'을 치우고 있다고 루터를 찬양했다. 모든 설교를 중단하라는 교황의 교서에 맞서 얼마 후에는 아우구스티노 수도회 교회에 운집한 수많은 군중을 상대로 강론했다. 교회에는 어찌나 많은 인파가 몰렸는지 발코니가 무게를 이기지 못하고 무너질 것 같아 사람들이 창밖으로 뛰어내릴 정도였다.

강론 말씀으로는 십자가에 못 박히신 후 처음으로 제자들 가운데 나타나신 예수님이 손과 옆구리의 상처를 보여주며 말씀하신 요한복음 20장 19절에서 21절을 인용했다. "너희에게 평화가 있기를 빈다. 아버지께서 나를 보내신 것과 같이, 나도 너희를 보낸다." 강론은 원죄 문제 및 로마와의 주요 신학적 차이점인 '오직 믿음에 의한 의화'(justification by faith alone)에 집중했다. 루터는 큰 소리로 외쳤다. "무엇이 되었든 우리가 한 행위에는 아무런 힘이 없습니다. 전혀 쓸모가 없습니다. 그러나 교도권(敎導權)은 우리를 완전히 다르게 대합니다. 저들은 단식, 기도, 버터 섭취* 등에 대해 온갖 규칙을 정해놓고 교황의 계명을 지키는 사람은 누구나 구원될 것이고 지키지 않는 사람은 악마에 속한 자로 낙인찍습니다. 그것은 선과 구원이 각자의 행위에 달려 있다고 사람들을 현혹합니다. 그러나 단언컨대 제아무리 거룩한 성인이라 할지라도 자기의 행위로 구원된 사람은 없습니다. 우리가 아무리 위대한 행위를 한다고 해도 자력으로 구원을 얻을 수는 없습니다. 믿음 없이는 구원받을 수 없습니다."

틀림없이 군중들은 곧 있게 될 보름스의 대결에 대한 이야기를 기대했겠지만 루터는 강론 말미에 가서야 잠시 언급했을 뿐이다. "진실만을 말씀드려야 하니 진실을 밝히겠습니다. 그것이 바로 제가 여기 서 있는 이유입니다." 이 발언은 며칠 후에 황제 앞에서 하게 될 말을 예고한 것이었을까? 그리고 다음과 같은 말로 끝맺었다. "주께서 우리를 위해 부활하셨다는 것을 기억하십시오." 주의 깊은 사람이라면 이것이 교황의 파문 교서 「주여 일어나소서」를 명백히 빗대어 한 말이라는 사실을 알 수 있었다.

강론을 마치자 에르푸르트 대학의 교수인 한 사제가 말했다. "저분이 수백 년 동안 우리에게 닫혀 있던 하늘나라의 보물로 이르는 길을 보여주시니 그 말씀의 힘으로 마음이 봄날의 눈처럼 녹아내리는군요." 그러

* 사순절 기간에는 육식을 제한하는 금육이 요구됐는데 버터도 섭취가 금지되었다.

마차를 타고 보름스에 입성하는 루터(에른스트 에르빈 외메, 1880).
보름스로 가는 길, 루터의 연설을 듣는 이들이 점점 늘어났다.
사람들은 루터의 행보를 예루살렘으로 향하는 그리스도에 비유했다.

나 루터가 떠난 후, 그의 행위를 열렬히 지지했던 사제의 열정은 곧 식고 만다. 교황을 열렬히 추종한 성 세베린 교회 지구장이 루터를 환영했던 그 사제를 즉시 찾아가 멱살을 잡고는 제단에서 끌어내린 후 바로 파문해버린 것이다. 사제가 그렇게 굴욕을 당하자 에르푸르트 대학의 학생들이 항의했다. 몇 주 후에는 학생들의 저항이 폭발해 지구장의 집에 몰려가 불을 질렀다.

바르트부르크 성이라 불린 거대한 성채에 인접한 고타와 아이제나흐를 지나면서부터 루터는 점점 격정에 사로잡히는 것 같았다. "법에 따라 보름스에 출두하라는 요청을 받았으니 비록 그곳에 지붕의 기왓장처럼 많은 악마들이 진을 치고 모두 합세하여 싸우러 나온다고 해도 나는 주님의 이름으로 가겠습니다."

루터는 예루살렘으로 향한 그리스도의 여정을 점점 더 상기시켰다. "하지만 그리스도께서 살아계시니 우리는 지옥의 문을 지나 보름스로 들어갈 것입니다." 제아무리 루터라도 사람들 앞에서는 뻔뻔할 정도로 당당했지만 혼자 있을 때에는 두려움에 시달렸다. 몸 상태가 '좋지 않았으므로' 아이제나흐에서 사혈을 하고 나서야 기운을 차려 여행을 계속할 수 있었다.

저명한 음악사가들에 따르면, 1521년 4월 16일 유서 깊은 도시 보름스의 첨탑들이 보이기 시작하자 루터가 마차에서 일어나 며칠 전 오펜하임에서 작곡했다고 알려진 찬송가 몇 소절을 큰 소리로 부르기 시작했다고 한다. 다음과 같이 강렬한 가사가 성벽에 힘차게 울려 퍼지는 모습을 상상해볼 수 있을 것이다. "내 주는 강한 성이요 방패와 병기되시니 큰 환난에서 우리를 구하여 내시리로다. 옛 원수 마귀는 이때도 힘을 써 모략과 권세로 무기를 삼으니 천하에 누가 당하랴." 그것은 바로 루터의 종교개혁을 기리는 찬송가가 되었다.

루터가 보름스 국회에 출두하기로 했다는 소식이 전해지자 로마에서는 골치가 아팠다. 이러다 오히려 루터가 원하는 대로 자기 의견을 피력할 수 있는 무대만 만들어주는 꼴 아닐까? 줄리오 데 메디치 추기경은 불쾌함을 감추지 않았다. "카를 황제가 자기 휘하에 있는 사람 하나 제대로 처리하지 못한다면 교회와 그리스도교 세계가 투르크족과 이교도들에 맞서 벌이는 싸움에서 황제에게 무엇을 기대할 수 있단 말인가?"

교회가 부패했다고 심하게 공격당하고 자기는 거리낄 것 없는 쾌락주의자로 매도당하고 있는 이 중대한 순간에 교황은 사육제* 날 밤에 충격적인 이교도 야외극을 무대에 올린다. 저명한 문필가이자 만투아 후작의 로마 대사인 발다사레 카스틸리오네가 교황의 이 야한 여흥에 대해 상세한 묘사를 남겼다. (카스틸리오네는 라파엘로가 그린 유명한 초상화의 주인공 중 한 사람인데, 그의 초상화는 현재 루브르에 소장되어 있다.)

산탄젤로 성의 안뜰에 녹색 무대가 설치되었고, 교황과 일행이 위 창문에서 지켜보는 가운데 시에나에서 온 무희들이 무어인들의 춤을 연상시키는 춤을 추며 극이 시작됐다. 그러자 사랑을 갈구하는 한 여인이 무대에 올라 연인을 보내달라고 베누스 여신에게 탄원한다. 북소리가 울리자 회색 튜닉을 걸친 완고한 은자 여덟 명이 얼굴을 가린 채 날개를 달고 출현한다. 맞은편에서는 활과 화살을 든 큐피드가 등장한다. 은자들은 큐피드를 향해 위협하듯 다가가 활을 낚아챈다. 그러자 큐피드는 눈물을 흘리며 자신을 괴롭힌 이 못된 은자들로부터 구해달라고 베누스 여신에게 탄원한다. 때마침 베누스가 용맹하게 나타나 묘약으로 은자들을 잠들게 한다. 활을 되찾은 큐피드는 잠든 은자들에게 화살을 쏘아 잠

* 카니발(Carnival). 40일 동안 광야에서 고난을 받으며 기도하신 그리스도를 위해 40일간 금육·금식·참회·희생 등을 해야 하므로, 사순절 전에 고기를 먹으며 즐긴 데에서 유래한다. 라틴어로 '고기'(Caro)를 '배불리 먹다'(Valens)라는 뜻이다.

에서 깨운다. 튜닉을 벗어던지자 잘 생긴 청년들로 변한 은자들은 여인을 에워싸며 사랑한다고 외친다. 그러나 갑자기 마음이 바뀌어 냉담해진 여인은 청년들에게 남성다운 매력을 보여줄 것을 요구한다. 청년들은 무기를 집어 든다. 잇따른 칼싸움에서 일곱 청년을 모두 해치운 마지막 승자가 상으로 여인을 차지한다.

그리스도의 대리자라는 교황이 즐긴 저속하고 신성모독적이며 관능적인 분위기를 풍기는 그 여흥을 루터가 보았다면 어떻게 생각했을까?

로마에서는 사순절이 그렇게 경박하게 시작되었지만 끝은 아주 달랐다. 발씻김예식*을 거행하는 성목요일은 전통적으로 교회의 적들이 누구인지 목록을 밝히고 로마 가톨릭 전 교구의 주교들이 그 목록을 널리 공표하는 날이었다. 전해에는 프랑스의 왕 프랑수아 1세가 목록의 발표를 금하며 어기는 자는 '수장시키겠다'고 선언했다. 북부 이탈리아의 교황령을 침략했으므로 아마도 왕 자신이 명단에 들어 있을 것이기 때문이었다. 그 조치에 대해 줄리오 데 메디치 추기경은 프랑스 교황 대사에게 다음과 같이 말하며 반박했다. "교황께서는 분노에 휩쓸리지 않도록 이러한 위협에는 무반응이 상책이라고 생각하고 계시오. 그러니 왕이 계속해서 으름장을 놓거든 제아무리 위협해봐야 추기경 자리든 다른 것이든 추기경단은 꿈쩍도 하지 않을 거라고 기꺼이 대답해야 하오." (새로운 추기경의 임명이야말로 교황 측에서 갖고 있는 비장의 무기였다. 카를 5세와 프랑수아 1세는 자신들이 고른 인물을 새 추기경으로 임명해달라고 교황에게 계속 조르고 있었다.)

1521년 3월 28일 처음으로 교회의 적들 명단에 루터의 이름이 올랐

* 성목요일 미사 때 사제가 신자들의 발을 씻기는 예식. 예수 그리스도께서 최후의 만찬 때 겸손과 봉사, 애덕을 가르치시고자 제자들의 발을 씻기신 일에서 비롯한다.

다. 보름스에 도착한 후 자기 이름이 명단에 올랐다는 소식을 듣자 루터는 매우 기쁘게 받아들였다. 지체하지 않고 독일어로 번역된 그 명단에 난외의 주를 추가해 다시 찍어낸 후 교황 교서를 '만찬 교서'라고 불렀다. '저녁을 게걸스럽게 먹으며 곁들인 반주에 취한 자'가 그것을 쓴 게 틀림없으리라 여겼기 때문이다. 이 말이 교황의 식탐을 빗댄 것임을 누구나 알 수 있었다. 추종자들에게 교황의 명령을 설명할 때에 이제 루터는 외설적 표현을 쓰는 데 전혀 거리낌이 없었다. 교황이 발표하는 회칙이나 공식 성명서를 '교황 성하의 배설물'로 간주했던 것처럼 교황의 이러한 모욕적 언사도 '거리에서 마주친 똥'을 보듯 대해야 했다.

루터가 삐걱거리는 마차를 탄 채 보름스로 향하고 있는 동안 교황청의 화려한 집무실에 있던 교황은 자신의 두려움을 들키지 않으려고 최선을 다하고 있었다. 4월 3일 교황은 로마에 있던 카를 5세의 대사 후안 마누엘에게 편지를 썼다. "이 순간 하나님께서 교회를 진정으로 걱정하는 황제를 보내주시어 진심으로 감사드립니다." 그러나 교황은 황제의 도의심을 그다지 믿지는 않았다. 4월 8일 마누엘은 특별 급사를 파견해 교황이 한시라도 소식을 듣고 싶어한다고 강조했다. 분명히 루터는 그 무렵 보름스에 도착했음이 틀림없다.

1521년 루터의 보름스 입성은 웅장하게 진행되었다. 성을 방어하기 위해 쌓아올린 내벽과 외벽에 둘러싸인 도시를 캠머러슈트라세라 불리는 드넓은 산책로가 양분하고 있었다. 공개적으로 구경거리가 되는 것을 막으려는 교황 대사와 당국의 온갖 노력에도 불구하고 말 탄 의전관의 호위를 받으며 루터의 소박한 마차가 도시로 들어오자 대로는 구경꾼들로 북적였다. 의전관의 제복 상의에는 제국의 독수리 문양이 걸려 있어 루터의 신변을 보호하고 있음을 드러냈다.

거리에는 대략 2천 명 정도의 구경꾼들이 운집해 있었다. 사람들은 루터의 최근 소책자들을 높이 치켜들고 있었는데, 그 가운데에는 1520년에 발표된 주요 논문 세 권도 포함되어 있었다. 그 논문들은 루터가 교황을 적그리스도와 동일시하고 중세교회의 7성사의 근거에 의문을 제기하며 나중에 가톨릭교회가 '관능적 결혼 윤리법'이라고 별명을 붙인 교리를 확립한 것들이었다. 보름스에는 루터의 소책자들만 찍어내어 대중에게 배부할 목적으로 특별 인쇄소가 세워져 있었다.

구호기사단으로 알려진 전사 수도사들의 수도원에 이르렀을 때 루터는 군중에게 영합했다.

그는 대담하게 외쳤다. "하나님께서 저와 함께하실 것입니다. 저는 괴수의 입안으로 뛰어들 준비가 되어 있습니다."

공작과 제후들이 루터를 찾아 즉시 밖으로 나왔다. 약간 호색한 기질을 갖고 있던 한 기사는 주제넘게 나서서 사내구실을 못하는 남편을 둔 아내는 좀더 사내다운 남자, 어쩌면 시동생을 자유롭게 취해도 되냐는 놀라운 발언으로 루터를 괴롭혔다. 루터는 그 질문이 얼토당토않다고 일축했다. 지금 중요한 문제는 오직 교황의 극악한 짓들이었다.

다음날 아침, 또 다시 교황의 파문을 완전히 무시한 채 루터는 사제 본연의 역할로 재빨리 돌아가 병에 시달리는 노쇠한 한 선제후에게 고해성사를 주었다. 그러고 나서 불쑥 찾아온 심각한 공황으로 온몸이 떨리기 시작했고, 기도와 간구 중에 지독한 공포에 사로잡혀 쓰러졌다. 루터는 갑자기 자신의 사명이 그럴 만한 가치가 있는지 회의가 들기 시작했고, 하나님이 자신을 버린 건 아닌지 두려워졌다.

그래서 큰 소리로 울부짖었다. "오 전능하고 영원하신 하나님, 세상은 끔찍하기만 합니다! 보십시오! 저를 집어 삼키려고 입을 벌리고 있습니다. 주님께 의탁하기가 힘듭니다. 마지막 시간이 다가오고 있습니다. 저에 대한 판결이 이미 선포되었습니다." 루터는 자기가 한 모든 일들은 자기의 일이 아니라 하나님의 일이었다고 항변했다. 자신은 그 일을 하도록 선택되었을 뿐이다. "그러니 제 곁을 지켜주십시오. 당신의 진리를 위해서라면 기꺼이 이 한 목숨 바치겠습니다."

이윽고 정해진 시간이 되자 경비병들이 군중을 피하기 위해 뒤쪽의 골목길을 통해 로마네스크 양식의 웅장한 베드로 성전 옆의 공회당으로 루터를 호위해 데려갔다. 루터는 가슴이 부풀었다. 공회당 안에는 대의원들에 둘러싸인 고귀한 젊은 황제가 머리 위쪽으로는 권력의 상징인 제국의 독수리가 장식된 높은 단 위에 위엄 있게 앉아 있었다. 황제는 벨벳 외투와 부드러운 모자를 걸치고 있었다. 루터가 공회당으로 입장하는 동안 황제는 합스부르크 왕가 특유의 주걱턱을 쭉 내밀며 몸을 앞으로 기울였다.

그 장면은 루터 못지않게 황제에게도 생소했다. 스물한 살의 군주는 네덜란드에서 왕위에 올랐으며 독일어는 전혀 할 줄 몰랐다. 기껏해야 전해 10월 방대한 합스부르크 가문의 영토를 물려받아 아헨에서 신성로마제국의 황제로 즉위한 것이었다. 황제는 아직 자신감이 없어 보였고, 지금 자기 앞에 서 있는 약간은 신중한 수도승에 대해서는 더욱 불안해 보였다. 황제는 한 신하에게 용감하게 프랑스어로 속삭였다.

"나는 이 자의 감언이설에 속아넘어가지 않을 거요."

한편 황제의 옆에는 화려한 붉은 의복과 추기경을 나타내는 모자를 과시하듯 차려입은 교황 대사 지롤라모 알레안데르가 서 있었다. 알레안데르는 몇 달 동안 이런 참상을 막으려고 애썼다. 그는 루터가 특유의 달변으로 세속의 권위와 교회의 위엄을 싸잡아 경멸할까봐 우려했다. 그러한 조치는 루터가 불어넣은 저항의 불길을 가속화시킬 뿐이라고 판단했다. 알레안데르 추기경은 루터의 파문 교서 초안을 작성했던 장본

카를 5세(베르나르 반 오를리, 1519~20).
스물한 살에 신성로마제국의 황제가 된 그는 보름스 국회에서 루터를 심문했다. 교황에 대한 충성과 독일 내에서 반란이 일어날지도 모른다는 우려감 사이에서 갈등했다.

인이기도 했다. 파문 교서에서 추기경은 루터를 새로운 포르피리우스라고 부르며 4세기 초에 예수를 죄인이라고 비방한 중상모략가에 비유했다. 그리스의 신플라톤주의 철학자였던 포르피리우스는 예수가 로마 제국에 저항한 죄로 선고를 받은 죄인일 뿐이며, 잘못된 추종자들이 붙인 구원자라는 호칭은 영웅에게나 어울리지 예수에게는 합당치 않다는 주장을 폈다. 독일에서 루터에게 정식으로 유죄판결을 내리게 하려는 추기경의 노력은 별 소득이 없었다. 추기경은 보름스에서 굴욕을 당하고 근심으로 마음이 산란했다.

알레안데르 추기경은 황제도 교황청의 파문에 발맞추어 루터에게 활동금지령을 내려달라고 간청했다. 그렇게 할 때에 성과 속의 권위가 한데 결합되어 정의가 확립될 것이라고 말이다. 그러나 카를은 자신이 황제로 즉위하며 약속했던 대로 루터에게 정당한 소명의 기회를 주지 않는다면 정치적 반발을 사지 않을까 두려웠다.

이제 알레안데르 추기경은 청문회 진행이 두 가지 단순한 질문에만 국한되도록 애쓰는 수밖에 없었다. 단순히 가부의 대답만 요구하거나 허용해야 했다. 이것은 토론이 아니었다. 보름스 국회는 교회의 공의회와 비슷한 양상이 되어서는 안 된다. '사탄의 괴수'에게 오물을 내뱉을 무대를 내주어서는 안 되었다. 루터에 대한 실질 심문은 2년여 전 라이프치히에서 벌인 논쟁에서 루터를 압도했던 신학자 요한 에크 박사가 맡게 되었다.

한쪽 탁자에는 루터의 저작물들이 잔뜩 쌓여 있었다. 루터가 그동안 쓴 상스러운 저작물 목록이 황제 앞에 제시되었다. "그 제목들을 읽게 하시오!" 누군가가 화가 나서 외치자 저작물의 제목들이 하나씩 열거되었다. 정숙이 요구되었고, 심문관이 질문하기 위해 앞으로 나왔다.

에크는 쩌렁거리는 소리로 말했다. "마르틴 루터! 폐하께서는 그대의 이름이 들어 있고 해외로 널리 유포된 책들을 모두 이곳으로 가져오라고 명령하셨다. 나는 독일어로 쓴 것이든 라틴어로 쓴 것이든 이 모든 책들을 참고하겠다. 이 책들을 그대가 쓴 것이 맞는가?"

증인석에 있던 루터는 갑자기 용기를 잃고 그답지 않게 자신감을 잃었다. 그리고 조용히 대답했다. "그 책들은 제가 쓴 것이 맞습니다. 그것 말고도 더 있습니다." 대공들과 고위 성직자들이 속삭이는 듯한 그의 말을 들으려고 더 가까이 에워싸자 루터는 압도당했는지 식은땀을 뻘뻘 흘리기 시작했다. 지체 없이 두 번째 질문이 이어졌다. 책의 내용들을 취소할 의사가 있는가? 치명적인 독소와도 같은 잘못을 철회하겠는가?

루터는 한참 뜸을 들인 다음 입을 열었다. "이 문제는 하나님과 그분의 말씀에 중요합니다. …… "

대의원들은 손을 귀에 댄 채 앞으로 몸을 내밀었다. 뭐라는 거야? 무슨 말인지 거의 들리지 않았다.

루터는 더듬거리며 말을 이었다. "이는 영혼의 구원에 영향을 미칩니다. 그리스도께서는 이렇게 말씀하셨습니다. '누구든지 사람들 앞에서 나를 모른다고 하면, 나도 하늘에 계신 내 아버지 앞에서 그를 모른다고 할 것이다.'" 보잘것없는 수도승 주제에 감히 자신을 그리스도에 비기려는 것인가? 이 뻔뻔한 행위에 불만을 품은 사람들에게서 항의가 터져 나왔다. 루터는 계속 이어서 말했다. "너무 말을 하지 않거나 많이 하는 것은 위험할 수 있으니 제게 좀더 시간을 주시기 바랍니다."

공회당에는 믿기지 않는다는 분위기가 팽배했다. 이 사람이야말로 웅변으로 유명한 자 아니었던가? 변론을 준비하라고 3주간의 시간을 주지 않았던가? 소란이 일자 황제는 어리둥절했다. 루터는 라틴어로 다시 대답하라는 요청을 받았다.

그런데 공회당에 운집해 있던 사람들 가운데 가장 놀라고 실망하고 심지어 화가 나기까지 한 사람들은 바로 루터의 지지자들이었다. 이 자에게 얼마나 많은 것을 쏟아 부었는데! 그런데 가장 중요한 순간에 우물쭈물하다니! 지금은 겁먹을 때가 아니었다. 그 상황의 여파는 엄청났다. 루터는 내쫓겼고 답변을 준비하라고 스무 시간의 여유가 주어졌다.

루터의 기가 꺾였다는 놀라운 소식이 온 도시에 파다하게 퍼졌다. 격분한 대중은 통제가 불가능할 정도였다. 다음날 진행될 심문을 위해 더 큰 회의장이 마련되어야 했다. 4월 18일 아침에는 그 회의장마저도 사람들로 금세 들어찼고, 어찌나 많은 사람들이 모였던지 모두 서 있어야 하고 황제만이 자리에 앉을 수 있을 정도였다.

이번에는 회의장에 들어서는 루터의 태도가 완전히 바뀌어 있었다.

또다시 대의원들이 그를 빽빽이 에워쌌다. 루터의 목구멍에서 나오는 작은 소리의 의미를 알아들으려 애쓰며 황제는 몸을 앞으로 기울였다. 심문관인 에크 박사가 주요 쟁점을 다시 물었다.

"그대의 저작물이 담고 있는 모든 내용에 대해 변론할 준비가 되어 있는가, 아니면 그 내용을 전부 또는 일부 철회하기를 바라는가?"

이제 루터는 강하고 자신감 넘치는 어조로 사죄하는 척하지만 시건방지게 들릴 만한 답변을 하기 시작했다. "제가 무지한 소치로 이 궁정에 걸맞은 예의범절을 갖추지 못했다면 용서해주시기를 바랍니다. 저는 왕의 궁전이 아니라 수도원 깊은 곳에 격리되어 교육을 받았습니다." 귀족들에게 둘러싸인 루터가 이렇게 서두를 꺼내자 기선을 제압한 것 같았다. 귀족들은 상속과 재산으로 우연히 힘을 얻었을 뿐이고 그들의 예의범절이야 교육에 의한 것일 뿐이다. 반면에 루터의 힘은 오로지 그의 양심으로부터 흘러나왔다.

루터가 자신의 저작들을 철회해야 할까? 루터는 즉시 그 문제로 넘어가 세 부분으로 나누어 조목조목 따졌다. 그렇다, 자신은 독실한 그리스도인이자 신학자의 입장에서 저작들을 썼다. 그를 적대하는 자들조차, 심지어 교황까지도 신앙과 선행에 대한 루터의 주장이 건설적이라고 시인했었다.

루터는 물었다. "그런데도 저더러 이 저작들을 철회하라고 하니 제가 어떻게 해야 한단 말입니까? 아, 저를 불쌍히 여기십시오! 살아 있는 모든 이들 가운데 유독 저만 친구들과 적들이 모두 인정한 진리들을 팽개쳐야 하다니요. 전 세계가 기쁘게 인정한 교리에 반대하라고 강요를 받다니요!"

루터는 당당하게 말했다. "네, 그렇습니다. 저는 로마 교황에 반대하는 글을 썼습니다. 그리스도교 세계를 도탄에 빠뜨리고 사람들의 영혼을 망칠 잘못된 교리와 난잡하고 수치스러운 행위들을 비난했습니다." 하지만 사람들을 향해 되물었다. "교황이 내세우는 율법과 사람에 대한 교리가 성실한 신자들의 양심에 거리낄 뿐 아니라 옴짝달싹 못하게 고통을 주는 것이 확실치 않던가요?"

"그렇지 않다!" 겁에 질린 황제가 소리쳤다.

루터는 주눅 들지 않고 침착하게 밀어붙였다. "아닙니다, 폐하. 제가 이제껏 그 문제에 관련해 주장한 것들을 철회하게 된다면 오히려 이 폭정에 힘을 보태고 파렴치한 신성모독을 쌍수를 들어 환영하는 것에 지나지 않습니다." 카를 5세를 똑바로 마주보며 루터는 말을 이었다. "제 주장을 철회한다면, …… 그리고 그것이 가장 거룩하신 폐하의 승인을 받는다면 가뜩이나 그리스도인들을 짓누르던 멍에를 더 무겁게 할 뿐입니다. 고귀하신 하나님! 그렇다면 저는 온갖 악행과 폭정을 덮고 감추는 데 이용되는 수치스러운 도구로 전락할 것입니다."

모여 있던 대공들 쪽으로 시선을 돌린 루터는 카를 5세를 '우리가 하나님 다음으로 희망을 걸고 있는 젊고 고귀한 황제'로 표현했다. 치명적인 오욕으로 황제의 치세가 더럽혀져서야 되겠는가? 루터는 잘못된 대처로 철저히 뭉개졌던 바로(파라오)와 바빌론의 왕들을 환기시켰다. "하나님께서는 그들이 자기가 쳐놓은 올가미에 빠지게 하셨습니다!" 그러고는 욥기 9장 5절을 인용하며 하나님의 정의에 대해 말했다. "아무도 모르는 사이에 산을 옮기시며, 진노하셔서 산을 뒤집어엎기도 하신다." 그러니 무릇 황제들은 조심해야 한다.

루터는 로마의 폭정을 지지하는 자들을 반박하는 글을 쓴 것도 시인했다. 물론 욕설이 도가 지나치긴 했지만, 그들은 신앙을 파괴하려고 작정한 자들이었다. 루터는 선포했다. "적수들의 신성모독을 두고볼 수만은 없었습니다. 그들은 한층 더 잔인하게 하나님의 백성들을 망쳐놓을

보름스 국회에 선 루터. 황제를 비롯해 대공들과 고위 성직자들 앞에 기가 눌렸지만,
루터는 곧 자신감을 찾았다. 루터의 힘은 오로지 그 신앙심과 양심으로부터 흘러나왔다.

테니까요."

교황측 대의원들과 가톨릭을 믿는 대공들은 루터의 허장성세를 더는 참을 수 없었다. 하지만 아무런 말도 할 수 없었다. 황제는 공정한 청문회를 약속했다, 그러지 않았던가? 저 악당에게 멍석을 제대로 깔아주었다. 얼마나 오래 계속하려고 하는가? 도대체 어디까지 갈 심산인지?

루터는 이 기회를 최대한 이용할 작정이었다. 루터를 반대하는 사람들이 보기에는 오만의 극치이자 신성모독에 이를 정도였다. 성전에서 대사제에 맞서 예리하게 답변하시고 옆에 서 있던 경비병에게 빰을 맞으신 예수 그리스도에 자신을 비유한 것이다.

"저는 성자가 아닙니다. 신이 아닌 단지 한 인간으로서 '내가 잘못 이야기했다면 그 잘못의 증거를 대보아라'라고 말씀하신 예수 그리스도의 모범을 따라 저 자신을 변론하겠습니다." 그리스도와 마찬가지로 루터 역시 고위 사제들과 대치하고 있었고 독설을 퍼부었다는 이유로 봉변을 당하고 있는 중이었다. 그리고 이제 자신이 어느 부분에서 틀렸다는 건지 성경에서 근거를 대보라고 황제와 고위 성직자들과 걸출한 영주들을 다그쳤다. 정말로 자기가 틀렸다는 것을 성경에 의거해 입증할 수 있다면, 루터는 자기가 먼저 나서서 그 책들을 태워버리겠다고 했다.

루터는 다시 카를 5세를 향해 말했다. "존엄하고 거룩하신 폐하께 제 자신을 의탁합니다. 적들이 증오심에 사로잡혀 정당한 이유 없이 제게 분노를 쏟아 붓는 것을 용납치 마시기를 간곡히 청하옵니다."

심문관은 더는 참지 못하고 고함을 쳤다. "그대는 주어진 질문에 아직 어떠한 대답도 하지 않았다! 의회의 결정에 대해 왈가왈부하지 마라. 분명하고도 명확하게 대답하라. 그대의 주장을 철회하겠는가, 철회하지 않겠는가?"

루터는 심문관의 노발대발에도 전혀 기죽지 않고 태연히 대답했다.

"지존하신 폐하와 각하들께서 단순하고 분명하며 직접적인 대답을 요구하시니 한마디로 대답하겠습니다. 저는 교황에게든 의회에게든 제 신념을 굽힐 수가 없습니다. 그들이 잘못되었고 앞뒤가 맞지 않는 것이 대낮처럼 명명백백하기 때문입니다. 성경을 살펴보아도 적절한 이성의 분별력으로 살펴보아도 제가 어디가 틀렸다는 건지 납득할 수가 없습니다. …… 그리고 저에 대한 판결이 이렇게 하나님의 말씀에 부합하지 않는다면, 저는 그 어느 것도 취소할 수 없고 철회하지도 않겠습니다. 주님 저를 도우소서. 아멘." (루터가 답변 말미에 "여기 제가 서 있습니다. 저는 달리 어떻게 할 도리가 없습니다"라는 유명한 구절을 덧붙였다고 많이 인용되어 왔지만 현대 역사학자들은 대체로 동의하지 않는다.)

회의장 안은 난리가 났다. 황제는 영문을 알 수 없어 어리둥절했다. 도대체 무슨 일인가? 독일어를 알아듣지 못했으므로 루터가 말한 내용을 하나도 이해할 수 없었다. 황제는 조용히 하라고 명령을 내린 후 소란이 가라앉자 루터에게 라틴어로 다시 말해보라고 요구했다.

"박사, 할 수 없다면 그걸로 됐소!" 주변에서 루터를 두둔해주는 소리가 들려왔다.

또다시 식은땀이 비 오듯 흐르기 시작했지만 루터는 좀더 차분하게 라틴어로 처음부터 다시 시작했다. 그러나 말을 끝내기도 전에 황제는 격노하여 벌떡 일어나더니 진행을 중단시켰다. "저자를 끌고 가라!" 그렇게 명령하고는 옆문을 통해 재빨리 회의장을 빠져나갔다. 루터도 뒤따라 나가려고 돌아서자 지지자들이 달려와 재빨리 에워쌌다. 스페인 사람들이 루터 뒤에 정렬하여 야유를 퍼부으며 소리를 질렀다. "불태워라, 저자와 함께 불태워라!" 루터는 의기양양하게 그들을 돌아보며 승리를 거둔 독일 검객의 자세로 두 손을 높이 치켜들었다. 그의 추종자들 역시 똑같이 두 손을 치켜들고 성큼성큼 걸어 나갔다.

그러나 이러한 허장성세와 달리 루터는 두려움에서 벗어나지 못했다. 회의장을 빠져나와 사람들에게서 벗어나자 한 지지자에게 시무룩하게 속삭였다. "난 이제 끝났어. 끝이라고."

제3장

알텐슈타인에서의 납치작전

보름스 국회에서 루터가 멋진 변론을 하고 난 후 밤이 되자 적수들은 보름스의 각 처소에 모여들었다. 얀 후스의 유령이 저승에서 환생한 것 같았으므로 고위 성직자들은 격노했다. 그러나 사제들은 어떻게 할지를 두고 의견이 갈라졌다. '신변 보호'를 백지화하여 후스를 화형대의 불길로 사라지게 만들었던 1415년의 콘스탄츠 공의회에서처럼 정의가 실행되어야 한다고 주장하는 이들도 있었고, 루터의 말에서 철회 가능성이나 최소한 타협의 여지가 있었는지 곱씹어보는 이들도 있었다.

루터에 대한 신변 보호를 백지화하라는 제안을 받자 카를 5세는 얀 후스 시대에 보헤미아의 왕 지기스문트가 보호 약속을 저버림으로써 역사의 불명예로 남게 된 사실을 떠올렸다. 또한 황제로서 아직 풋내기에 불과한 자신이 독일 전역에 대한 지배권을 공고히 하려 애쓰고 있는 이 시점에 루터에 대해 금지령을 선포한다면 민중 봉기가 일어날까봐 전전긍

긍했다.

보름스 거리에는 루터를 체포하려고 위협한다면 4백 명의 기사들이 그를 지키기로 약속했다는 유인물이 이미 떠돌고 있었다. 유인물은 이렇게 알리고 있었다. "거대한 악행이 저질러졌다! 우리는 8천 명의 사람들과 함께 싸울 것이다!" 그러한 위협을 가볍게 보아 넘길 수는 없었다.

작센의 선제후들 역시 회합을 가졌다. 알레안데르 추기경은 선제후들 다수가 루터에 대한 금지령을 지지한다는 소식을 들었다. 심지어 루터의 보호자였던 현공 프리드리히 3세마저 루터를 공개적으로 지지하는 데 주저하고 있는 것 같았다. 그는 루터가 전날 행한 변론에 대해서는 안타깝다는 듯 한마디했다. "그는 너무 대담했어." 프리드리히는 겉과 속이 다르게 행동했으므로 이 말은 사실 남들 들으라고 일부러 한 소리였다.

프리드리히는 여전히 가톨릭 신자임을 자처하며 25년 동안 감추어왔지만 누구보다도 열렬한 개혁 지지자였다. 사촌인 프리드리히 1세가 건립한 더 유서 깊고 유명한 라이프치히 대학과 경쟁하기 위해 1505년에 비텐베르크 대학을 설립한 프리드리히는 자신의 신생 대학에 루터가 몰고 온 유명세에 흡족해했다. 루터의 시편 강의에 심취해 그것을 책으로 출간하도록 밀어붙였고 선동가인 루터가 자신의 대학에 확실히 남아 있도록 봉급을 파격적으로 올려주었다.

루터를 파문한 뒤 로마에서는 비텐베르크 대학의 교수인 루터를 체포하기 위해 프리드리히 선제후를 설득하려고 심혈을 기울였고, 심지어 황금 장미로 매수하려고까지 했다. (순금으로 만든 장미꽃을 사순절 넷째 주일 교황이 직접 축성하여 신심에 감사하는 증거로 소수의 사람들에게 하사했다.) 프리드리히는 온갖 유혹에도 불구하고 로마의 요청을 거부했다.

프리드리히는 또한 예술을 전폭적으로 후원했다. 알브레히트 뒤러와 공식 궁정화가였던 루카스 크라나흐도 그의 후원을 받았다. 그는 공작령 성에 2천여 점의 성유물을 보유하고 있었다고 전해지는데, 그 가운데에는 예수님의 머리에 씌워졌던 가시관의 가시, 예수님이 탄생하여 누워 있던 구유의 짚, 성모 마리아의 머리카락 네 가닥, 예수님이 나사로의 무덤에서 흘리신 눈물 한 방울, 최후의 만찬에 쓰였던 빵 한 조각, 모세가 하나님의 음성을 듣게 된 불타는 떨기나무의 가지 하나, 성모 마리아의 가슴에서 나온 젖 한 방울도 포함되어 있었다고 한다.

프리드리히는 매우 명민했다. 사실 '현공'으로 알려져 있었지만 현명하다기보다는 영리한 편에 가까웠다. 대립을 피했으며 군사적 행동에는 무조건 반대했다. 이는 아마도 동생인 '한결공' 요한*과 사촌인 게오르크 공작(수염이 허리까지 자랐으므로 '수염공'으로 알려져 있다)이 작센의 더 많은 지방을 다스리고 있었던 반면 프리드리히는 그들보다 작은 부분을 지배하고 있었기 때문일 것이다. 요한은 개혁에 호의적이었지만 형보다 강력하지는 않았다. 게오르크 공작은 달랐다. 뼛속 깊이 보수적인데다가 루터의 철전지 적수였던 그는 가톨릭 색채가 짙은 라이프치히 대학과 함께 그 이남 지방을 다스리고 있었다. 만약 루터가 집으로 돌아가는 도중에 게오르크 공작의 영지에서 발각되었더라면 심각한 위험에 빠졌을 것이다.

대의원들 대다수는 황제의 파문에 찬성했지만 개인마다 온도차가 있었다. 젊은 황제는 논쟁이 오락가락하는 것을 조용히 듣고 있었다.

그러다 마침내 입을 열었다. "됐소, 이제 그만. 내 생각을 말하겠소."

카를 5세는 더듬거리며 힘겹게 말을 꺼냈다. 합스부르크 가문 특유의

* 현공 프리드리히가 후사 없이 사망하자 형의 선제후 작위와 영지를 물려받았다. 또한 형의 유지를 받들어 루터의 종교개혁을 보호하는 정책을 유지하여 'the Steadfast'라는 별칭을 얻었다. 1527년, 자신의 영지에 루터파 교회(Lutheran Church)를 설립했고 1530년에는 개혁교회 제후들의 동맹인 슈말칼덴 동맹의 맹주가 되었다.

작센의 선제후 '현공' 프리드리히와 그의 동생 '한결공' 요한(루카스 크라나흐, 1509).
프리드리히는 가톨릭 신자였지만 누구보다 열렬한 개혁 지지자였다.

부정교합 때문에 발음이 불분명하고 비염기로 인해 숨이 차서 말이 자꾸 끊겼다. 그러나 그가 하는 말에는 무게가 실려 있었다. 우선은 유럽과 그 너머 신세계까지 드넓게 뻗어 있는 신성로마제국 왕가에 맡겨진 책무에 대한 말로 시작하여, 이제는 그 자신이 지켜내야 할 거대한 유산을 강조하기 위해 천년에 걸친 그리스도교의 역사를 떠올렸다. 자신은 샤를마뉴 대제까지 거슬러 올라가는 유럽과 독일의 신성로마제국 황제들, 스페인의 가톨릭 왕들이었던 페르디난도 1세와 이사벨라 1세, 10세기까지 거슬러 올라가는 오스트리아의 변경백과 대공들, 대머리왕 샤를과 대담왕 필리프까지 거슬러 올라가는 부르고뉴 공작들의 후손이었다. 그들은 모두 로마 가톨릭교회의 진정한 후예라고 선언했다. 그들이야말로 작센의 게오르크 공작.
보수주의자였던 그는 루터에 대해
매우 적대적이었다.
수염이 허리까지 자라서
'수염공'이라는 별명이 붙었다.

가톨릭 신앙과 관습과 법령의 수호자들이었다. 자신은 이 모든 선조들로부터 가톨릭 신앙을 유산으로 물려받았다고 했다.

"이제껏 살아온 그들의 모범에 따라 나는 내 왕국과 영토, 친구들, 내 육신과 피, 삶과 영혼을 그 규범에 맞추기로 결정하였소." 그리고 얀 후스에게 유죄판결을 내리고 화형에 처했던 15세기의 공의회를 입에 올리며 다음과 같이 맹세했다. "콘스탄츠 공의회 이후 일어난 모든 것을 굳건히 준수할 것이오. 그리스도교계의 이 모든 위대한 선례에 맞서 일개 수도승이 반대하고 있다면 그것은 분명 그가 잘못하고 있는 거요. 그렇지 않다면 그리스도교계가 천 년 이상 잘못되었다는 말일 테니."

"이 시대에 우리의 태만으로 사람들 마음에 조그만 이단의 틈이라도 생기게 놔둔다면 우리와 고귀한 독일 민족 구성원들인 그대들 모두에게 커다란 치욕이 될 것이오. 이제야 말인데, 루터에게 단호한 조치를 취하지 않고 그토록 오랫동안 미뤄온 것이 후회되노라. 이제 그의 변론은 다시 듣지 않겠다. 신변 보호는 며칠 더 연장해주겠노라. 그러나 지금부터는 그 자를 악명 높은 이단자로 간주하노니, 선량한 그리스도인들인 그대들 모두 각자의 의무에 추호도 소홀함이 없기를 바라노라."

그런데 아이러니하게도 루터의 가장 확실한 적수였던 게오르크 공작이 나서서 심각하게 말했다. "약속은 존중되어야 합니다. 우리가 한 약속을 깨뜨린다면 지울 수 없는 오점이 될 것입니다. 그렇다면 조상들도 우리를 수치스럽게 여길 것입니다."

황제가 대답했다. "고귀한 공작이여, 그대 말이 맞고 옳다. 그러나 훌륭한 믿음이 세상에서 쫓겨난다면 우리 제후들의 궁정에서 보호해주어야겠지."

루터는 상상으로 이 중요한 순간을 몇 번이고 되돌아보았으리라. 신변 보호를 며칠 더 연장해주기로 결정한 황제와 선제후들에게 감사하기는커녕 분개하며 그 장면을 곱씹었다. 몇 년 후 루터는 고위 성직자들의 그 비밀회의에 대해 이렇게 말했다. "그곳에서 당신들은 다이아몬드로 써서 당신들이 모두 죽어 없어져도 결코 지워지지 않을 짓을 내게 했소. 아직 그런 상황에 익숙지 않은 미숙한 카를 황제를 가면과 인형처럼 에워싸고 앉아 당신들이 시키는 대로 하도록 강요했단 말이오. 내 변론을 제대로 듣지도 않고 유죄판결을 내린 것이 도저히 이해되지 않소. 당신들의 양심이 완전히 부정하다는 사실이 바로 내가 옳다는 증거요."

그러나 루터가 주장한 대로 변론할 기회를 주지 않은 채 심리가 진행되었다는 말은 사실이 아니었다. 실제로 1521년 4월 21일 루터의 도발에 어떻게 대응할지 황제는 아직 결정하지 못하고 있었다. 황제는 그날 밤 자기가 내리는 결정의 절대성과 그 결정이 대중의 동요를 유발할지도 모른다는 생각에 시달렸다. 그래서 민중봉기를 피할 수 있게 마지막까지 작은 타협의 여지라도 찾아보려고 호의적이고 합리적인 트리어의 주교를 발탁해 융통성 있는 고위 성직자와 귀족들을 모이게 했다.

이렇게 갑작스럽게 소집된 비밀회의 구성원들 가운데에는 신심과 선의에서 우러나듯 루터의 많은 저작물에 정말로 탄복한 사람들도 있었다. 저 악명 높은 95개조 논제 중 가장 문제가 된 쟁점을 일종의 지역 교회의 결정으로 돌릴 수는 없을까? 루터가 좀더 노골적으로 공격한 몇몇 쟁점을 철회한다면 작센 주의 고위 수도원장에 임명할 수도 있는 노릇이었다. 어쩌면 파문을 유예하거나 먼 미래의 어느 시점에 공의회가 소집될 때까지 집행을 연기할 수도 있는 문제였다. 그리고 알레안데르 추기경은 펄펄 뛰며 반대할 테지만 교황청이 아닌 독일의 주재로 공의회를 열 수도 있다.

관용의 대가로 주장을 철회하는 것이 어떻겠냐는 제안을 전해들은 루터는 한마디로 일축했다. “그 공의회가 인간의 공의회라면 아무런 소득이 없을 테고, 하나님의 공의회라면 당신들은 그것을 뒤엎을 수 없소.” 말하고자 하는 요지가 정확히 뭐야? 그들은 이해할 수 없었다. 이제 마지막 결단만이 남아 있었다.

결국 트리어의 주교는 포기하고 최후의 통첩을 전달했다.

“그대가 황제와 신성로마제국 수도회들의 충고를 받아들여 잘못을 인정하지 않았으니 이제 황제께서 움직이실 때요. 황제의 명령이니 신변 보호 약속에 따라 비텐베르크까지 자유롭게 돌아가도록 20일을 주겠소. 단 하나 조건이 있소. 돌아가는 길에 다른 사람과 대화를 나누거나 설교를 해서 소요를 일으키지 말아야 한다는 거요.”

“폐하의 뜻이 그러하다면 따르겠습니다. 주님의 가호가 있기를.”

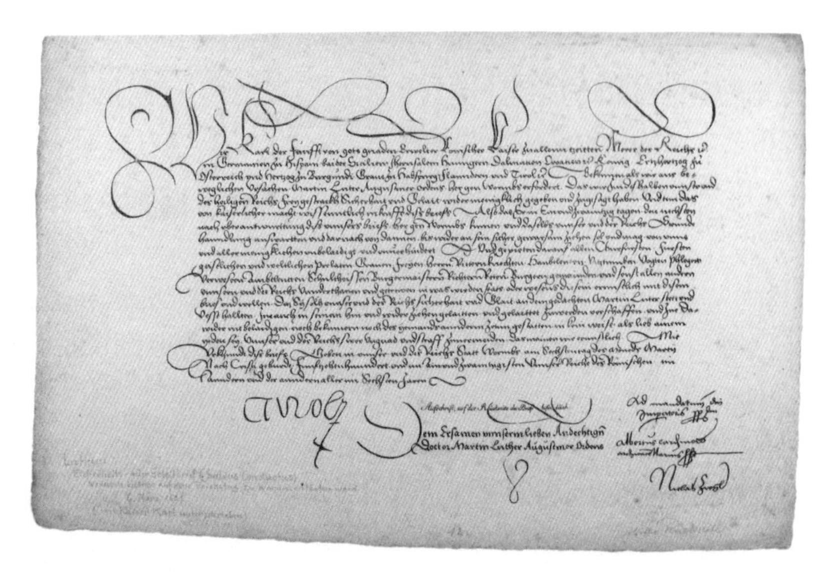
Dem Ersamen unserm lieben Andechtigen
Doctor Martin Luther Augustiner Ordens

루터의 안전 통행증. 루터는 비텐베르크로 안전하게 돌아갈 수 있는 조건으로 가는 길에 다른 사람과 대화를 나누거나 설교할 수 없었다.

얼마 후 루터는 한 친구에게 속삭였다. "저들이 여기서 내 피를 보지 않으려는 것은 살해할 의향이 없어서가 아니라네. 저들의 마음속에는 살기가 가득하거든." 그리고 사실대로 말하자면 몇 년 후 카를 5세는 당시 자기 마음속에 살기가 있었다고 인정했다. 고결한 생각에 잠시 마음이 약해졌던 것을 후회하며 이렇게 회고했기 때문이다. "그때 그 자리에서 루터를 죽이지 않았던 것이 잘못이었다. 내 말을 지킬 의무는 없었다. 그를 죽이지 않고 살려두는 바람에 이 실수가 걷잡을 수 없게 되었다. 이 사태를 충분히 막을 수도 있었을 텐데."

괴수의 소굴에서 열흘을 보낸 후 4월 26일 루터는 보름스를 떠났다. 삐걱거리는 마차에 다시 몸을 실었다. 친구이자 비텐베르크의 동료 신학자 니콜라스 폰 암스도르프와 평수도사 요하네스 페첸슈타이너가 동승했다.

보름스 성문을 벗어나자 말을 탄 호위대가 합류했고, 얼마 지나지 않아 험상궂게 생긴 황제의 의전관 카스파르 슈투름이 나타났다. 위험한 상황일 텐데도 루터가 당당해 보였다면 그 이유는 은밀한 계획이 진행되고 있음을 알았기 때문이다. 떠나기 전날 밤 중간 연락책을 통해 프리드리히 현공이 안전한 장소로 인도해 갈 테니 걱정하지 말라고 알려주었던 것이다. 그런데 프리드리히 현공조차도 루터가 가게 될 실제 장소를 비롯해 계획의 세부 내용은 알지 못했다. 행여나 황제나 국회로부터 그 사건을 공모했다고 의심받게 될 경우 전혀 모른다고 잡아떼기 위해서였다.

오펜하임 북쪽으로 가는 작은 마차와 호위대는 라인 강을 건너 프랑크푸르트에서 하룻밤을 보낸 후 여유로운 풀다 강을 따라 더 북쪽으로 이동했다. 프리드베르크라는 작은 마을에 이르자 그곳에서 며칠 머무르며 황제에게 보내는 장문의 편지를 썼다. 카를 황제가 사태를 좀더 압박하는 쪽으로 움직이고 있음을 알았을 것이다. 그러나 루터는 사실 후세를 염두에 두고 썼으며, 그 편지는 군주에게 읽히기보다 인쇄업자를 통해 펴내기 위해 의도한 일이었다.

개혁가 루터는 스스로 역사 기록을 써내는 데 열심이었다. 의구심 없이 학구적이고 열린 마음을 가진 성속의 재판관들이라면 기꺼이 출두할 의사가 있음을 반복했고, "명백하고도 분명하며 자유로운 하나님의 말씀에 의거하기만 한다면" 어떤 가르침이든 받아들이겠다고 카를 황제에게 썼다. 그런데 그 단서가 걸림돌이었다.

이 애매하고 낙천적인 말들은 역사를 위해 기록된 것이라고 한다면, 루터의 본심은 곧 걸작을 공동 작업하게 될 루카스 크라나흐에게 보낸 편지에 잘 드러나 있다. "내 생각에 황제는 한 명이든 50명이든 박사들을 소집해 공정하게 나를 굴복시켜야 했네. 하지만 실제로 벌어진 상황은 정반대였지. '이 책들은 그대가 쓴 것인가? 네. 그것들을 철회할 의사가 있는가? 아니오. 그러면 그만 물러가라.' 아, 우리는 독일인들을 장님으로 만들었네! 얼마나 유치한 행동이었는가. 로마의 학자들에게 얼마나 조롱을 받고 속아 넘어갔단 말인가." 루터는 크라나흐에게 당분간 '입을 다물겠다'고 했다. 그러나 입을 닫고 있기란 루터에게 결코 쉬운 일이 아니었다.

황제의 의전관 슈투름에게 그 편지들을 건네주면서 루터는 한 통은 황제에게 전달하고 다른 한 통은 크라나흐에게 부쳐달라고 했다. 그리고 의전관의 보호 조치는 더 이상 필요하지 않다고 밝혔다. 루터는 이제 황제의 신변 보호를 받지 않은 채 모든 이단을 결사반대하는 철저한 가톨릭 용사에게 노출되기 쉬운 상황 아래서 여정을 계속했다. 이제 동행하고 있는 사람이라고는 니콜라스 폰 암스도르프와 소심한 평수도사 페첸슈타이너 둘 밖에 없었다.

풀다 북쪽에서 루터 일행은 742년에 세워진 유서 깊은 베네딕토 수도원에 도착했다. 그곳 수도원장은 루터를 환대해 후히 대접하고 자기 침상을 내주기까지 했다. 그리고 다음날 아침에는 수도원에서 강론을 해달라고 청했다. 그러한 강론은 신변 보호의 조건으로 침묵해야 한다는 약속을 깨는 행위라는 사실을 루터는 잘 알고 있었다. 그런데다 자칫하면 그 수도원이 왕실의 특전까지 잃을 수 있었으므로 처음에는 사양했다. 그러나 하고 싶은 유혹이 너무 컸으므로 이내 마음이 약해졌다. "하면 어떻단 말인가? 결국 인간에게 복종하는 것보다 하나님께 복종하는 것이 더 중요하지 않은가."

루터의 체류는 커다란 영향을 미쳤다. 루터가 떠나고 나자 수도원장은 수도사들에게 서원을 포기하고 수도원을 떠나도 좋다고 허락했다.

바르트부르크 성. 루터는 보름스를 떠나 비텐베르크로 돌아가는 길에 납치되어
이 성으로 오게 되었다. 그는 외롭고 힘겨웠지만 가장 창조적인 시간을
이 곳에서 보내게 된다.

동쪽으로 갈수록 루터는 점점 더 대담해졌다. 어느 지역 교회에서는 가톨릭 보좌신부와 공증인, 당국의 증인 두 사람이 명령 불복종을 증거 서류로 입증하기 위해 인상을 찌푸리고 신자석에 앉아 있었다. 그런데도 루터는 강단에 올라 신나게 강론을 하기도 했다.

매복은 하루 뒤에 일어났다.

귀향 여정 여드레째 되던 날 알텐슈타인 성 부근의 한 샛길, 커다란 자작나무 뒤에서 말을 탄 두 복면의 괴한이 튀어나와 작은 마차를 덮쳤다. 수도사 페첸슈타이너는 펄쩍 뛰어내려 숲 속으로 황급히 도망친 반면, 루터는 마차 뒤에 숨었다. 활시위를 당긴 채 괴한 한 사람이 마르틴 루터라는 자가 마차에 타고 있는지 물었다. 루터는 봉변을 당할까봐 겁에 잔뜩 질린 모습으로 나타났다. 혹시라도 덤불에 숨어 지켜보고 있는 사람이 있다면 보란 듯이 괴한들은 고함과 욕설을 퍼부으며 말이 기다리고 있는 곳으로 루터를 거칠게 끌고 갔다. 그사이 암스도르프는 얼이 빠진 채 일행을 남몰래 지켜보았다. 길에서 벗어나자 루터는 가짜 수염을 달았다. 이후 여섯 시간 동안 세 사람은 있을지도 모르는 추격자들을 교란시키기 위해 튀링겐 숲의 오솔길들을 종횡무진 누비고 다녔다.

몇 시간이 지나자 웅장한 바르트부르크 성이 저 멀리 보였다.

제4장

루터의 밧모 섬

1521년 5월 6일 자정 무렵 바르트부르크 성의 도개교가 내려왔고 엄격한 성주 한스 폰 베를렙쉬는 여독에 지쳐 꾀죄죄한 루터를 티내지 않고 받아들였다. 처음에는 베일에 싸인 손님의 진짜 정체를 알지 못했지만 명령 받은 대로 따랐다. 루터는 성 꼭대기에 있는 두 개의 작은 방으로 안내되었다. 그곳은 긴 사다리가 있어야만 올라갈 수 있었고, 그나마 사다리도 밤이 되면 치워놓았다. 첨탑에 난 두 개의 작은 창문은 두툼한 불투명 유리가 끼워져 있었으므로 방에서는 성 너머로 보이는 튀링겐 숲의 아름다운 산기슭 전망이 제대로 보이지 않았다. 방의 가구는 소박했다. 책상 하나, 잉크 병 하나, 나무 침대 하나, 등받이가 달린 의자 하나가 전부였다.

루터는 수도사의 고깔 달린 외투를 벗고 기사 복장으로 갈아입고 머리와 수염을 기르라는 명령을 받았다. 앞으로는 '융커 외르크'(기사 게오르크)라는 이름을 사용하며, 고위층과 친한 하류 귀족가문 출신으로서 모종의 정치적 곤경을 겪고는 은신 중인 편력 기사로 행세할 셈이었다.

루터는 그곳에 자리를 잡고 오래도록 머무르게 될 터였다. 루터는 자기를 파문한 피렌체 출신의 교황 레오 10세가 살아 있는 동안은 은거가 지속되리라 예상했다.

끈기 있고 주의 깊은 성주는 루터가 바르트부르크에 체류하고 있는 위험성을 잘 주지하고 있었다. 그 기사에게는 외부와의 접촉을 차단하는 동시에 정중하게 대우하며 그가 즐기는 라인산 포도주와 사냥한 고기를 공급하는 등 집처럼 부족한 것 없이 편히 지내게 해주어야 했다. 며칠 후에는 엄격한 제한 조치가 완화되었고, 선제후의 영지 내 안전한 장소에서 절차에 따라 특정인들과 서신을 주고받을 수 있게 되었다. 향후 몇 달 동안 루터는 이러한 특권을 최대한 누리게 된다.

서신 상대는 주로 세 사람이었다. 가장 중요한 첫 번째 사람은 필리프 멜란히톤이었다. 남부 독일 출신의 총명한 젊은 그리스어 학자로서 본명은 '검은 대지'라는 뜻의 슈바르체르트였다. 그러나 어린 나이에 그리스어 분야에서 놀랄 정도로 두각을 나타냈으므로 그의 아버지는 아예 아들의 이름을 같은 의미의 그리스어로 개명해주었다. 멜란히톤은 이미 10대에 당대의 위대한 인문주의자 로테르담의 에라스무스 휘하에 들어갔고, 열여덟 살에는 비텐베르크 대학의 그리스어 교수로 임명되었다.

교수로 부임한 직후부터 멜란히톤은 루터와 친해졌다. 열일곱 살의 나이 차에도 불구하고 두 사람은 평생에 걸쳐 우정을 쌓게 된다. 어떤 이들에게는 두 사람이 매우 별난 한 쌍으로 보였을 것이다. 루터 쪽에서 보면 멜란히톤에게 부성애 같은 마음이 들었을 것이다. 멜란히톤은 호리호리했지만 강단이 있었고, 키가 작은 편이어서 루터는 그를 자신의 '작은 그리스인'이라고 부르게 되었다. 멜란히톤은 루터와는 견해차가 점점 커지게 될 첫 스승 에라스무스를 존경하고 공경했지만 루터에게 더 매료되어 그의 신학 노선을 받아들였다.

루터는 멜란히톤에 대해 자신과 비교하여 이렇게 썼다. "나는 거칠고 요란하고 격렬하며 매우 호전적이다. 나는 괴물과 악마에 맞서 싸우게 태어났다. 나는 그루터기와 돌멩이를 치우고, 엉겅퀴와 가시들을 베어버려 거친 숲을 뚫고 나가야 한다. 그러나 필리프 선생은 하나님께서 풍성하게 내려주신 재능에 맞춰 부드럽게 씨를 뿌리고 기쁘게 물을 주며 조용히 나타난다." 소통과 뛰어난 공감 능력으로 멜란히톤은 나중에는 '종교개혁의 사절'로 알려진다. 고민이 있는 사람들은 자석에 끌리듯 그를 찾아가 위안을 구했고, 어찌나 자주 그랬던지 루터는 멜란히톤을 지칭하기 위해 '조르겐블루테겔'(sorgenblutegel)이라는 신조어를 만들어냈다. 뜻인즉, 다른 이들의 근심을 모두 자기 피 속으로 빨아들이는 거머리라는 의미였다.

멜란히톤에게 미치는 루터의 영향력은 상당했다. 예를 들면, 비텐베르크에 도착하고 나서 1년 뒤 루터가 멜란히톤에게 비텐베르크 시장의 딸과 결혼하라고 강권하자, 멜란히톤은 결혼식 날 '내 생애 최고로 불행한 날'이라고 할 정도로 썩 내키진 않았지만 어쨌든 그대로 따를 정도로 루터의 말을 들었다. 점차 멜란히톤은 고대 언어와 고전 분야에서 인기 강사로 자리를 잡아갔다. 그는 교육가였고, 사제가 아닌 평신도로서 충돌을 피하는 외교가 기질을 타고났다. 강박이라고 할 정도로 사고가 명확하여 제아무리 복잡한 신학적 논쟁들도 단순한 명제와 이해하기 쉬운 명확한 산문으로 정리해낼 수 있는 대단한 기량을 갖추고 있었다. 이러한 능력은 향후 몇 년 동안 말할 수 없이 귀중한 재능이라는 사실이 입증된다. 이제 루터가 자리를 비운 상황에서 그 취약한 개혁운동의 신학적 순수성을 지키는 책임은 멜란히톤이 떠안게 되었다.

필리프 멜란히톤
(알브레히트 뒤러, 1526).
루터와 평생 우정을 쌓았으며
뛰어난 인문주의자답게
루터의 신학적 교리를
명료하게 정리했다.

두 번째로 서신을 주고받은 사람은 선제후의 절친한 고문 게오르크 슈팔라틴이었다. 비텐베르크에서 학위를 받은 사제 슈팔라틴은 선제후의 궁정 도서관장이자 주임사제였다. 루터는 슈팔라틴과 주고받은 대화를 프리드리히 현공도 알게 되리라 확신했다.

그리고 마지막으로 루터와 편지로 소통한 이는 보름스까지 오가는 길에 동행한, 비텐베르크 대학의 교수 니콜라스 폰 암스도르프였다. 가짜로 연출된 루터의 납치극을 목격한 후에 그는 비텐베르크 대학으로 돌아가서, 멜란히톤과 마찬가지로 그곳의 돌아가는 사정을 루터에게 계속 알려주었다.

바르트부르크 성에 자리 잡은 지 이틀밖에 지나지 않은 5월 8일, 루터는 멜란히톤에게 처음으로 편지를 썼다. 서두에서 "이 대단한 인물들이 꾸민 일들을 알고 있는 사람들"을 위해서 자신의 소재에 대해서는 비밀로 해야 한다고 강조했다. "자네를 제외한 다른 사람들은 내가 아직 살아 있다는 사실 외에 다른 사항은 더 알 필요가 없네." 그리고 시편 4편 4절의 말씀을 인용했다. "자리에 누워 심중에 말하고 잠잠할지어다." 두 번째 편지에서는 보름스로 가는 길에 루터를 환영했던 사제들을 파문한 가톨릭 당국에 항의하며 폭동을 일으킨 에르푸르트 대학의 학생들에 대해 썼다. 당연히 루터는 아직은 미약한 개혁운동에 찬물을 끼얹게 될까 봐 걱정하며 불만을 토로했다. "이 일을 그냥 넘어가다니 놀랍군. 이 게으르고 죄 많은 사제들이 혼난 것은 잘 된 일이긴 하나 그래도 이 일은 우리 복음에 망신거리가 되고 반감을 부추긴단 말일세. …… 우리가 주님의 말씀을 섬기는 이들이 되기 위해 아직은 하나님 앞에 설 자격이 없다고들 할 거란 말일세. 사탄이 우리의 노력을 비웃고 조롱한다네."

루터는 마태복음 21장 19절을 인용하며, 개혁운동가들이 복음에 따라 행동하지 않는다면 아무런 열매를 맺지 못하여 예수님의 명령에 금세 시들어버린 무화과나무처럼 개혁운동도 사그라질 것이라고 썼다. 백 년 전에 이단자 얀 후스를 지지하여 학생들이 폭동을 일으킨 후 프라하 대학이 급격히 쇠락의 길을 걸었던 전례에 비춰볼 때, 난폭한 학생들의 소요 후 에르푸르트 대학도 '제2의 프라하'가 되지 않을까 우려했다.

유럽에서는 루터의 행방을 둘러싸고 온갖 소문이 나돌았다. 비텐베르크에서는 루터가 최악의 적들에게 독살당했다고 생각하는 사람들도 있었다. 비텐베르크에 떠도는 이야기보다 훨씬 중요한 것은 루터에게 가장 적대적인 적들의 태도였다. 멀리 떨어진 라인 강변에서, 알레안데르 추기경은 우호세력들이 루터를 빼돌려 남쪽의 프랑켄에 숨겨놓았으리라고 확신하고 있었다. 추기경은 질베스터 폰 샤움베르크라는 귀족이 예전에 루터에게 군사적 보호를 제안했던 것을 실행에 옮겼다고 충분히 생각할 만했다.

그러나 알레안데르 추기경에게는 훨씬 시급하고 중요한 문제가 있었다. 카를 5세와 신성로마제국 의회가 고집 센 루터를 어떻게 처리할지 내린 결정을 공식 문서로 정리하는 보름스 칙령의 초안을 작성해야 했다. 결국 추기경의 지난한 길이 가장 만족스러운 결말을 향해 가고 있었다. 자신에게 맡겨진 그 과제를 기쁘고 흡족한 마음으로 받아들이며 추기경은 솔직한 독일인들의 마음에 들도록 가장 직설적이고 꾸밈없는 문체를 썼다. 루터는 수도사의 탈을 쓴 '악마'요, 이단자 얀 후스의 계승자였다. "그자는 혼인성사를 욕보이고, 고해성사를 능멸했으며, 우리 주님의 성혈과 성체를 부인했다. 받아들이는 사람의 신앙에 따라 성사가 좌지우지되게 만들었다. 자유의지를 부인하는 점에서는 이교도들과 같다. 수도복을 걸친 이 악마는 악취를 풍기는 썩은 웅덩이에 고대의 모든 오류들을 한데 모아 새로운 오류들을 만들어냈다."

그러고 나서는 즐기듯 루터에 대한 악담을 써내려갔다. "루터는 이단으로 유죄판결을 받은 자로 간주된다." 이제 루터의 신변 보호는 만료되었기 때문에, "그 누구도 그를 숨겨주어서는 안 된다. 그를 추종하는 자들 또한 유죄가 될 것이다. 그자의 책들은 인간의 기억에서 완전히 지워져야 한다." 그 악한에게는 먹을 것이나 잠자리를 제공하면 안 되었다. 보름스 칙령에 불복하면 심각한 처벌이 따를 터였다. 칙령을 위반하는 제후나 도시에는 모든 은전과 자유를 박탈할 것이다. 아무도 "루터의 저작을 조판하거나 쓰거나 인쇄하거나 판매하거나 사들이거나 알게 모르게 보유해서는 안 된다." 그 무법자가 염려된다면 어서 종교재판소에 넘겨야 할 것이다. 이 성스러운 의무를 이행하는 독실한 영웅에게는 상당한 보상이 제시되었다.

그로부터 몇 주 후인 1521년 5월 25일 보름스에서 거행된 장엄미사에서 카를 5세는 과장된 몸짓으로 서류에 서명했다. 미사가 끝나자 황제는 알레안데르 추기경을 돌아보며 말했다.

"이제 만족하시겠군요."

"그렇습니다. 교황 성하와 온 그리스도교계는 훨씬 더 흡족해할 것입니다."

미사가 끝나자 황제는 곧바로 빠져나가 라인 강을 남하하여 이탈리아로 가는 바지선에 올라탔다. 이탈리아에서 일어난 훨씬 다급한 위기가 황제를 기다리고 있었다. 루터가 보름스에서 변론을 시작한 날로부터 나흘 후 프랑스는 카를 5세와 이탈리아에 있는 그의 영토에 선전포고를 했으므로 황제의 관심은 분쟁의 대상이 된 밀라노와 스페인에서 반란을 일으킨 도시들로 옮겨갔다. 이탈리아에서의 4년 전쟁이 시작되기 일보 직전이었다. 로마의 교황은 카를 5세와 프랑스의 프랑수아 1세 사이에서 선택을 해야 했다. 저 멀리 떨어진 독일의 극악무도한 수도사 문제는 당분간 그 중요성이 떨어졌다.

현공 프리드리히는 보름스 거리에 역병이 돌고 있었으므로 해로운 공기와 불쾌한 비밀 소집을 피하려고 카를 황제보다 며칠 앞서 그곳을 떠났다. 프리드리히 선제후는 루터의 운명을 두고 논쟁을 벌이는 장본인이 되고 싶지 않았는데, 하물며 유죄판결을 마지막으로 확정하는 데 동의하고 싶지 않았다. 게다가 루터의 행방과 관련해 더는 의심받기를 원하지 않았다. 자신의 보호를 받던 루터가 정말로 아직 살아 있다면 은신처가 어디인지 모른다고 정직하게 대답할 수 있었다.

표정 하나 바꾸지 않고 교황청을 지지하기로 무조건 맹세했지만, 사실 보름스에서 진행된 전체 심문에 대해 프리드리히가 어떤 태도를 가졌는지는 동생인 한결공 요한에게 보낸 편지에 잘 드러나 있다. 보름스에서 쓴 편지에 보면, 루터의 적들로는 아나니아·가야바·헤롯·빌라도가 있었다. 다시 말해서 독실한 척하는 고위 사제들, 격렬한 반대자들, 살기를 품은 왕실 사람들, 비겁한 재판관 등이었다.

처음에, 루터는 자신이 죽었다는 소문을 즐기고 있는 것 같았다. 5월 12일 멜란히톤에게 보낸 편지에는 적들이 "그가 언제나 죽을까? 그 이름이 언제 사라질까?"라고 노래하고 있다고 썼다. 가장 유명한 적수들에게는 구약에서 따온 노골적인 이름을 붙여주었다. 제일 질색인 게오르크 공작에게는 열왕기상 11장 43절의 매우 야심만만하면서도 영적으로는 속이 빈 유다의 왕을 빗대 '드레스덴의 르호보암'이라는 별명을 붙였다. 또 다른 철전지 원수 브란덴부르크의 요아힘 1세에게는 잘나갈 때는 오만하고 불행을 겪을 때는 비겁하기로 유명한 시리아의 왕을 빗대 '다마스쿠스의 벤하닷'(열왕기상 20:5)이라는 이름을 붙여주었다. 루터는 기쁘게 말했다. "주님께서는 그들을 비웃으실 걸세." 지상의 왕들은 주 하나님을 거슬렀기 때문이다.

여전히, 루터는 제자인 멜란히톤의 사기를 북돋워줄 필요가 있다고 생각했다. "마음 단단히 먹게나. 이제는 자네가 복음의 대리자이기 때문이지. 이제 곧 적들이 자네에게도 공격해올 터이니 예루살렘의 성벽과 탑들을 더욱 높이 쌓게. 우리 이 짐을 함께 지세나. 지금 시점에는 전투에 나 홀로 서 있네. 이제 곧 저들이 자네를 뒤쫓을 걸세." 말하자면 루터가 엘리야라면 멜란히톤은 엘리사였다.(열왕기하 2:9)

그럼에도 불구하고 루터가 갇혀 있던 첫 달에 보낸 편지들에는 자신이 없는 동안 미약한 개혁운동에 벌어질 일들을 우려하고 있었다. 자신이 사목하고 있던 비텐베르크 교회에서는 누가 대신 강론할 것인가? 그리고 사람들이 뭐라고 할 것인가? 루터는 소소한 소식을 듣고 싶었으므로 물었다. "암스도르프는 여전히 잠이 많고 게으른가?" 앞으로 몇 달

지나지 않아 가장 커다란 내부의 위험을 안겨주게 될 인물이 누구인지 추론하기라도 하듯 카를슈타트 박사는 무엇을 하고 있는지 궁금해 했다. 그리고 실망감을 감추지 않았다. 루터는 종교개혁 교리를 체계적으로 설명한 첫 논문인 멜란히톤의 걸작을 언급하며 불만을 토로했다. "자네의 『신학총론』(*Loci Comunnes*) 사본이 아직 도착하지 않고 있으니 초조하다네." 인쇄는 이미 4월에 시작되었지만 12월이 되어서야 완성이 되었기 때문이다. 이렇게 격렬한 감정들이 뒤섞인 가운데 루터는 비장감을 드러냈다. "비록 내가 죽더라도 복음은 온전할 걸세."

그러나 루터가 가장 우려했던 것은 멜란히톤의 용기였다. 편지를 주고받다가 어느 시점에 멜란히톤은 루터가 없으니 자신과 동료 개혁가들이 방향감과 일체감을 잃고 있다고 하소연했다.

답신에서 루터는 마태복음(9:36)의 목자 없는 양들을 인용하며 대답했다. "자네들이 목자 없이 길을 잃고 있다고 쓴 것을 보고 믿을 수 없었네. 이것은 가장 슬프고도 끔찍한 소식이 아닐 수 없네. 자네와 암스도르프 그리고 다른 사람들이 있는 한 자네들은 목자가 없는 게 아니라네. 그런 식으로 말하지 말게, 하나님께서 진노하시고 배은망덕하다고 하실 테니. 모든 교회가 자네의 반의반만이라도 복음에 대해 알고 성직자들도 그 반의반만이라도 되면 좋았을 텐데!"

5월 12일자 편지는 '새들의 땅에서' 마르틴 루터라고 밝히는 서명을 했다.

95개조 논제 이후 지난 4년 동안의 투쟁과, 보름스에서의 분규와 갈등을 겪고 난 후 바르트부르크 성에서 처음 몇 주를 보내는 동안에는 갑작스럽게 찾아든 침묵과 나른함을 한껏 즐기며 불안하면서도 꿈 같은 상태에 빠져 보냈다. "이곳에서 나는 포로들 사이의 자유민처럼 느긋함에 취해 있다네." 동시에 루터는 만성 위통으로 고생하고 있었다. 그나

니콜라우스 폰 암스도르프
(페터 고트란트, 1558).
비텐베르크 대학의 신학 교수로
루터가 보름스 국회까지 오기는
길에 동행했다. 편지를 통해
루터에게 비텐베르크의 소식을
계속 알려주었다.

마 이러한 심신의 부조화에 시달리면서 누리던 한가함도 오래가지는 못했다.

5월 15일자로 루터의 신변 보호 기간도 끝이 났다. 그는 이제 정식 범법자였다. 열흘 후 보름스 국회 회기 마지막 날 실제로는 텅 빈 의회에서 보름스 칙령이 정식으로 공포되었다. 그 내용은 이러했다. "이 시간 이후로 그 누구든 말이나 행위로 마르틴 루터라는 자를 받아주거나 보호하거나 지지하거나 찬성하는 것을 금한다. 반대로 우리는 그 자를 체포하여 악명 높은 이단으로 처벌하기를 원한다. 그자는 죗값을 치러야 하므로, 직접 잡아서 우리 앞에 데려오거나 잡은 이들이 우리에게 알려올 때까지 잘 지키고 있어야 한다. 그런 까닭에 우리는 루터에게 적절한 방식의 절차를 취하도록 명령할 것이다." '적절한' 방식이란 배교자 안 후스와 지롤라모 사보나롤라에게 가해진 종교재판소의 화형을 가리킨 것이 틀림없다. 칙령은 이단자를 잡는 데 도움을 준 사람에게 포상을 약속하는 내용으로 끝났다.

박해가 만만치 않으리라 예견한 루터는 멜란히톤에게 편지를 보내 밝혔다. "저들은 이제 온 세상을 구석구석 뒤져 내 책들을 찾아낼 걸세. 그렇게 해봤자 자멸의 길을 재촉하고 있을 뿐이지." 또 다른 지지자에게 보내는 편지에서는 바르트부르크에 기묘하게 갇혀 있는 신세라고 썼다. "자의반 타의반 이곳에 주저앉아 있기 때문이라네. 자의인 이유는 주님께서 이 길을 원하고 계시기 때문이지. 타의인 이유는 하나님의 말씀을 전하기 위해 사람들 앞에 서기를 원하긴 하지만 아직은 그럴 자격이 없기 때문이라네."

루터가 성에 고립되어 있는 상황에 적응하려고 애를 쓰고 있던 5월에는 가톨릭 사제들이 처음으로 독신서약을 깨고 결혼하기 시작했다. 그 가운데에는 루터에게 배운 학생도 있었고, 또한 몇 주 전 루터가 헤르스펠트에서 신변 보호 조건을 위반하며 도발적으로 설교했을 때 완전히 얼어붙었던 주임사제도 있었다. 향후 몇 달 동안 그 뒤를 따르는 사람들이 많았다. 마치 봇물이 터진 것 같았다. 독신서약을 깨고 결혼하는 사제들이 급증하는 추세를 보며 루터는 나중에 이렇게 표현했다. "그렇게 서둘러 결혼하는 것을 보니 그 수도자들이 따르고 있었던 것은 육체적 욕망이었군."

5월 말, 불안하기도 했고 아프다고 마냥 퍼져 있을 수도 없었던 루터는 한가한 것도 싫증이 났으므로 일에 몰두했다. 바르트부르크에 도착할 당시 지니고 온 소지품은 두 가지가 전부였는데, 그것은 바로 수도복 옷섶에 깊숙이 숨겨온 그리스어 신약과 히브리어 구약이었다. 성에서는 새로운 신학 저술에 참고할 자료들을 구할 수 없었다. 루터가 필요로 하는 연구 자료들은 비텐베르크에 있는 필리프 멜란히톤이 보내줘야 했겠지만, 아마 만만한 작업이 아니었을 것이다.

1521년 5월과 6월이 지나는 동안 루터는 어디에 힘을 써야 할지 갈피를 못 잡고 여러 계획과 프로젝트 사이에서 오락가락했던 것 같다. 5월 26일에는 루뱅 대학의 조직적 반대로 빚어진 또 다른 예리한 공격에 반박해야 하지 않겠냐고 멜란히톤에게 썼다. 루뱅 대학과 쾰른 대학의 신학자들은 합심하여 루터를 규탄했다. 그런데 두 대학이 합세하여 공격하고 자신들의 결정을 스페인의 종교재판소장에게 보냈으므로 이는 학문적 활동이 아니었다. 마침 스페인의 종교재판소장은 당시 토르토사의 주교이자 카를 5세의 스페인 섭정이었고 더욱 중요하게는 레오 10세에 이어 차기 교황이 되는 냉정한 네덜란드인 아드리안 플로렌츠 추기경이었다.

루터는 학계의 거부에 겁먹지 않았다. 「루뱅과 쾰른의 멍청이들에 맞서」라고 제목을 붙인 반박서에서 대학의 시건방진 교수들이 아무런 근거 없이 자신의 작품을 규탄했다고 투덜대며 그들의 성명서를 헤롯과 빌라도의 배반에 비유했다.

앞으로 몇 달 내로 주된 관심사는 사도행전과 복음서들에 붙인 자신의 주해들을 독일어로 번역하는 일이 되리라고 밝혔다. 루터는 보통 사람도 그리스도교의 위대한 주제들을 이해하는 것이 시급하다고 느꼈다. 글을 아는 사람이 독일 인구 가운데 5퍼센트밖에 안 된다는 점이 문제였다. 당시에는 미사 예식의 상당 부분이 공식적으로는 여전히 라틴어로 거행되고 있었다. 자기가 주장하는 교리를 사람들의 언어로 번역하고자 했던 이러한 추진력은 바르트부르크에서 루터가 일군 가장 위대한 업적을 싹 틔웠고 4년 전 시작되었던 양상으로 진행되었다. 1518년 루터는 십계명, 주님의 기도, 니케아 신경을 이해하기 쉬운 구어체 독일어로 설명하는 소책자를 발간했었다. 이제 그는 대림과 성탄에 집중하기를 원했다. 그러나 그렇게 하려면 전에 이 주제들에 대해 라틴어로 써서 발표했던 주해들을 받아야 했다. 6월 10일이 되어도 멜란히톤에게서 라틴어로 쓴 대림 주해서를 받지 못했으므로 성가시지만 계획을 바꾸는 수밖에 없었다.

루터가 갇혀 있던 첫 달 동안 완성하고 발전시킨 또 다른 저작은 종교적으로는 물론 정치적으로도 중요했던 고해성사에 관한 논문이었다. 전에도 보름스 국회에서 이 가톨릭 성사에 대해 발언한 적이 있었는데, 이 주제를 다시 다룬 이유는 불쾌하게도 사제들이 고해성사를 하는 사람들로부터 루터의 금서들을 몰래 읽었는지 알아내기 위한 수단으로 고해소를 이용하고 있다는 사실을 알게 되었기 때문이다. 이 논문에서 루터는 캐묻기 좋아하는 고해사제들의 부적절한 염탐질에 어떻게 대처해야 할지 지지자들에게 알려주었다. 이렇게 말하라고 사람들에게 가르쳐주었다. "제발, 신부님 저를 구석에 몰아넣어 곤경에 빠뜨리지 마세요. 신부님께서 제 죄를 사해달라고 고해하러 온 것이지 저를 곤란하게 하시라고 온 게 아니란 말입니다." 그래도 미련을 못 버린 사제가 물러설 기색이 보이지 않거든 계속 말해야 했다. "제발, 신부님은 고해사제지 감독관이 아니란 말입니다. 저를 압박하거나 제 사생활을 캐내는 건 신부님의 의무가 아닙니다. 또한 제 주머니에 돈을 얼마나 갖고 있는지 물으시는 것도요." 반대로 죄를 사해주는 것이 사제의 의무인데, 만일 사제가 "루터나 교황과 관련된 일을 가지고 따지려 든다면" 고해자는 염탐질하는 사제에게 이렇게 말해야 했다. "고해성사로 저를 곤경에 빠뜨리지 마십시오." 그리고 루터는 만일 고해사제가 이것을 트집 잡아 죄를 사해줄 것을 거부한다면 고해자의 당연한 권리를 보류하는 죄를 지었으므로 그

사제를 사기꾼이나 도둑으로 간주해도 된다고 밝혔다.

루터가 쓴 논문의 결론은 한마디로 겁먹지 않아도 된다는 것이었다. 단지 고해 행위만으로도 고해자는 하나님 보시기에 죄를 용서받았음을 알라는 것이었다. 설령 교황이라 할지라도 그 어떤 중재자도 강제로 고해를 요구하거나 죄의 용서를 부인할 권리는 없었다.

루터는 가장 중요하고도 호전적인 지지자들 가운데 한 사람이었던 프란츠 폰 지킹겐에게 이 논문을 헌정했다. 지킹겐은 봉건 영주에게 예속되지 않은 자유 기사들의 연합인 '기사 계급'(the Estate of Knights)의 강력한 수장이었다. 가톨릭에서 돌아선 이들 기사들은 사병을 거느리고 독립 영지들을 다스리며 로마의 영향력에 반대했다. 루터의 저항에서 그들은 교회의 힘을 약화시키고 자신들의 독립과 힘을 발전시킬 유용한 수단을 감지했다. 아이러니하게도 지킹겐은 처음에는 신성로마제국 황제로 선출되기 위해 출마한 카를 5세를 지지했던 인물이었다. 그러나 루터가 보름스에 오자 지킹겐은 근처에 있는 자신의 성에 루터를 보호해 주겠다고 제안했다. 만일 지킹겐이 자신의 정치적 이득을 위해 루터와 그의 개혁운동을 이용하고 있었던 것이라면 그에 못지않게 루터 역시 자신의 신변 보호를 위해 지킹겐과 그의 강력한 사병들을 이용하고 있었다. 루터는 교황청을 단념시키고 황제가 은신처에 숨어 있는 자신을 찾아내어 보름스 칙령을 집행하는 것을 막기 위해서라면 받을 수 있는 도움은 무엇이든 다 받아들였다.

6월 1일 루터는 고해성사에 관해 쓴 논문을 멋지게 쓴 편지와 동봉하여 지킹겐에게 보냈다. 이 편지에서 루터는 바르트부르크에 있는 자신의 상황을 처음으로 밧모 섬에 빗대어 말했다. 이는 복음사가 요한이 계시록을 썼다고 전해지는 그리스의 외딴 섬을 가리킨다. 그리고 지금 루터는 지킹겐의 원조에 감사하는 의미로 자신이 쓴 '계시록'을 보내는 것

프란츠 폰 지킹겐
(히에로니무스 호퍼, 1520경).
기사 계급의 수장으로 로마에
반대하고 루터를 지지했다.
그것은 정치적 목적에서
루터와 그의 개혁운동을 이용하기
위한 속내가 있었다.

이었다.

"저는 떠밀려 전장에 나왔습니다." 이제 그의 적들은 자신들의 행위를 바꾸기 위한 시간이 얼마 없었다. 그리고 만일 그들이 여전히 바뀌지 않는다면, "누군가 다른 사람이 나서서 그들을 위해 그들의 길을 바꾸게 될 것입니다. …… 이제 로마의 도깨비들이 그다지 두렵지 않게 되어 하나님께 감사드립니다. 이제 세상은 마법에서 깨어날 수 있습니다."

자신의 '밧모 섬'에 기거한 지 석 달째 접어들 때, 루터는 비텐베르크에서 벌어지고 있는 일들을 계속 걱정하고 있었는데, 거기에는 충분히 그럴 만한 이유가 있었다. 멜란히톤이 특유의 온화한 방식으로 개혁운동을 완전히 장악할 능력이 있는지 회의가 들기 시작했다. 로마는 병력을 진격시켜 저항세력을 무자비하게 박살낼 준비를 하고 있는 것이 틀림없다. 그들이 휘두르는 힘은 루터 지지자들에게 집중적으로 향할 테고 그러면 지지자들은 루터 없이 그 맹습을 견뎌야 할 것이다. "지금 내가 곁에 있지 못한 상황에서 늑대들이 양 우리에 들어오리라는 걱정을 안 할 수가 없습니다." '늑대들'은 당연히 로마의 압제자들을 의미했지만, 양떼 안의 다른 비겁자들도 걱정거리였다.

다분히 멜란히톤의 약점을 넌지시 빗대어 "자네들 모두가 똑같이 담대하지는 못하므로", 루터는 격려가 필요할지 모르는 비텐베르크의 가엾은 사람들에게 작은 위안이나마 보내기를 바랐다. 실제로 멜란히톤에게 보내는 서신에 아군에게 보내는 특별 교서를 썼다. 호기롭게 써내려간 그 편지는 모든 문헌 중에서도 수세에 몰린 나약한 핵심 저항세력을 위한 가장 강력한 권고 가운데 하나로 꼽을 수 있다.

용사들에게 보내는 그 편지는 전형적으로 성경 구절로 시작한다. 루터는 시편 37편에 대한 해설을 첨부했는데 그 말씀이 지금 그들에게 꼭 필요할 거라고 썼다. 그 말씀은 "오만하게 중상모략을 일삼는 자들에 대한 끓어오르는 분노를 자애롭고도 부드럽게 가라앉혀 줄 것"이기 때문이었다. 말씀에 잘 나타나 있듯이 불의를 일삼는 자들이 한동안은 우쭐할 테지만 곧 기세가 꺾일 것이었다. "악한 자들이 잘 된다고 해서 속상해하지 말며, 불의한 자들이 잘 산다고 해서 시새워하지 말아라. 그들은 풀처럼 빨리 시들고, 푸성귀처럼 사그라지고 만다."(시편 37:1~2)

루터는 몇 달 전 보름스에 들어가는 자신의 상황을 그리스도의 예루살렘 입성에 비유했다. 그리고 바르트부르크에서는 자신이 밧모 섬에 있는 요한과 비슷하다고 생각했다. 그러더니 이제는 비텐베르크의 사람들에게 자신을 로마 감옥에 갇힌 사도 바울(사도행전 21~22장)의 화신으로 드러내고 있었다. 그래도 바울처럼 넘치는 성령만으로 개종자들에게 위안을 줄 수는 없었다. "영혼을 죽이는 데 혈안이 된 살인자들"이 자신의 양떼를 위협하고 있으니, 그들은 "미천한 나를 통해 하나님께서 드러내신 참되고 순수한 복음"을 갖고 있다는 사실을 기억해야만 했다.

적들은 드러내놓고 싸우려 들지 않았다. "저들은 올빼미처럼 숨어서 소리를 지르고, 그렇게 해서 우리에게 겁을 줄 수 있다고 생각합니다!" 루터는 1518년의 아우크스부르크와 1519년의 라이프치히 논쟁에서 설전을 주고받았던 교수 및 사제들과 보름스의 교황 특사를 자기들이 제일 똑똑하다고 착각하는 허풍쟁이라며 조롱했다. "나는 저들이 죽을 때까지 피를 흘리고 지칠 때까지 욕을 하게 둘 작정입니다." 그들은 악의적인 글로 허풍을 떤 것에 불과했고, 보통 사람들에게는 자기들이 추하다는 것을 감추거나 속이려고 했다. 하지만 그들이 글로 사람들을 속일 수 있는 능력은 "당나귀가 하프를 연주할 수 있는 능력"처럼 어설펐다.

한편 루터는 맹렬한 속도로 작업을 계속 진행했다. 아직 끝내지 못한 작품이 많았다. 지난해에는 열일곱 살의 한 제후로부터 애처롭고 진심어린 편지를 받은 적이 있었는데, 그 편지를 보낸 장본인은 바로 튀링겐의 영주로서 비텐베르크 대학 동료교수인 슈팔라틴의 학생이며 프리드리히 현공의 조카 작센의 요한 프리드리히였다. 편지에서 젊은 제후는 레오 10세의 파문 교서가 두렵다며 안심할 수 있게 해달라고 요청했다. 편지를 본 루터는 편지에 담긴 믿음과 젊은이 특유의 탐구심에 감동받았다. 그러나 동시에 곧 권력이라는 커다란 책임감을 떠안게 될 청년에 대한 동정심으로 가득 찼다. (요한 프리드리히는 루터를 지지했다는 이유로 황제 카를 5세가 감옥에 가두고 처형하겠다고 위협했음에도 평생에 걸쳐 개혁운동을 지지하게 된다.)

루터는 지난겨울 동안 젊은 요한 프리드리히에게 답신을 쓰기 시작했지만, 보름스 국회가 열리는 바람에 중단되었다. 이제 튀링겐 숲 속 높은

마르틴 루터(왼쪽)와 비텐베르크의 개혁자들(루카스 크라나흐 2세, 1543경).
루터 어깨 뒤쪽이 슈팔라틴이고, 그림 오른쪽 첫 번째가 멜란히톤이다. 가운데 풍채 좋은 이가 작센 선제후 요한 프리드리히 1세로 프리드리히 선제후의 조카이자 슈팔라틴의 제자였다.
그는 루터의 종교개혁에 헌신했다.

성채에서 지내게 되자 루터는 다시 그 일에 착수했다. 그 답신은 '마리아의 노래'로 알려진 마니피캇의 형식을 취했다. 마니피캇은 누가복음 1장 42절에서 55절까지 나오는 구절로서 성모 마리아가 당시 임신한 사촌 엘리사벳을 방문하는 내용을 다루고 있다. (엘리사벳이 잉태한 아기는 나중에 세례자 요한이 될 인물이다.) 마리아를 보자 엘리사벳은 기뻐서 외친다. "여인 중에 복되시며, 태중의 아들 예수 또한 복되시나이다." 그러자 마리아는 깊은 신앙심을 감동적으로 드러낸 마니피캇으로 화답한다. 이 노래는 그리스도교 교회에서 저녁기도로, 특히 루터의 만종기도로 자주 불려진다. "내 영혼이 주님을 찬양하며 ……."

루터는 요한 프리드리히에게 보내는 편지를 6월에야 끝냈다. '마니피캇'이라고 제목을 붙인 편지에서 루터가 그린 마리아의 모습은 '가난하고 가진 것 없는 가문의 비천하고 별 볼일 없는 부모'에게서 태어났지만 영혼은 성령의 인도를 받고 하나님을 찬양하는 기쁨으로 마음이 뛰는 자애로운 어머니요 평범한 여인이었다. 루터가 가장 높이 평가한 화가 알브레히트 뒤러가 그린 성모 마리아의 이미지에서 영감을 받은 것이라고 주장하는 사람들도 있다. 16세기 초 뒤러는 자신만의 독특한 양식으로 「마리아의 삶」(Marienleben)이라는 판화 연작을 제작했다. 루터가 쓴 '마니피캇'도 그에 못지않게 높이 평가되며, 곧 착수하게 될 위대한 성서 번역의 예고편으로 생각되고 있다.

이렇게 왕성한 창작욕을 불태운 시기에 루터는 또한 프리드리히 폰 지킹겐에게 바치는 서문을 실은 고해성사에 관한 논문을 끝내어 인쇄하도록 보냈다. 대체로 시편은 평생 매달리게 될 주제였으므로 하나님의 법을 지킬 것을 다루고 있는 시편 119편의 기도를 번역하리라 생각하고 있었다. 시편의 그 기도에 대해 루터는 이렇게 적었다. "믿는 이들에게 성서는 짐승들이 노니는 풀밭이요, 인간의 집, 새들의 둥지, 바닷새들이 쉴 바위 틈새, 물고기들이 헤엄치는 강물과 같다." 대림에 관해 썼던 자신의 예전 작품은 멜란히톤에게서 아직 못 받았지만 성탄 전야를 위한 강론은 완성했다. 루터는 쉬지 않고 계속해서 끼적거리고 있었다. 그렇게 쓰는 것으로는 성에 안 찬다는 듯 히브리어와 그리스어도 공부했다.

그러나 높은 양반들이 있는 먼 곳에서는 반대세력이 집결하고 있었다.

제5장

일개 수도사 대 높으신 왕

잉글랜드의 강력한 왕 헨리 8세는 루터의 개혁운동이 확산되는 것을 저지하는 데 열심이었다. 보름스 국회에서 들려온 소식에 커다란 충격을 받았기 때문이다. 그곳에 참석했던 대사로부터 루터에 대한 충격적인 심문이 진행되는 것을 정기적으로 보고받았다. 대사는 왕의 수석 고문이었던 토머스 울지 추기경에게 소책자들 가운데 하나를 전달하며, 마치 책 안에 담긴 사악한 사상이 빠져나와 영국 땅에 퍼지기라도 할 듯 "다 읽고 나면 태워버리라"고 썼다.

보름스 국회가 루터의 별난 행위에 대해 극적인 결정을 내리는 방향으로 치닫자 대사는 "잉글랜드 영토와 교회에 대단한 혼란이 이어지지 못하게" 잉글랜드의 모든 인쇄업자들과 서적상들을 불러 루터의 책들에 대해 반입을 금지하고 추가 번역도 허용하지 말 것을 울지에게 강력히 권고했다. 울지는 즉각 조치를 취하여 불온한 서적들은 모두 교구 주교단에 제출하라고 명령했다. 그런데 루터의 작품들은 지난 4년 동안 이미 잉글랜드 전역에 유포되어 있었으므로 이는 터무니없는 명령이었다. 울지의 유포 중지 명령으로 그 모든 것을 일소할 수는 없었다.

당시 울지 추기경은 잉글랜드에서 왕 다음으로 강력한 인물이었다. 왕실 구빈원 담당관, 가터 기사단 등재관, 요크 대주교, 대법관 등의 직책을 보유한 울지 추기경은 영국 교회를 개혁하겠다고 약속했지만 한 번도 실행하지 않았다. 대신 온갖 화려함과 사치를 일삼으며 '왕의 명성을 드높이고 헨리 8세를 유럽 정치의 결정자로 만든다'는 단 하나의 명제에만 전념했다. 셰익스피어가 보기에 울지 추기경은 교활하면서 탐욕스럽고 "악행을 일삼기 쉬운 성향과 그것을 실행에 옮길 능력"을 동시에 갖춘 여우였다. 백정의 아들이었고, 매우 뚱뚱했다. 셰익스피어는 거대한 몸집이 "고마운 햇빛을 모두 차지해버려 땅을 비추지 못하게 만드는 비곗덩어리"로 울지 추기경을 묘사했다. 추기경은 또한 두뇌회전이 빠르고 노련했다. 그리고 10년 동안 대놓고 함께 산 내연녀 조안 라크와의 사이에 두 자녀를 두었다.

루터가 바르트부르크 성에 도착한 지 겨우 엿새가 지난 1521년 5월 12일, 울지 추기경은 런던 중심부에 있던 세인트 폴 대성당에 요란스럽게 도착했다. 캔터베리 대주교를 비롯해 영국 가톨릭교회의 고위 지도자들에게 둘러싸여 제단에 무릎을 꿇고 기도를 올렸다. 그러고 나서 주교좌 위에 앉아 커다란 허리띠를 단정히 매만진 후 한손에 십자가를 든 채 로체스터의 주교 존 피셔가 루터와 그의 모든 저작들을 규탄하는 것을 들었다. 주교의 규탄이 이어지는 동안 루터의 악명 높은 책 『교회의 바빌론 유수』(*The Babylonian Captivity of the Church*)와 다른 저작들이 화형대 위에 올려졌다. 불이 붙자 군중이 외치기 시작했다. "교황 만세! 폐하 만세!"

잉글랜드 전역에서 개혁운동의 물결을 차단하려고 어설픈 반 루터 운동이 전개되었다. 그러한 노력의 일환으로 나온 소책자 중에는 『루터의 게거품을 닦아줄 작은 손수건』이라는 제목이 붙은 것도 있었다. 그러나 잉글랜드에는 겉으로 드러내든 속으로만 지지하든 루터를 추종하는 사람들이 있었다. 옥스퍼드 대학에서는 몇몇 인기 있는 강사들이 새로운 신학을 퍼뜨렸고 학생들은 이를 열렬히 받아들였다. 케임브리지 대학도 마찬가지로 전염되었다. 잉글랜드 교회의 고위 성직자들은 이러한 추세가 확산되는 것을 막아보려 했지만 소용이 없었다. 켄트 대주교는 이렇게 한탄했다. "양심이 마비된 한두 명의 교수진이 추잡한 짓으로 젊은 학생들을 꼬드겨서 대학 전체가 수치스럽게도 가공할 범죄를 저지르게 되었으니 안타깝도다!" 그래도 대주교는 차라리 쉬쉬하는 편이 낫다고 생각했다.

잉글랜드와 마찬가지로 프랑스 역시 그 골칫거리를 처리하는 방법을 두고 씨름했다. 1521년 4월 15일 소르본 대학 신학부 교수진은 루터에 대한 규탄서를 발표했다. 1년이 넘게 프랑스의 신학자들은 루터의 주장에 대해 의견이 나뉘었다. 대다수 보수적인 사람들은 교리 문제에서 완벽한 정통성을 자랑하는 소르본 대학의 명성을 지키는 데 열성적이어서 루터의 급진적 교리를 비난했다. 반면 루터의 박력 있는 표현을 높이 사며 면벌부 관행을 개탄하는 이들도 있었다. 보름스 칙령과 더불어 로마 교황청의 파문은 그 문제에 종지부를 찍었다.

결국 파리의 신학자들은 의견의 일치를 보기에 이르렀고, 이견의 여지가 없는 평가서 「루터에 관한 파리 교수진의 결정」이 발표되었다. 이것은 루터의 주장 113개를 조목조목 따지며 규탄했다. 특히 교수들은 루터의 주장 가운데 다음의 원칙들을 비난했다. 성사들은 최근에 제정된 것이다. 모든 그리스도인들이 사제이며 복음을 전도할 권능이 있다. 미사는 희생제의가 아니다. 황제든 주교든 신자들을 위한 의무나 규칙을 제정할 권리가 없다. 수도 서원은 폐지되어야 한다. 고해를 통한 참회는 위선을 조장한다. 영혼은 연옥에서는 죄를 짓지 않는다.

루터가 바르트부르크에 자리 잡고 있는 동안 프랑스에서는 그의 사상을 근절하려는 운동이 시작되었다. 교수진의 승인 증지 없이 루터의 책을 발간하거나 판매하는 일은 범법 행위가 되었다. 프랑스 왕은 일주일 이내에 루터의 모든 책들을 고등법원에 제출하라는 칙령을 발표했다. 프랑스인 특유의 농담조로 프랑수아 1세는 루터를 '슬픈 인간'이라고 선포했다.

바르트부르크에서 루터는 소르본의 저명인사들을 허풍으로 가득 찬 종교 사기꾼이라고 선포하며 냉소적인 반응을 보였다. 자기 의견에 반대되는 그들의 주장에 무게를 싣기는커녕 프랑스의 교수들을 검은 복장만큼 길게 턱수염을 늘어뜨린 광대로 조롱하는 대화체의 풍자 이야기를 썼다. 여기에는 세 사람이 등장하는데 에크(보름스에서 루터를 박해했던 인물)라는 이름의 잘난 체하는 박사, 이발사, 고해사제가 그 주인공이다.

고해사제가 먼저 대화를 시작한다. "안녕하십니까, 에크 선생님."

"안녕하세요, 신부님."

"무슨 이유로 보자고 하셨습니까?"

"고해성사를 하려고요."

"시작하시죠."

"저는 인문학에 정통하고, 신학에 정통하고, 박사이고, 보통 법관이고, 교회법 박사요, 민법 박사이며 ……."

"박사님, 직함 말고 죄를 말하시죠."

"제 죄라고요?" 박사가 되물었다.

"그렇습니다, 술을 좋아합니까?"

"늘 갈증이 나는 걸요."

"음란을 저질렀습니까?"

"육체의 약점을 의미하시는 거죠?"

"질투를 느꼈습니까?"

"성직자들이 가장 잘 저지르는 죄죠."

"역정을 냈습니까?"

"그 화를 누가 가라앉힐 수 있겠습니까?"

말도 안 되는 이 답변에 화가 난 고해사제가 소리를 질렀다. "그렇다면 도대체 왜 날 보자고 한 겁니까?"

그제야 박사는 루터의 작품들을 규탄하도록 재촉한 자기의 모든 죄를 고백한다. 사제가 죄를 용서해주겠다고 하지만 자유의지가 주어졌으므로 박사는 거부한다. 자신의 모든 죄를 스스로 용납할 수 없어서다. 그래서 고해사제는 그를 묶어 놓고 이발사에게 머리를 모두 밀어버리라고 지시한다.

그런데 사제가 갑자기 깜짝 놀라서 소리를 지른다. "세상에! 이게 다 뭡니까? 이[蝨] 아닌가요?"

"아닙니다. 삼단논법·명제·대전제·추론, 학자의 온갖 무기들입니다."

루터의 조롱문은 긴 단락의 자화자찬으로 끝맺는다.

"루터는 성인이 아닌데도 당신은 그를 신으로 생각하고 있군요. 그가 무슨 일을 했기에 그렇게 추앙을 받는 겁니까?" 한 아첨꾼이 묻는다.

한 시민이 나서서 대답한다. "그분이 무슨 일을 했냐고요? 그분은 우리가 면벌부를 사는 데 돈을 낭비하지 않고 잘 간수하도록 가르쳐주셨소. 그분은 평신도도 수도자와 사제 못지않은 힘이 있다고 알려주셨소. 그분이 무슨 일을 했냐고요? 그분은 우리가 읽어야 할 책은 오로지 성경

잉글랜드의 왕 헨리 8세(한스 홀바인, 1537~1547).
교황 레오 10세의 환심을 사기 위해 루터를 비판하는 데 적극 나섰다. 하지만 루터는 카를 5세나 프랑수아 1세와 비교해 자신을 위협할 힘이 없는 2류 왕으로 여겼다.

한 권밖에 없다고 가르쳐주셨소. 그분이 무슨 일을 했냐고요? 그분은 모든 나라들이 불한당이라는 사실을 가르쳐주셨소."

위대한 스승을 지원하기 위해 필리프 멜란히톤도 뒤이어 파리의 신학자들에게 훨씬 더 차분하게 반박했다. 1521년에 발표한 소책자 「파리 신학자들의 소란스러운 결정에 반박하여」에서 이렇게 썼다. "여러분은 이 사람들보다는 목수들 사이에서 그리스도를 찾기가 훨씬 수월할 것입니다."

바르트부르크에 체류할 당시 마르틴 루터가 나중에 사람들에게 흔히 알려진 통통한 모습과 달리 야위고 흥분하기 쉬운 성격이었던 것처럼, 이 무렵 헨리 8세도 이후의 뚱뚱하고 축 늘어진 모습과는 전혀 닮지 않았다. 루터보다 여덟 살이 어린 헨리 8세는 이미 12년 전에 왕위에 올랐으므로 1521년에는 고작 서른 살밖에 되지 않았다. 두 사람 모두 열정과 야망이 한창 타오를 때였다. 어떤 짓궂은 역사가가 썼듯이 헨리는 아직 인생 1막 중에 있었다. (후반부인 인생 2막은 "싫어하는 남자들과 정욕을 느낀 여자들을 가만히 놔두지 않는" 시기로 정의된다.) 당시 헨리는 키가 크고 어깨가 떡 벌어졌으며, 운동을 즐겼고, 학식이 높았고, 영리했으며, 언어와 논리와 음악에 조예가 깊었다. 아직은 왕비인 아라곤의 캐서린에게 충실했지만 5년 전 유일한 후사인 메리(나중에 신교도를 탄압하여 '블러디 메리'로 알려진다)를 낳고는 소식이 없었으므로 왕비에 대한 불만이 막 싹트고 있었다. 궁정의 시녀 앤 불린에게 반하기 4년 전이었으므로, 아직은 캐서린 왕비가 아들을 낳을 수 있다는 희망을 포기하지 않았다. 특히 아직은 가톨릭교회의 충실한 아들이기도 했다.

헨리 왕은 교육을 받기도 했고 또 기질상 신학에 관심이 깊었지만 신학의 정치적 유용성 또한 제대로 알고 있었다. 루터 사태를 기회로 삼아 상당한 지성을 발휘하여 신학적 청렴함을 과시할 뿐 아니라 교황 레오 10세의 환심을 사고 어쩌면 가장 중요하게도 유럽의 강력한 군주들과 어깨를 나란히 할 수도 있다고 생각했다. 잉글랜드 왕은 자기 지위가 2류급 군주밖에 안 된다고 생각하고 있었다. 신성로마제국 황제 카를 5세는 스페인에서 덴마크·네덜란드·오스트리아에 이르기까지 유럽 전역에 걸쳐 광대한 영토를 지배하고 있었다. 반대로 프랑수아 1세는 유럽 대륙에서 가장 풍요로운 땅을 통치하고 있었다. 유럽이라는 세계정치에서 작은 섬나라 잉글랜드의 왕은 흔히 열외로 생각되었다. 더구나 레오 10세는 카를 5세와 프랑수아 1세에게 '신앙의 수호자'라는 명예로운 칭호를 수여했다. 헨리 8세가 필사적으로 얻고 싶었던 것도 바로 그러한 명예였다. 자기라고 그들 못지않은 왕이나 진정한 신앙의 수호자가 되지 못할 게 무엇이란 말인가?

이 시점에 헨리 왕은 로마 교회에 대한 루터의 공격에 순수하고 본능적으로 모욕감을 느꼈을 것이 분명하다. 루터는 혁명적이었다. 그의 저작들은 신학의 미묘한 쟁점들에 대한 사유에서 종교적 혼란과 정치적 모반을 선동하는 쪽으로 변질되어버렸다. 대중은 종교적 권위와 세속적 권위의 기초까지 문제 삼기 시작했다. 루터의 웅변은 대담하고 무모하게도 독일과 유럽의 다른 나라들에서 민족적 열망을 자극하고 있었다. 루터는 2년 전 게오르크 슈팔라틴에게 보낸 편지에서 이렇게 적었다. "나는 교황이 적그리스도인지 아니면 적그리스도의 사자인지 알 수 없어 당혹스럽네." 그러한 비방에 헨리 왕은 깊은 모욕감을 느꼈다.

이 못된 작자는 교황의 권위를 손상시키고, 선행의 필요성을 깔보며, 유서 깊은 면벌부 관행을 파기하며, 7성사를 부인하고, 성인들을 모욕하려 획책하고 있었다. 그뿐만이 아니었다. 그 악당이 이러한 끔찍한 짓들을 저지르는 태도에 더 격분했다. 루터는 업신여기듯 건방지게, 그리고 정말 즐기면서 그러한 짓들을 저지르고 있었다. 루터의 조롱과 풍자는 가장 효과적이고도 상대를 불쾌하게 만드는 무기라는 것이 입증되고 있었다. 예를 들어, 적수들이 아리스토텔레스의 논리를 발동하면 그러한 논법을 아브라함이 하나님께 제물을 바치러 산으로 올라갈 때 뒤에 남겨두고 갔던 나귀에 비유했다. 그리고 루터는 그러한 저항 중에 직면하게 될 위험을 전혀 인지하지 못하는 것 같았다. 정말로 그는 기꺼이 순교를 받아들이려는 것 같았다. 자신의 결말이 어떻게 될지에 대한 교황의 경고에 루터는 이렇게 대답했다. "그래봐야 그가 뭘 할 수 있나? 내 수명에서 2, 3일 빼앗는 것? 내 목숨은 얼마 남지 않았다고. 주님께 감사드리는 찬가나 부르세."

헨리 왕이 반개혁운동의 주도권을 잡으려면 무엇을 공격해야 할까? 가장 승산이 있을 만한 표적은 루터가 전해에 써서 가장 많이 퍼진 대립적인 세 편의 논문이었다. 첫 번째 작품은 『독일의 그리스도인 귀족들에게 고함』이었다. 논문에 담긴 지나친 비웃음(상당히 많았다)만 제외하고 본다면 그것은 교회 개혁을 바라는 논리적인 요청이라고 할 수 있었다. 어쨌든 그 책은 교황과 "로마의 소돔"을 헐뜯고 있는 것이 분명했다. 사제직의 과도한 특권을 개탄하며 교계부터 없애야 한다고 했다. 그리고 "세례로 우리는 모두 사제가 된다"고 주장하며 만인사제직이라는 혁명적인 개념을 제시했다. 그리고 그로 인해 로마의 교황 세력이 영적으로나 세속적 권력을 누리며 안온하게 숨어 점점 비대해지게 가려주고 있던 '장벽'이 허물어지리라고 주장했다. 그럼에도 불구하고 소책자에 드러난 어조로 보면 루터는 교계를 완전히 박차고 나갔다기보다는 사제직의 남용을 통렬하게 효과적으로 비판하는 입장을 견지하고 있었다.

세 작품 가운데 가장 시적으로 표현된 두 번째 작품 『그리스도인의 자유에 관하여』에서는 교황을 극구 경멸하며 다음과 같이 직설적 표현으로 교황을 인신 공격했다.

"레오 당신은 사자굴 속에 든 다니엘이나 전갈에 둘러싸인 에스겔처럼 늑대들에게 둘러싸인 양 같소. …… 나는 교황청을 진실로 경멸하는 바요. 당신네 교황청이 감히 바빌론 사람이나 소돔 사람들은 비교도 안 될 정도로 타락하여 완전히 썩었으며 절망적이고 사악하기 그지없다는 것을 당신이나 그 누구도 부인할 수 없을 거요."

세 번째 소책자인 『교회의 바빌론 유수』가 가장 위험했다. 이 작품으로 가톨릭 신앙의 핵심인 7성사를 공격함으로써 로마 교황청과는 돌이킬 수 없을 정도로 완전히 갈라섰기 때문이다. 헨리 왕은 『교회의 바빌론 유수』를 반박하는 데 집중하기로 결정했다.

이 작품에서 루터는 로마를 성경 속 하나님의 도성 예루살렘과는 정반대인 악마들의 도시 바빌론에 비유했다. 예루살렘의 유대인들이 바빌론 제국의 압제에 시달리며 포로로 팔려갔듯이 그리스도인들 역시 로마의 압제에 시달리고 있다고 했다. 로마 교황청이 신자들을 사실상 예속 관계로 유지시키기 위해 7성사를 남용했다는 것이다. 루터는 7성사 가운데 혼인성사·견진성사·고해성사·신품성사·종부성사 5성사와 당연히 대사(大赦, 면벌)는 실제로 성사가 전혀 아니라고 했다. 책의 절반 이상을 할애하여 오로지 성체성사와 세례성사만이 진정한 성사라고 역설했다.

교회가 신자들을 예속 상태로 유지하는 첫 번째 방법은 일반 대중에게 영성체 중에 포도주를 주지 않아도 되는 재량권을 사제에게 부여한 것이다. "사제들은 종이지 주인이 아니다"라고 루터는 주장했다.

두 번째 예속화 방법은 가톨릭 전례에서 성체성사 시에 빵과 포도주가 그리스도의 몸과 피로 실제로 바뀐다고 주장하는 성변화(聖變化)* 교리였다. 이를 두고 루터는 '기괴한 말과 생각'이라고 했다. 루터가 생각하기에 고린도전서 11장 24절에서 25절까지의 구절 "이는 너희를 위한 내 몸이다. 너희는 나를 기억하여 이를 행하여라. …… 이 잔은 내 피로 맺는 새 계약이다. 너희는 이 잔을 마실 때마다 나를 기억하여 이를 행하여라"는 선택의 문제로 보아야 했다. 이에 대해 루터는 이렇게 주장했다. "제단 위에 있는 것이 빵과 포도주에 불과하다고 생각한다 해서 자신이 이단으로 낙인찍히지 않을까 염려해서는 안 된다. 자신의 구원에 전혀 영향을 받지 않은 채 이런저런 견해를 생각하고 숙고하고 믿는 데 아무런 거리낌이 없어야 한다."

그리고 루터가 보기에는 세 번째 예속화 방법이 가장 사악했다. 이 방법을 악용하여 미사를 사제로부터 사들일 수 있는 제사로 취급함으로써 미사 의식을 돈벌이가 되는 사업으로 전락시켰다. 미사 비용은 "교회 안에서 매매·교환·거래되었다. 이것은 사제와 수도자들의 생활 수입원이었다." 루터가 생각하기에 미사를 제사로 보게 되면 하나님의 은총이라는 선물보다는 나쁜 행위에 진노하시리라는 점만을 강조하게 되고 사제가 구원의 중재자가 되어 교구민의 선행과 악행을 총결산하여 구원이나 저주의 판결권을 갖게 만드는 꼴이 되고 만다. 그 견해와는 반대로 구원은 오로지 하나님이 주관하는 영역에 속할 뿐이며 하나님이 구원을 베푸는 것은 오로지 신앙을 기반으로 결정된다고 생각했다. 즉, 미사를 제사로 보게 되면 신자들이 자유롭고 자발적으로 참된 마음에서 속죄하기보다는 하나님의 심판을 두려워하게 될 뿐이었다.

가톨릭 미사, 특히 성변화에 대한 루터의 공격은 전례의 사업적 측면을 혐오한 것보다도 더욱 통렬해졌다. 성체성사에 드러나 있듯이 골고

---

* 화체설(化體說)이라고도 한다. 1551년 트리엔트 공의회에서 가톨릭교회의 교리로 확정되었다.

다에서 돌아가신 그리스도의 희생과 최후의 만찬 의식을 연결 짓기 시작한 것은 2세기로 거슬러 올라간다. 그러나 보름스 국회가 열리고 교회로부터 파문을 당하고 카를 5세에게 유죄판결 받은 후 루터는 아직 사제로서의 지위를 박탈당하지 않고 그대로 유지할 수 있었다. 보름스 국회가 열리기 전에는 매일 미사를 드렸다. 그런데 바르트부르크에 갇혀 있는 지금은 사제의 모든 임무 중에서도 가장 거룩하고 귀중한 이 미사 집전을 할 수가 없었다. 그래서 아마도 틀림없이 개인적인 이유에서 루터는 성체성사의 중요성을 공격하기 시작해 성사가 가진 힘을 폄하하고 신비적 요소를 제거한 것이 아닌가 싶다. 빵과 포도주가 그리스도의 몸과 피로 신비롭게 변모하는 이 성체성사를 주재할 수 없는 상황에서 성사 안에 이렇게 그리스도가 실존한다는 사실을 완전히 의심하게 된 것이다.

『교회의 바빌론 유수』에 대한 헨리 왕의 공격은 즉각적이었다. 보름스 국회가 끝나고 몇 주 만에 헨리 8세가 쓴 것으로 추정되는 『7성사 옹호』라는 책이 발간되었다. 이 시기에 헨리 왕이 여기저기에 열광적으로 기고하고 있었으므로 아마도 그가 책의 대부분을 쓴 것이 맞을 듯하다. 하지만 울지 추기경과 토머스 무어 경뿐 아니라 로체스터 주교인 존 피셔와 궁정사제인 에드워드 리에게서 많은 도움을 받았음이 틀림없다. 어느 역사학자의 설명에 따르면 헨리 왕은 자기가 쓴 산문의 멋진 구절을 고문들에게 읽어주는 것을 즐겼다고 한다. 한 번은 무어 경이 과도한 어투에 반대하며 다음과 같이 경고했다고 한다. "전하, 표현에 좀더 조심하셔야 할 것 같습니다. 언젠가는 교황이 잉글랜드에 등을 돌릴지도 모르는데, 이 구절은 교황의 권위를 너무 높이셨습니다."

"아니, 아니오. 그 표현은 전혀 과하지 않소. 교황에 대한 신실한 마음으로 나를 따를 자는 없소. 말로는 내 마음을 제대로 충분히 표현할 수 없단 말이오."

"그러나 전하, 교황존신죄*에 관한 법령(statute of *Praemunire*)의 조항들을 기억하지 못하십니까?" 무어는 리처드 2세 시대에 잉글랜드 정사에 교황이 간섭하지 못하도록 억제시켰던 법령을 언급하며 반박했다.

헨리 왕은 이를 가볍게 웃어넘겼다. "내 왕위를 교황으로부터 받은 것도 아닌데 그게 뭐가 중요하겠소?"

몇 달 후에야 헨리 왕의 『7성사 옹호』가 나왔음을 알게 되었을 때 루터는 그 더러운 작품이 대부분 에드워드 리의 손길로 빚어졌다고 결론지었다. "그 작품을 헨리 왕이 쓴 것이 아니라고 믿는 사람들이 있다. 내 견해로는 아마도 헨리 왕이 준 천 한두 필로 에드워드 리가 안감을 대고 바느질하여 망토 한 벌을 지어낸 거라고 생각한다. 잉글랜드 왕이 나를 상대로 반박글을 쓰다니 이 얼마나 멋진 일인가? 잉글랜드 왕이 내 면전에 거짓으로 가득한 모욕을 뱉었으니 내게도 자기변호 차원에서 그것들을 다시 그에게 되돌려줄 권리가 있다."

이제는 장군 멍군 식으로 험담을 주고받으며 헨리 왕은 즐겁게 설전에 뛰어들었다. 루터는 "독사, 치명적인 역병, 지옥의 늑대, 전염성 강한 영혼, 교만, 험담, 분열로 똘똘 뭉친 가증스러운 자화자찬자, 형편없는 정신과 더러운 혀, 독으로 가득 차서 가까이 하기에 끔찍한 자다. 포획된 이 무시무시한 괴물은 자기 독에 취하게 될 것이다." 울지 추기경과 무어에게 이 구절을 신나게 읽어주는 왕의 모습이 상상이 된다. 루터가 바르트부르크에 막 자리를 잡은 무렵인 5월 20일 헨리 왕은 루터를 "잡초, 황폐하고 병들었으며 사악한 마음으로 가득 찬 양"이라고 부르며 이 문제를 매듭짓기 위해 카를 5세에게 편지를 썼다.

---

* 교황존신죄(敎皇尊信罪): 교황이 국왕보다 높은 지위라고 판단하고 실행한 죄.

이렇게 끔찍한 사상을 신봉하는 일개 수도사의 뻔뻔스러움에 왕은 치를 떨었다. 특히 성 토마스 아퀴나스와 토마스 신학주의자들에 대한 루터의 공격에 개인적으로 비분했다. 아름답게 장정된 아퀴나스의 작품들은 왕의 서가에서도 눈에 제일 잘 띄는 곳에 진열해놓았으므로 헨리 왕은 아퀴나스의 작품들을 자주 읽고 또 읽었다. 루터는 진리를 열렬히 추구한다는 미명 아래 "악마적 악의"를 숨겼다. 바티칸을 향해 곁눈질을 하며, 헨리 왕은 이렇게 언급했다. "성인·성직자·교황의 이 장엄한 법정에 도전하는 일개 무명의 수도사가 도대체 누구란 말입니까? 루터란 작자는 어떻게 모든 민족과 도시와 국가와 지방들이 충성할 의무도 없는 이상한 사제에게 굽힐 정도로 권리와 자유를 남용해도 좋다고 사람들이 생각할 것으로 기대할 수 있단 말입니까?"

그러나 왕은 그러한 작자가 자기주장을 철회하지 않을 것으로 체념했다. "지옥의 가장 굶주린 늑대가 그 작자에게 덤벼들어 꿀꺽 삼켜서 뱃속 가장 깊은 곳에서 반은 죽고 반은 살아 있는 상태로 만들어놓았으니 안타깝기 그지없습니다. 그리고 경건한 목자가 그를 잃은 것을 슬퍼하며 부르고 있는 동안에도 그는 지옥의 늑대의 더러운 입안에서 그를 끔찍이도 싫어하고 증오하고 혐오하는 온 양떼들의 귀에 이 더러운 욕설을 쏟아내고 있습니다."

왕은 적수에 맞서 조롱과 욕설 외에 동정을 무기로 쓰려고 했다. 마치 루터가 자신의 왕실 법정에 죄인으로 서 있기라도 한 어투로 적었다. "오, 불행한 자여! 그대가 얼마나 큰 불순종을 저지르고 있는지 모르는가? 신명기에서 상관인 사제에게 불복종하는 모든 사람에게 죽음의 판결을 내리고 있을진대 그대는 사제 중에 사제인 교황에게 불복종한 대가로 상상할 수 있는 온갖 천벌을 받기에 충분하다는 것을 모르는가?"

『7성사 옹호』에서 헨리 왕은 요리조리 빠져나가는 사악한 프로테우스*로 낙인찍으며 마지막 독설을 날렸다. "그 의견에 아무도 동의하지 않고, 스스로도 납득하지 못하며, 처음에 주장했던 것을 부인하며, 바로 얼마 전에 부인했던 것을 주장하는 루터와 벌이는 논쟁에서 뭐 좋은 결과를 기대할 수 있겠습니까. 만일 당신이 그에게 맞서기 위해 신앙의 갑옷으로 중무장하면 그는 이성으로 도망칠 것입니다. 반대로 이성에 호소하면 신앙으로 달아납니다. 철학자들을 인용하면 성서에 호소합니다. 그 자를 따라 성서로 반박하려고 하면 학계에서나 쓰는 미궁과도 같은 궤변론으로 사라져 놓치게 되지요. 자신을 모든 사람보다도 우위에 두는 한 무례한 작자가 박사들을 멸시하며 교만이 극에 달해 우리 교회의 생명의 빛을 비웃고 교황 성하의 전통·교리·구전전승·정경·신앙, 심지어 교회 자체를 욕보이고 있습니다."

저자인 헨리 8세의 자부심을 반영하여 『7성사 옹호』는 라틴어 볼드체로 인쇄되었다. 표지에는 꽃으로 에워싸인 손들이 그려져 있다. 또한 휘장이 늘어진 가운데 교황이 『7성사 옹호』 책을 손에 든 채 옥좌에 앉아 있고 그 앞에 무릎을 꿇은 헨리 왕이 그려진 그림도 실려 있다. 책은 황금 천으로 잘 싸서 영국 대사가 로마로 가져갔다. 본문 첫 페이지와 마지막 페이지에는 헨리 왕이 자필로 헌사를 적어 넣었다. "잉글랜드의 헨리 왕이 신의와 우정의 표시로 이 작품을 레오 10세에게 보냅니다."

사본에는 그리니치의 왕궁에서 보내는 1521년 5월 21일자 소인이 찍힌 장문의 편지가 첨부되었다. 왕은 레오 교황에게 설명하기를 자신이 "마르틴 루터의 이단론의 해악"을 알고 그 "치명적인 독성"을 이해했을 때 어찌나 비분강개했는지 어떻게 하면 주님의 양떼로부터 이 비열한

* 그리스 신화에서 네레우스, 포르퀴스 등과 함께 초기 형태의 '바다의 신'이었다. 바다의 다른 신들처럼 프로테우스도 모습을 자유자재로 바꿀 수 있는 변신술이 있었다.

생각들을 뿌리 뽑을지 고심했다고 했다. 그래서 잉글랜드 각지에서 온 식자와 학자들을 시켜 루터의 잘못된 점들을 조사하게 했고 자신이 손수 쓴 것이라고 했다. 왕이 자신의 "미천한 능력"을 발휘해 직접 쓰기로 결심한 동기는 이 "사악한 책들"이 잘못되었음을 제대로 보여주기 위해서였다고 했다. 그리고 그 작품을 "깊은 존경심을 나타내는 증표로서" 교황 성하께 헌정했다.

헨리 왕이 이 용감한 노력으로 무엇을 얻고 싶어하는지 교황이 알아챌 수 있도록 대사는 잉글랜드의 모토인 "한 분이신 하나님, 한 번의 세례, 하나의 신앙!"을 강조했고, 잉글랜드만큼 루터와 그의 이단론을 증오하는 나라는 없다고 말했다. 그리고 "잉글랜드의 왕은 자신의 손만이 아니라 머리에 든 모든 지략을 총동원해 교회를 수호할 준비가 되어 있음을 모든 사람들이 알게 되기"를 바라는 마음에서 그 책을 보내는 것이라고 강조했다. 왕이 원하는 대로 오랫동안 탐내온 '신앙의 수호자'라는 타이틀을 마침내 거머쥘 수 있게 호화로운 책 헌정식을 하자는 제안이 나왔다.

대사는 계속 청했다. "신실한 왕께서 루터의 잘못을 반박하여 쓴 공개서한으로 루터가 (그리스도 신앙의 불꽃이 거의 남아 있을 리 없겠지만) 스스로 자신의 이단론을 철회하여 길을 잃고 헤매는 버림받은 양들을 다시 부르게 되기를 바랍니다. 그러나 파라오의 마음이 굳어 있는데 무엇이 가능하겠습니까? 상처가 어디에서 곪아터져 아프겠습니까? 가장 거룩하신 저희 왕께서는 이 백해무익하고 헛된 유령에게 사실 어떤 좋은 것도 기대하고 있지는 않습니다. 오히려 이 사납게 날뛰는 미친개는 말로 타일러서는 안 된다고 생각하고 있답니다."

1521년 여름 내내 교황은 헨리의 『7성사 옹호』의 공식 헌정식을 차일피일 미루고 있었다. 보름스 국회 직후에 독일 프로테스탄트들의 격앙

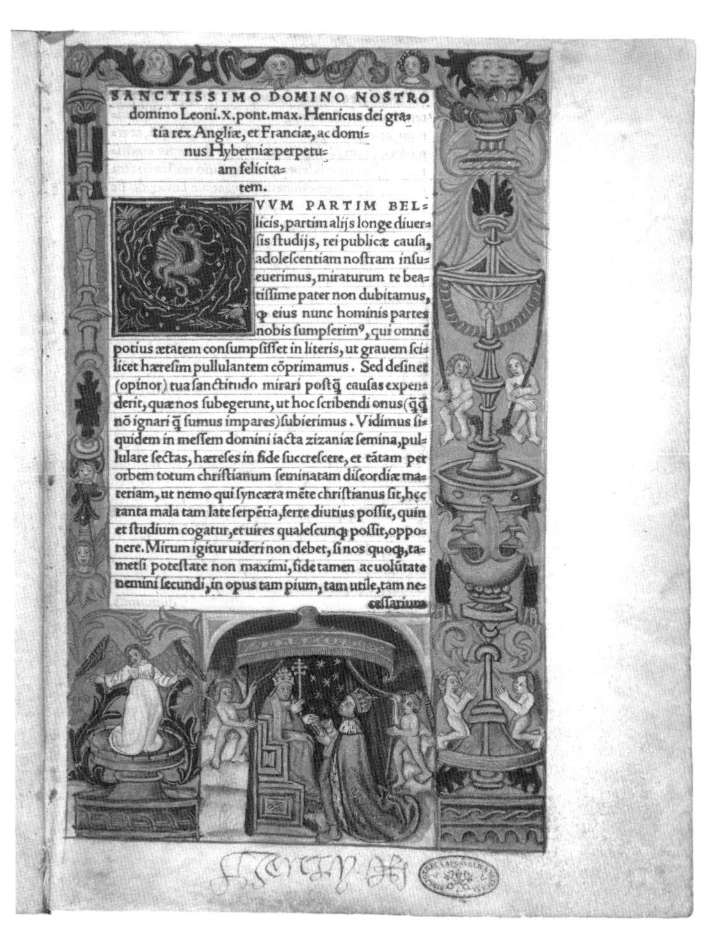

SANCTISSIMO DOMINO NOSTRO
domino Leoni.x.pont.max. Henricus dei gra=
tia rex Angliæ, et Franciæ, ac domi=
nus Hyberniæ perpetu=
am felicita=
tem.

QVVM PARTIM BEL=
licis, partim alijs longe diuer=
sis studijs, rei publicæ causa,
adolescentiam nostram insu=
euerimus, miraturum te bea=
tissime pater non dubitamus,
ꝙ eius nunc hominis partes
nobis sumpserimꝰ, qui omnē
potius ætatem consumpsisset in literis, ut grauem sci=
licet hæresim pullulantem cōprimamus. Sed desinet
(opinor) tua sanctitudo mirari postq̄ causas expen=
derit, quæ nos subegerunt, ut hoc scribendi onus(q̄q̄
nō ignari q̄ sumus impares) subierimus. Vidimus si=
quidem in messem domini iacta zizaniæ semina, pul=
lulare sectas, hæreses in fide succrescere, et tātam per
orbem totum christianum seminatam discordiæ ma=
teriam, ut nemo qui syncæra mēte christianus sit, hęc
tanta mala tam late serpētia, ferre diutius possit, quin
et studium cogatur, et uires qualescunq; possit, oppo=
nere. Mirum igitur uideri non debet, si nos quoq;, ta=
metsi potestate non maximi, fide tamen ac uolūtate
nemini secundi, in opus tam pium, tam utile, tam ne=
cessarium

헨리 8세의 『7성사 옹호』.
헨리 8세는 루터의 『교회의 바빌론 유수』를 반박하기 위해 쓴 이 책을 레오 10세에게 헌정했다. 그는 교황에게 '신앙의 수호자'라는 명예를 얻고 싶어했다.

된 감정을 자극하고 싶지 않아서였다. 그러나 10월에는 교황의 마음이 누그러졌으므로 원하던 헌정식이 진행되었다. 제막식에서는 지나칠 정도로 헨리 왕을 치켜세웠다. 교황은 그의 뛰어난 문체를 극찬한 반면, 바티칸의 한 고위 성직자는 그를 솔로몬 왕에 비유했다. "성교회와 교황을 수호하기 위해 그토록 훌륭한 왕을 세워주신" 창조주께 감사를 드리며, 교황은 "이 끔찍한 괴물에 맞서 이러한 책을 쓴 지식과 의지와 능력"을 갖춘 왕을 칭찬했다. 그리고 마무리로 누구든 헨리의 이 책을 읽는 사람에게는 면벌을 약속했다. (레오 교황으로서는 다행스럽게도 그로부터 5년 후 헨리 8세가 아라곤의 캐서린 왕비와의 혼인을 취소해달라고 바티칸으로 달려가게 되었을 때 이미 이 세상 사람이 아니었다.)

다시 독일로 돌아가 상황을 살펴보면, 헨리 왕의 『7성사 옹호』를 읽은 사람들이 생겨났다. 프리드리히 선제후의 사촌으로서 루터의 최대의 적이었던 작센의 게오르크 공작은 헨리의 이 떠들썩한 저작을 번역해 독일에서 출간했다. 마침내 루터는 전문을 다 읽을 수 있었고 8월 4일에 답변을 보냈다.

답변을 쓰는 동안 루터의 마음 깊은 곳에는 시편 119편 46절이 떠올랐을 텐데, 이 구절은 루터의 동상에 자주 등장한다. "왕들 앞에서 거침없이 주의 교훈을 말하고, 부끄러워하지 않겠습니다."

만일 헨리 왕이 자신을 욕설의 대가라고 생각했다면 제대로 호적수를 만난 셈이었다. 일개 수도사가 왕에게 겁먹을 것이라고 생각했다면 오산이었다. 루터에게 헨리 8세는 자신을 위협할 힘이 전혀 없는 2류 왕이었기 때문이다. 루터가 유럽의 일류 군주였던 카를 5세나 프랑수아 1세에게조차 "뻔뻔한 거짓말쟁이"라는 별칭을 붙이며 감히 모독할 수 있었을지는 미지수다. 이 두 군주들은 루터에게 훨씬 더 위험한 존재였기 때문이다. 그러나 영국 왕을 대하는 데 있어서는 아무 거리낌이 없었다.

루터는 헨리 왕에 대해 이렇게 썼다. "멍청하군! 자기 적수가 스스로 체면을 구길 작품을 썼다고 생각하다니." 융커 외르크라는 가명을 쓰고 있던 루터는 헨리 8세를 자기와 동격으로 만들기 위해 '융커 하인츠'라고 부르기에 이른다.*

헨리 8세의 저서에서 드러난 많은 공격 가운데 하나는 루터가 일관성이 없다는 비난이었는데, 이 부분이 특히 루터의 심기를 불편하게 한 것 같다. 사람이란 모름지기 입장이 자주 바뀌는 법인데, 시간이 흘러도 어찌 의견이 그대로일 수 있단 말인가? 루터는 그 점에 놀랐다. "이 점에서 그 형편없는 졸필가는 정말로 왕실에서나 하는 짓거리로 얼마나 많은 종이를 더럽힐 수 있는지 독설로 보여주었다. 이제부터는 잉글랜드의 왕들이 나타나서 '보라, 저들은 전에는 훌륭하고 옳은 일이라고 주장하던 것을 이제는 죄와 잘못이라고 고백하고 있네'라고 말할 테니 어떤 그리스도인도 더 이상 발전하거나 속죄할 수 없게 되었다. 나는 그토록 똑똑한 왕이 성인이 되어도 어떻게 어린아이의 생각을 고수할 수 있는지 의심스럽다. 자신이 한때 젖을 빨던 시절이 있었음을 생각한다면 요즘에 어찌 포도주를 마실 수 있단 말인가?"

헨리 왕과 주고받은 설전으로 배짱이 두둑해진 루터는 높은 사람들과 힘 있는 사람들을 더욱 대담하게 경멸했다. 2년 후에 펴낸 『일시적인 권위: 어느 정도까지 복종할 수 있는가』에서는 이렇게 썼다. "세상이 시작된 이래로 현명한 왕은 찾아보기 매우 힘든데, 하물며 고결한 왕은 더욱 드물다. 그들은 대체로 세상에서 가장 어리석은 자거나 가장 저질스

* 융커는 프로이센의 지배계급을 형성한 보수적인 토지 귀족이다. 동부독일 지방은 중세 말의 식민운동에 의해 개발되었고 농민의 부역 노동에 의한 상품 생산을 위하여 대농장이 경영되었다. 이와 같은 대농장을 소유·경영한 토지 귀족을 융커라 불렀다. 왕을 귀족으로 격하시킨 표현이다.

러운 악당이다. 그들에게 기대할 수 있는 것은 선이 아니라 최악이다. 그들은 하나님의 사형집행인일 뿐이다." 루터는 으스대는 개구리 이야기를 자주 인용하곤 했는데, 황소처럼 크고 무섭게 되기를 원했던 개구리는 몸을 점점 부풀리다가 결국에는 빵 터지고 만다. 그 소리를 들은 황소는 머리를 잠시 들어 올렸다가 다시 물을 마시기 시작한다. 다른 개구리들은 개굴거리며 뛰어가버린다. "머리가 커봐야 아무 짝에도 쓸모없군."

그것이 바로 루터가 중시한 교훈이었다.

잉글랜드에서는 그 언쟁이 쉽사리 잊히지 않았다. 탁월한 저자이자 추밀고문관으로서 몇 년 후에는 헨리 왕의 분노에 희생될 토머스 모어 경이 루터의 반박에 재빨리 응수하는 임무를 맡았다. 1523년에 발표된 장장 300쪽에 달하는 저서 『반 루터론』(*Responsio ad Lutherum*)에서 그는 루터를 "돼지·얼간이·거짓말쟁이", "원숭이", "주정뱅이", "더러운 어릿광대", "비열한 소인배 수도승"이라고 불렀다. 명민한 토머스 경은 루터의 저작들이 매음굴·이발소·주점·뒷간 등 여기저기서 주워들은 것을 짜깁기했다고 주장했다. 마부가 "상스럽게", 하인이 "무례하게", 매춘부가 "제멋대로", 뚜쟁이가 "음란하게", 목욕탕 주인이 "더럽게", 뒷간 주인이 "음탕하게" 지껄일 때마다 무엇이든 노트에 받아 적었다고 했다. 그것으로도 성이 차지 않았는지 모어는 문필가와 법률가로서의 냉정함을 완전히 잃고 다음과 같이 썼다. "고귀하신 사제가 이렇게 부끄러운 거짓을 일삼기로 결심한 이상 다른 누군가가 잉글랜드의 전하를 대신하여 온갖 똥물로 가득한 그대의 입에서 쏟아진 배설물과 똥을 그 입에 도로 넣어주어도 되겠지."

이 무렵부터 정세는 영국 왕실의 불화로 오랫동안 시끄러워져 아무도 모어의 이 장황한 작품에 주의를 기울이지 않았다. 로마에서는 레오 10세가 갑작스럽게 사망하고 새로운 교황이 선출되었으며, 독일에서는 루터의 종교개혁에 고무되어 농민들과 지주들 사이에 계급투쟁이 요동치고 있었다. 그리고 14년 후에는 헨리 8세가 아라곤의 캐서린 왕비와 결혼을 무효화하고 앤 불린과 결혼하는 데 찬성하지 않아 모어 자신이 왕의 진노를 사게 된다. 특히 모어는 캐서린 왕비의 자녀들의 왕위계승권을 빼앗아 앤의 자녀들에게 양도하는 왕위계승 법령에 교황권을 부정하는 조항이 있어 찬성하지 않았다. 결국 모어는 이 일로 목숨을 잃어 '종교개혁의 순교자'로 알려지게 된다.

그리고 아마도 모든 것들 중에서도 가장 흥미로운 점은 이 무렵 헨리 8세가 이제까지의 태도를 180도 바꾸어 이혼이나 중혼을 하려는 자신의 노력을 지지해달라고 루터에게 손을 내밀었다는 사실이다.

제6장

불온한 사상, 파괴의 불길

저술 작업에 몰두하기 전인 바르트부르크 체류 초기, 루터는 무아지경의 신비로운 상태에 빠져들었던 것 같다. 평화로운 주변 풍경, 나이팅게일의 울음소리, 만족스러운 고독, 공포와 심문관들의 괴롭힘으로부터의 해방 등 이 모든 상황 덕분에 루터는 삶의 어느 시기보다 왕성하게 신학 및 문학 작품을 써낼 수 있었다.

그렇게 홀로 지내다보니 당연히 육신의 측면에서 보았을 때 인간의 정상적인 삶은 무엇이고 비정상적인 삶은 무엇인지, 건전한 삶은 무엇이고 건전하지 못한 삶은 무엇인지를 생각해보게 되었다. 자연스럽게 사제의 독신 문제를 다시 숙고하게 되었고, 자신의 성적 욕망과 인간의 육체적 욕망에 대해서도 생각이 미쳤을 것이다.

5월 19일, 루터는 법관이자 교회법 박사인 슈트라스부르크의 인문주의자 니콜라스 게르벨에게 보내는 편지에서 육체적 사랑이라는 주제를 언급했다. 게르벨은 곧 이어질 투쟁에서 루터의 중요한 옹호자가 되고, 학자로서의 루터의 삶에 관심이 깊었다. 두 사람이 어떻게 우정을 쌓게 되었는지 또는 루터가 게르벨 부부를 언제 처음 만났는지는 분명치 않다. 그러나 이 편지로 추정컨대, 루터가 게르벨의 결혼생활을 낭만의 모범으로 생각한 것은 분명하다. "당신 아내와 서로 입 맞추기를. 아내를 사랑하고 또 아내에게 사랑받기를. 독신으로 지내다보면 불 같은 욕정과 더러운 생각에 사로잡히기 마련인데, 당신은 훌륭한 결혼생활로 독신을 극복했으니 행운아요. 남녀를 막론하고 독신이라는 불행한 상태가 매 순간 너무 끔찍하게 느껴져 수사나 수녀나 사제라는 이름만큼 듣기 싫은 것도 없소. 설령 다른 모든 것이 부족하다고 해도 결혼생활은 천국이라고 할 수 있소."

필연적으로 루터는 남편과 아내 사이에 일어나는 즐거움을 확인해줄 근거를 성서에서 찾았다. 창세기 26장 8절에서 이삭이 아내를 애무하듯이 "우리는 아내와 함께 웃고 즐기며, 옷을 입었거나 벗었거나 상관없이 안아주어도 됩니다." (나중에는 부부간의 섹스가 중요하고 유익하다고 언급한다.) 그리고 여성과의 교제는 남성에게 우울감을 극복하는 훌륭한 해독제였다. "여러분은 침울해지거나 낙담하거나 마음이 심란해지면 먹고 마시고 다른 사람들과 대화해야 합니다. 혼자서도 여성에 대한 생각으로 효과가 있다면 그렇게 하십시오."

루터는 소책자 『교회의 바빌론 유수』에서 이미 결혼 문제를 다룬 적이 있었다. 결혼이 신성한 제도(하나님께서 맺어주신 것을 사람이 갈라놓아서는 안 된다. 마태복음 19:6)라고 선포한 반면 그 제도가 성사라는 것은 부정했다. 성사는 신비며, 신비로운 의식이며, 인간이 아닌 하나님으로부터 오는 영적 은총이 가시적으로 드러난 표지라는 점이 루터의 주장이다. 결혼을 너무 치켜세우는 인간의 법 때문에 결혼이 실제로는 '웃음거리'로 변질되고 말았다고 썼다. 이 "수치스러운 법" 때문에 사제들은 탐욕과 사악함으로 "성을 파는" 장사꾼으로 전락하고 말았다. "인간이 만든 법들이 남녀의 성을 공공연하게 팔면서 …… 돈을 갈취하기 위한 올가미이자 영혼을 잡아들이는 그물로 변질된 것 같습니다." 만일 사랑에 빠진 두 사람이 신성한 법을 알고 있고 타고난 지혜가 있다면 "성문법은 전혀 쓸모가 없으며 해롭다"는 사실을 알 것이다. "어떻든 간에 사랑은 아무런 법도 필요하지 않다."

성경 어디에도 사제들의 독신을 지시하거나 결혼을 금한 부분은 없다고 루터는 주장했다. 사실은 그 반대라고 했다. 사도 요한을 제외하고는 야고보(예수의 제자 가운데 최초로 순교한 사도)를 비롯한 다른 제자들도 모두 결혼했으며 성경 속에 묘사된 사도 바울은 결혼 후 사별한 홀아비였음을 지적했다. 루터는 바울이 디모데와 디도에게 보낸 서간들을 인용했다. "그러므로 감독은, 책망받을 일이 없으며, 한 아내의 남편이며……."(디모데전서 3:2) 사제들의 결혼이 금지된 것은 385년 시리치오 교황이, "순전히 제멋대로" 시행한 처사였다.

제멋대로 시행되었다는 것보다 더 끔찍한 점은 그 처사가 바로 악마의 소행이었다는 사실이라고 루터는 주장했다. 그로 인해 죄와 망신살, 추문이 끝없이 늘어났기 때문이었다. 성직자들이 행복한 결혼생활을 누리지 못하게 금지하는 것은 바로 적그리스도의 소행이었다. 루터는 다시 한 번 디모데전서를 인용했다. "사람들은 믿음에서 떠나, 속이는 영과 악마의 교훈을 따를 것입니다. 그러한 교훈은, 그 양심에 낙인이 찍힌 거짓말쟁이의 속임수에서 나오는 것입니다. 이런 자들은 혼인을 금하라고 …… 할 것입니다."(디모데전서 4:1~3) 루터는 내연녀를 두고 있는 사제에 대해 "양심에 고통을 겪고 있으며 쉽게 도움을 받을 수 있는데도 아무도 그를 돕기 위해 할 수 있는 일이 전혀 없다"고 썼다. 더구나 11세기에는 동방교회와 서방교회가 갈등을 빚다가 비극적으로 갈라섰다. 동방 그리스정교회에서는 사제들이 자신과 공동체를 위해 여성과 결혼해야 한다. 루터는 그 견해가 마음에 들었는지 모든 그리스도인 공동체는 신앙심이 깊고 학식이 있는 사람을 성직자로 임명하고 결혼 여부는 본인의 자유의사에 맡겨야 한다고 제안했다.

성서에서 주장을 뒷받침할 근거를 찾기 위해 루터는 바울의 디모데전서를 계속 인용했다. 그에 따르면 그 제도가 구체적으로 인정되어 있다. "그러므로 감독은, 책망받을 일이 없으며, 한 아내의 남편이며, 절제하며, 신중하며, 단정하며, 나그네를 대접하며, 가르치기를 잘하며, 술을 즐기지 않으며, 난폭하지 않고 너그러우며, 다투지 않으며, 돈을 사랑하지 않으며……."(3:2~3)

무엇보다도 어느 교황이 되었든 법으로 인간의 성을 통제하려는 입장에 반대했다. 그는 소책자 『교회의 바빌론 유수』에서 이렇게 물었다. "교황이 법률을 제정한단 말인가? 그런 법률일랑 본인을 위해서나 세우고 내 자유에는 간섭하지 말기를." 만일 사제에게 독신을 지키라고 한다면 평신도를 위해서는 성에 대한 규정들을 세워야 한다는 데에 어떤 입장을 취할 것인가?

그러나 루터는 거기에서 멈추지 않았다. 평신도는 당연한데 하물며 사제가 발을 들여놓기에 두려워하는 영역인 간통, 성적 무능력, 간음, 자위 등의 문제를 서슴없이 다루었다. 결혼한 후 남편이 성불구라는 것을 알게 된 아내는 어떻게 해야 할 것인가? 루터의 대답은 다음과 같았다. 차라리 이혼한 후 만족스러울 만한 적당한 사람과 재혼해야 한다. 만약에 성불구인 남편이 동의하지 않는다면? 그렇다면 남편의 묵인하에—이제 그는 실제로는 남편이 아니라 단지 한 지붕 아래에서 살고 있는 동거인일 뿐이다—다른 남자 아마도 남편의 형제와 동침해야 하며 그 사이에 낳은 아이들은 적법한 상속자로 간주되어야 한다.

그리고 어느 한쪽이 이혼하고 싶어할 경우 재혼에 대한 가톨릭 교회법은 어떠한가? 루터는 여성이든 남성이든 재혼을 허용해야 한다고 대답했다. "그런데도 왜 그들은 이혼한 남자에게 결혼하지 말라고 강요하고 재혼을 허용하지 않으려는 건지 참으로 알 수 없는 노릇이다. 그리스도께서는 간음을 이유로 이혼을 허용(마태복음 5:32)하고 아무에게도 독신 상태를 유지하라고 강요하지 않으셨다. …… 그러므로 이혼한 아내 대신에 다른 여인과의 결혼을 허락하신 것이 분명하다."

그러나 어떤 경우를 막론하고 이혼은 절대 안 된다고 금지하는 가톨릭교회는 어떠한가? "가혹한 법률은 어떤 이혼도 허용하지 않는다. 그러나 여성은 하나님의 법을 통해 자유로운 존재이고 육욕을 억누르라고 강요할 수 없다. 그러므로 남성은 그러한 여성의 권리를 인정하고 겉으로는 자기 사람으로 보이는 아내를 다른 사람에게 주어야 한다." 그래도 루터는 차악이라는 점과 구약에 나오는 많은 이야기들로 확인되고 있는 점을 고려할 때 여전히 이혼보다는 중혼이 낫다고 주장했다.

그런데 갑자기 교황이 나타나더니 아무런 정당한 근거도 없이 사제들의 결혼을 금지시켰고, 이로 인해 "분열·죄·수치·추문이 끝없이 늘어나게 되었다"고 발끈했다. 그것은 오히려 사제들이 거부할 수 없는 유혹에 빠지게 만들었다. 그러므로 결혼을 금지시킨 것은 악마의 소행이고, 사제서품 시 정결서원을 요구하는 것은 "다름 아닌 악마의 횡포"였다.

레오 10세가 지배하던 교황청과 젊은 헨리 8세 치하의 잉글랜드 교회는 루터의 결혼관을 이교도의 신앙과 거의 다를 바 없는 관능적 결혼윤리법이라 부르며 극렬히 반대했다. 다른 사람도 아닌 헨리 8세가 결혼의 신성함을 수호하는 역할을 자처한 것이 무척이나 아이러니하다. 불과 몇 년 지나지 않아 캐서린 왕비와의 혼인을 무효화하여 이혼하고 앤과 결혼하려고 애쓰면서 루터의 지지를 얻으려고 모색했기 때문이다. 이후의 행태를 염두에 두고 이 당시 헨리 왕의 독선적 주장을 읽다보면 그저 헛웃음만 나온다. "하나님께서 맺어주신 것을 사람이 갈라놓아서는 안 된다. 자신이 아내를 어떻게 대하고 있는지 생각할 때 그 누가 떨지 않으랴?" 왕은 성 아우구스티누스의 말을 인용하여 덧붙였다. "혼인성사는 모든 민족들에게서 흔히 볼 수 있다. 그러나 그 신성함은 오로지 우리 하나님의 도성과 그분의 거룩한 산(교회)에만 있다."

루터는 한 사제와 그 사제가 사랑했던 여인에게 편지를 썼다. "그러니 내 말은 교황이 찬성하든 말든, 교회법이나 인간의 법에 위배되든 말든 신경 쓰지 말고 그녀를 아내로 맞아들여 부부로 성실하게 살라는 것입니다. 구원에 이르는 데 아무 쓸모가 없고 하나님이 전혀 명령하시지도 않은 가혹하고 자의적인 사악한 법보다 당신의 영혼을 구원하는 일이 훨씬 중요하단 말입니다."

이미 루터가 바르트부르크에서 개탄했듯이, 수많은 사제들이 이 충고를 받아들여 결혼하고 있었다.

바르트부르크에 도착한 지 얼마 안 되어 루터는 몸을 움직일 수 없을 정도로 끔찍한 위통에 시달렸다. 하복부에 통증이 엄습하여 발작을 일으키기도 했다. 정서적으로나 영적으로는 신앙과 교회에 관한 숭고한 문제들에 집중하기를 간절히 원했지만, 몸 상태로는 좀더 생리적인 문제에 몰두할 수밖에 없었다.

5월 12일 멜란히톤에게 쓴 편지에 루터는 어려운 속내를 털어놓았다. "대변보기가 너무 힘들어 온 힘을 쥐어짜야 한다네. 제때에 못 보고 넘어갈수록 점점 힘들어진다네. 처음 시작했을 때처럼 이렇게 변비가 지속된다면 견딜 수 없을 지경이라네."

융커 외르크로 변장한 루터(루카스 크라나흐, 1522).
루터는 바르트부르크 성에 도착한 지 처음 얼마 동안 육체적·정신적으로
힘겨웠다. 지독한 위통과 변비에 시달렸고 육욕과 번뇌,
나태함과 나약함에 사로잡혔다.

증세는 초여름이 되어도 나아질 기미가 보이지 않았다. "주님께서 나를 괴롭히고 계시네. 대변이 너무 굳어서 젖 먹던 힘까지 짜내도 제대로 안 나온다네. 못 보는 날이 길어질수록 점점 더 딱딱하게 굳는다네. 최근에는 겨우 나흘 만에야 성공할 수 있었다네." 쇠약한 몸 상태 때문에 루터는 하나님과 친구들이 자기를 버린 것처럼 느껴질 정도였다. 고결한 성품에 몸이 불편하다고 하나님을 직접 원망하기는 곤란한 일이었으므로 가장 친한 친구에게 푸념을 쏟아내기 시작했다.

루터는 멜란히톤과의 서신 교환에 점차 집착하게 되었다. 친구로부터 매일 소식을 듣지 못하면 버림받았다고 느껴졌다. 오래 전에 보낸 원고들의 출간이 늦어지고 있는 데 좌절하여, 진심이든 꾸며낸 것이든 끝없이 경멸하며 멜란히톤을 꾸짖었다. 멜란히톤이 너무 쌀쌀맞다가도 너무 아부가 심하다고 불평했다. 그리고 루터가 이미 조심하라고 경고했는데도 너무 열심히 일을 하고 있었다. "이 점에서 자네는 지금 고집을 부리고 있는 걸세. 그러지 말라고 그렇게 말했건만 소 귀에 경 읽기로군."

루터는 마치 멜란히톤이 아부나 늘어놓는 풋내기 청년인 듯 호되게 꾸짖었다. "자네는 너무 감정적인데다 늘 그렇듯이 너무 점잖기만 하다네. 그리고 나를 너무 많이 치켜세우지. 내게 그렇게 큰 의미를 부여하는 것은 잘못하고 있는 걸세. 나를 너무 과대평가하는 것 같아 면구스럽고 괴롭다네."

루터는 상반된 감정에 시달리고 있었다. 어떨 때는 비텐베르크에 자기가 꼭 필요한 존재였으면 했다. 그러다 또 어떨 때는 그곳의 일이 잘 풀려가고 있음에 만족해하며 자기가 없는 동안 매우 잘하고 있다고 멜란히톤을 칭찬하는 것이었다. 루터는 멜란히톤을 치켜세우면서도 뭔가 아쉽다는 뉘앙스로 말했다. "자네는 이미 나 대신 잘하고 있네. 하나님께로부터 받은 재능 덕분에 이미 나보다도 훨씬 큰 권위와 인기를 얻었잖나." 곧이어 지위 고하를 막론하고 자신을 박해하는 자들, 실제 적과 가상의 적, 친구들을 싸잡아 맹비난했다. 이리저리 시달리고 있던 이 천재는 사랑, 사랑하는 일, 사랑받는 일에 너무 신경 쓴 나머지 증오와 분노에 무릎 꿇은 것 같았다.

심지어 안도감과 안락함을 느낄 수 있게 자신을 위해 온갖 노고를 다 한 사람들조차 비난하기 시작했다. 이제껏 제대로 접해보지 못한 온갖 사치품을 호사스럽게 누리면서도 자신을 지켜주는 이들을 무시했다. 게오르크 슈팔라틴에게 보내는 편지에서는 후원자인 프리드리히 선제후에 대해 이렇게 썼다. "대공이 내 체류비용을 대고 있는 게 맞겠지. 여기 성주가 부담하고 있는 것이라면 이곳에 단 한 시간도 머물지 않을 걸세. 대공이 주는 빵이라면 상관없네. 만일 어느 누군가가 다른 사람의 재산을 축내야 한다면 대공들의 재산을 축내는 편이 마땅하네. 왜냐하면 대공과 악한은 거의 같은 말이거든." 설령 프리드히 선제후라 하더라도 루터는 대공들에 대해 감사하기보다는 경멸하는 마음이 더 컸다. 대공들은 "굉장히 어리석고, 아주 돼먹지 못했으며, 하나님의 간수요 사형집행인"이지만 그들이 주는 빵은 먹어도 괜찮았다.

7월 13일, 멜란히톤에게 보내는 편지에서 루터는 여드레 동안 기도도, 공부도 못했고, 아무것도 쓰지 못했다고 밝혔다. "육체의 욕망에 시달리기도 하고, 다른 부담감에 시달리기도 해서 그렇다네." (항문에 난 상처로 변비가 생겼다고 털어놓았다.) 상태가 호전되지 않는다면 ("내 정체를 밝히고") 잡혀 죽는 한이 있더라도 의사를 보러 에르푸르트로 가겠다고 으름장을 놓았다. 그러면 그들이 딱하게 여기리라. 루터는 처량하게 전했다. "이건 정말 더는 견딜 수가 없다네. 이 작은 상처 하나가 다른 상처 열 개를 합친 것보다도 더 심하다네. 아마도 나를 이 은신처에서 사람들에게로 끌어내시기 위해 주님께서 내게 짐을 지우시는가 보네."

에르푸르트는 여전히 가톨릭 당국의 수중에 있었으므로 사실 루터의 으름장은 허울뿐이었다. 주목할 것은 에르푸르트 주의회는 루터가 보름스로 가다가 들른 후에 일어난 격렬한 학생 소요를 진압하고 골치 아픈 사제들을 파문해버렸다. 루터가 에르푸르트에 대해 염려하고 있었다면, 상황은 루터에게 안 좋은 쪽으로 흘러가고 있었다. 에르푸르트에 흑사병이 창궐한 것이다. 어쨌든 그 사실을 알게 된 루터는 그것을 계기로 어이없는 비난을 재빨리 멈추었다.

"우리 이단자들이 하나님의 진노를 샀기 때문이라며 이 역병이 당연히 우리 탓이라고 할 걸세. 사람들은 우리를 비웃고 멸시할 걸세."

루터는 자신의 처지에 대해 남을 탓하다가 스스로를 책망하기도 하는 등 자기연민과 자기혐오에 빠졌다. "나는 이곳에 바보처럼 앉아 하릴없이 빈둥거리며 마음이 굳어져 기도도 거의 안 하고 하나님의 교회를 보살피지도 않으면서 활활 타오르는 육욕을 억제하지 못하고 있다네. 영적으로 활활 타올라야 마땅하거늘 오히려 육욕과 번뇌, 나태함과 나약함, 졸음에 단단히 사로잡혀 있네. 자네들이 모두 나를 위해 기도해주지 않으니 하나님께서 내게 등을 돌리셨는지도 모르겠군."

한마디로 말해서, 루터는 매우 까다로운 사람이 되어가고 있었다.

그는 독신, 정결, 사제의 서약과 관련이 있는 사제의 유혹이라는 위험한 영역을 다루고 있었다. 바로 전해에 소책자 『독일의 그리스도인 귀족들에게 고함』에서 사제들의 독신생활을 두고 "비참하다고", 수도사의 정결서원을 "가혹한 악마의 짓"이라고 불렀다. 그러나 당시 그 주제를 다룰 때는 유쾌하게 친구들과 어울릴 때였으므로 그다지 피부에 와 닿지 않았다. 그런데 이제는 홀로 외롭게 떨어져 육체적 고통까지 겪고 있다보니 욕정의 뜨거운 불길을 폐부로 깊숙이 경험하고 있었다.

루터는 어쩔 수 없이 성경에서 가르침을 얻을 수밖에 없었다. 특히 고린도전서에 의거해 영적인 면에서 보면 결혼생활의 이점이 독신생활의 이점보다 훨씬 크다고 결론내렸다.

사제들을 여성들로부터 떼어놓는 것은 도저히 참을 수 없는 처사라고 생각하기에 이르렀다. 금욕·독신생활·궁핍·고행이 구원을 보장해준다는 생각은 환상에 불과했다. 루터는 수도원에서 은둔하는 동안 로마나 산티아고 데 콤포스텔라로 순례를 하고 엄격한 절제 생활을 하면 하나님의 은총을 받을 수 있다고 배웠다. 그런데 이제는 그것이 터무니없는 일이라고 여겨졌다. 심지어 사제들에게 여성 식복사(가정부)를 두게 하는 것은 위험한 관습이었다. 나중에는 이에 대해 이렇게 적었다. "그것은 짚과 불을 함께 두고는 연기를 내거나 타지 말라고 금지하는 것과도 같다." 그리고 당시에는 사제의 성적 타락을 여성의 탓으로 돌리는 일이 일반적이었다. 수도원을 성적 온상이라고 부르며 욕망에 불타는 혈기왕성한 여인들이 수도원 담 뒤에 숨어 기다리다가 눈에 띄는 순진한 남성들을 덮친다고 생각했다.

마침내 7월 말이 되자 루터는 심리적 고뇌는 아니더라도 육체적 고통에서 조금 벗어날 수 있었다. 프리드리히 선제후의 궁정사제인 게오르크 슈팔라틴이 궁정 약제사로부터 약을 얻어 보냈고 대부분의 하제 합성물처럼 아편이 가미된 석결명 꼬투리와 대황 추출물로 만들어진 이 알약들 덕분에 증상이 완화된 것 같다. 슈팔라틴에게 보내는 감사의 편지에 루터는 이렇게 적었다. "이제 좀 증상이 완화되고 대변도 혈변 없이 힘들이지 않고 보는 편이지만 예전에 찢어진 상처가 아직 완전히 낫지는 않았다네. 게다가 치질 때문에 고생이 무척 심한데 약이 강해서인지 정확한 원인은 모르겠네. 그러니 좀더 기다리며 살필 수밖에."

2주 후에는 훨씬 좋아졌다. 루터는 다시 슈팔라틴에게 편지를 썼다. "자네가 보내준 특효약 덕분에 이제는 용변 보는 것이 훨씬 수월해졌지만 소화기능에는 전혀 차도가 없다네. 통증이 가라앉지 않으니 주님께서 뜻이 있어 예비하신 더 끔찍한 재앙으로 발전할까 두렵네."

한편 루터에 관한 소문은 여전히 독일 전역에 떠돌았다. 루터가 이미 죽었다고 확신하는 사람이 있는가 하면 그가 지하 모처에 살면서 유령과 소통하고 있으며, 심지어 밤마다 악마와 대화하는 것을 들었다는 사람도 있었다.

그때 이후로 특별히 떠돌던 한 소문이 있었다. 열렬히 가톨릭을 신봉하는 지역인 바이에른 주 잉골슈타트에 베를립스라는 자유민 명망가 출신의 아르굴라 폰 슈타우프라는 젊은 여성이 살고 있었다. 그녀는 열여섯 살에 황제 프리드리히 3세의 딸의 시녀가 되어 뮌헨 궁정에 드나들게 되었다. 1516년에는 자기보다 신분이 낮은 가문의 한 귀족과 결혼했다.

가톨릭이 지배하는 세계에 루터의 저작들이 은밀하게 널리 퍼지기 시작했을 때, 아르굴라 폰 슈타우프는 그것을 열심히 탐독했다고 한다. 보름스 국회가 끝난 후 루터가 바르트부르크 성에 숨어 있다는 소식을 어찌어찌하여 알게 된 아르굴라는 그 위대한 개혁가를 만나보고 싶다고 밝혔다. 유순한 남편의 묵인하에 그녀는 아이제나흐로 갔다. 이 시점부터 이야기가 윤색되기 시작한 것 같다. 성주인 한스 폰 베를렙쉬는 루터와의 만남을 청하는 아르굴라를 정중히 맞아들이긴 했지만 융커 외르크는 성 안의 다른 곳에서 바쁜 볼일이 있어 방해할 수 없다고 알려주었다. (소문 속 이야기에 따르면 루터가 그 자리에 없었던 것은 당시 그가 악마와 싸우고 있었기 때문이라고 한다.) 그러나 친절한 베를렙쉬는 슈타우프가 루터의 침대에서 혼자 자도 좋다고 허락했다. 그런데 슈타우프는 그날 밤 편히 쉴 수가 없었다. 마치 성에 사탄이 살고 있기라도 하듯 밤새 덜커덕거리는 끔찍한 소리가 이어졌기 때문이다. 다음날 슈타우프는 황급히 도망치듯 성을 떠났나.

가톨릭에서 묘사한 이야기 대로라면 루터가 악마와 싸운 후 돌아와 자신의 침대에서 슈타우프가 자고 갔다는 말을 듣고는 이렇게 썼다고 한다. "내 안에 육욕이 끓어오르고 욕망의 불이 붙었다."

루터는 이러한 밤의 욕망 앞에서 악마에게 무릎을 꿇었고, 악마는 베개 옆에 앉아 루터의 얼굴이 땀으로 흥건해질 정도로 자극적인 꿈을 선사했다. 이러한 충동을 깨닫고 잠에서 깬 루터는 자신의 몽정을 본 순간 가톨릭 관례에 따른 정결을 어긴 셈이 되었으므로 괴로워했다.

기왕 이렇게 된 일, 마음가는 대로 끝까지 가보기로 했다. 이러한 "왕성한 생각"을 자제하지 않기로 마음먹었으므로 그것들을 이해하기 위해서 그 안에 진탕 빠져보았다. 그 덕분에 독신을 요구하는 일이 모순임을 알게 되었고, 사제에게 순결과 금욕을 명령하는 것이 타당한지 회의가 들기 시작했다.

아르굴라 폰 슈타우프에 대해 덧붙일 중요한 설명이 하나 있다. 그녀는 매우 유력한 인물이 된다. 시와 서간문을 출간하여 사람들 사이에서 널리 회자된 최초의 유명 프로테스탄트 여류 작가가 되었고 루터의 개혁운동을 열렬히 옹호했다. 루터의 침대에서 잤다고 추정되던 바르트부르크 사건 2년 후 슈타우프는 잉골슈타트 대학의 강사이자 학생인 열여덟 살 청년에 대한 논쟁에 휘말리게 되었다. 그는 루터의 견해를 옹호했다는 이유로 체포되어 철회를 강요받고 있었다. 슈타우프는 그를 변호하기 위해 분연히 일어섰다.

학장에게 보내는 편지에서 슈타우프는 이렇게 썼다. "루터와 멜란히톤이 하나님의 말씀 외에 무엇을 가르쳤단 말입니까? 당신은 그들을 비난하기만 했지 반박하지는 않았습니다. 도대체 성서 어디에 그리스도와 사도들과 예언자들이 사람을 가두거나 쫓아내거나 불에 태우거나 살해했다는 말이 나온단 말입니까? 당신은 우리들에게 관료에게 복종해야 한다고 말합니다. 맞습니다. 하지만 제아무리 교황이나 황제나 제후라고 하더라도 그들의 권위가 하나님의 말씀보다 높을 수는 없단 말입니다. 교황의 명령으로 하나님과 예언자들과 사도들을 하늘에서 끌어내릴 수 있다고 생각하면 안 됩니다.

당신은 루터의 모든 작품들을 파괴하려고 하겠죠. 그럴 경우 당신은 신약을 파괴해야만 할 겁니다. …… 그러나 당신은 지금 자멸하고 있습니다. 이 청년에게 저지른 처사가 이렇게 단시간 내에 우리에게, 또 다른 도시들로 퍼졌으니 머지않아 온 세상이 다 알게 될 것입니다. 주님께서는 이 청년을 용서하실 것이며 언젠가는 그에게서도 매우 선한 의지가 나올 것입니다. 지금 저는 여자의 잔소리가 아니라 하나님의 말씀을 전하는 것입니다. 저는 지옥의 문이 위세를 떨치지 못하게 막고 있는 그리스도 교회의 일원으로서 지금 이 편지를 쓰고 있습니다."

이렇게 공개적으로 항의한 탓에 그녀는 "파렴치한 창녀"와 "여자 무뢰한"이라는 소리를 듣게 되었다. 그 시대 그 시절에 여성이 가톨릭교회를 그렇게 직설적으로 공격하다니 매우 놀라운 일이었다.

1530년에 아르굴라 폰 슈타우프는 마침내 루터를 직접 대면하게 되었지만, 두 사람 사이에 무슨 말이 오갔는지 또는 추억했는지에 대해서는 전해지지 않는다.

제7장

주도권 다툼

1521년 한여름에 루터의 은신처가 위험지역에 무심코 누설되었을지 모른다는 소식이 루터에게 전해졌다. 프리드리히 선제후의 동생이자 튀링겐의 공동 통치자인 '한결공' 요한의 비서가 친구에게 쓴 편지에서 무심코 바르트부르크에 있는 루터의 소재지를 밝힌 것이었다. 이러한 위험천만한 기밀 누설은 루터를 주의 깊게 보살피고 있던 성주 한스 폰 베를렙쉬를 통해 전해졌다. 그는 소문이 신빙성을 얻고 있으며 급속히 퍼지고 있다고 했다. 루터는 이 곤란한 일이 사탄의 농간이라고 확신했다. "지금까지는 우리의 비밀을 순조롭게 지켜왔는데, 그동안의 노력이 이렇게 어이없이 수포로 돌아가게 생겼다니 화가 치미는군."

비밀이 누설되었다는 것 때문에 루터는 편히 있을 수도 침착한 태도를 견지할 수도 없었다. 그래서 혹시라도 생길 사고를 미연에 방지하기 위해 유치한 핑계를 궁리해냈다. 슈팔라틴에게 보내는 편지에 로마의 추적자들을 교란시킬 목적에서 직접 자필로 쓴 가짜 편지를 하나 동봉한 것이다. 슈팔라틴에게 마치 속삭이듯 쓴 편지의 내용은 이랬다. "내 계략을 들어보게. 내 행방에 대한 소문이 점점 커지면 동봉하는 편지를 '잃어버리기' 바라네. 편지가 드레스덴의 개의 수중에 흘러들어갈 수 있게 부주의해서 잃어버린 것처럼 해야 하네." 여기서 '드레스덴의 개'는 루터가 가장 위험한 적수인 게오르크 공작에게 붙인 별명이었다.

슈팔라틴에게 보내는 것으로 되어 있는 가짜 편지의 내용은 대충 이랬다. "내가 아이제나흐 근처의 바르트부르크에 살고 있다는 소문이 떠돌고 있다고 들었네. 그곳 부근의 숲에서 납치되었으니 그런 소문이 돌 만 하네. 하지만 나는 지금 함께 지내는 탁발승들이 비밀을 지켜주기만 한다면 안전한 상태로 아주 먼 곳에 숨어 있다네. 출간되는 책들 때문에 내가 있는 곳이 발각된다면 거처를 옮기겠네. 지금은 아무도 보헤미아에 대해 생각하지 못하는 점이 이상하군." 보헤미아라고?

그러나 루터는 계책을 꾸미기보다는 설교에 더 뛰어난 사람이었다. 자신이 보헤미아의 수도원 어딘가에 은신 중이라고 암시하는 허위정보를 유포하려는 어설픈 노력에는 나름의 그럴 듯한 근거가 있었다. 보헤미아는 이단의 진원지로, 백 년 전 영성체에서 성찬에 참여하는 신자들에게 빵만 아니라 포도주까지 모두 주어야 한다고 주장했다는 이유로 화형당한 얀 후스가 살았던 곳이다. 그리고 지금 루터 또한 같은 주장을 펴고 있었다. 이단자들도 유유상종한다, 그렇지 않은가?

사실 알레안데르 추기경도 처음에는 로마 교황청에 루터가 숨어 있을 은신처로 보헤미아를 지목했다. 가장 아닐 만한 곳으로는 바르트부르크를 지목했다. 훌륭한 조사관이라면 가능성이 제일 낮은 곳부터 먼저 확인했을 테지만 추기경은 그냥 지나쳤다. 다행스럽게도 슈팔라틴은 루터가 시키는 우스꽝스러운 짓을 할 필요가 없었다. 루터의 가짜 편지는 유포되지 않았다.

그사이 비텐베르크에서는 1521년 초여름 몇 달 동안 루터의 경쟁자들이 제 목소리를 내기 시작했다. 가브리엘 츠빌링이라는 이름의 탁발승이 이끌던 아우구스티노 수도사 집단이 미사에서 급진적 변화를 꾀하고 있었다. 사제들이 집전 비용으로 상당한 액수를 청구했으므로 영리 목적의 개인 미사는 모두 근절되어야 했다. 그리고 비텐베르크에서 집전되는 공적 미사에서는 교황청의 포도주 분배 금지명령에 역행해 성찬례에서 신자들에게도 포도주를 주는 영성체가 이미 진행되고 있었다. 그런데 성찬례 동안 "주님께 마음을 들어 올리도록" 사제가 신자들을 초대하는 것이 합당한지에 대한 논의가 있었다.* 십자가·성상·성화와 같은 신앙의 상징들은 교회에서 제거해야 할 대상이었다. 사제들이 제단에서 소박한 사제복 대신에 화려한 복장을 갖춰 입어야 할까? 그리고 왜 미사는 독일어가 아니라 라틴어로 거행해야 한단 말인가? 그리고 왜 영성체송은 교회 안이 떠나가도록 크게 외치기보다는 조그맣게 속삭여야 한단 말인가? 루터는 이 과격주의자들을 "열혈가"라고 부르게 된다. 루터가 보기에 특히 자기가 없는 상황에서 허락도 구하지 않고 그러한 개혁을 추진하는 것은 시기상조였다.

종교개혁의 정세는 루터가 원하는 것을 넘어서 점점 과격해지고 있었고, 루터는 자제력을 잃고 있었다. 만일 비텐베르크의 군중들이 너무 빨리 움직인다면 개혁운동의 궁극적 성공에 위협이 될 수도 있다고 느꼈다. 그러나 루터 자신은 이 혁신운동을 멈추거나 속도를 늦추기에는 너

* 미사 예식 중 영성체를 하기 전에 사제는 감사송을 통해 주님께 마음을 들어 올리도록 신자들을 초대하고, 모든 신자는 그리스도와 일치하여 하나님을 찬양하고, 제사를 봉헌한다. 감사송은 다음과 같다. "주님께서 여러분과 함께/또한 사제와 함께; 마음을 드높이/주님께 올립니다; 우리 주 하나님께 감사합시다/마땅하고 옳은 일입니다."

작센의 제후들에게 영성체를 주고 있는 루터와 얀 후스.
얀 후스와 마찬가지로 루터 역시 성찬에 참여하는 신자들에게 빵만 아니라
포도주까지 모두 주어야 한다고 주장했다.

무 멀리 떨어져 있었다.

그런데 그보다도 훨씬 큰 위협이 대두되었는데, 루터의 비텐베르크 대학 동료교수이자 신학자인 안드레아스 카를슈타트라는 인물이 그 중심에 있었다. 루터보다 3년 아래였지만 비텐베르크 학부 학장이자 대학 총장이었던 그는 겁이 없고 대담한 기질을 가진 대학자였다. (루터에게 박사학위를 수여한 장본인이기도 했다.) 루터와 카를슈타트는 1517년 로마와 투쟁하는 데 긴밀히 협력했다. 그 해에 가를슈타트는 루터보다도 50개가 더 많은 반박문을 비텐베르크 교회 문에 걸어놓았고, 로마에서 독일로 파견한 다양한 호교론자들과의 논쟁에 루터와 나란히 나타났다. 그 역시 레오 10세가 발표한 교서「주여 일어나소서」로 파문당했다.

루터가 사라지기 전까지 두 사람은 거룩한 전투에서 함께 싸우는 동지였다. 그런데 이제 루터가 부재 중인 상황에서 그는 개혁운동의 주도권을 잡으려고 했다. 심지어 루터가 보름스로 가기도 전에 망자를 위한 기도를 했고, 독일 일상어로 미사를 드릴 것을 요구했다. 이 시점에 루터는 어떠한 입장도 지지하지 않았나. 그런데 이제 5월 중순 루터가 바르트부르크에 막 자리 잡고 있는 동안 카를슈타트는 영성체의 근거와 성체 및 성혈의 거양(擧揚) 자체를 공공연히 문제 삼았다. 그는 성찬의 전례에서 평신도에게 포도주를 주지 않는 관습을 파기했지만, 사실 이것은 루터가 품고 있던 견해였으므로 그것을 발표함으로써 루터의 지도력을 가로챈 셈이었다.

카를슈타트는 탁월한 루터를 다른 방식으로도 침해하고 있었다. 6월 초, 그는 주교들 규제 문제에 대해 덴마크 왕에게 조언해주기 위해 덴마크로 찾아갔다. 덴마크가 자신들의 개혁교회 쪽으로 발 빠르게 움직이고 있었기 때문이다. 그곳에서 돌아오자 그는 자신의 명성에 취해 있었다. 그리고 루터가 매우 오랫동안, 어쩌면 영원히 모습을 보이지 않을 수도 있음을 은연중에 암시하며 이렇게 말했다. "언젠가는 시작해야 합니다, 그렇지 않으면 아무것도 할 수 없습니다. 쟁기에 손을 댄 사람은 뒤를 돌아봐서는 안 됩니다."

6월 21일, 카를슈타트는 사제의 독신생활에 대한 토론을 개최했다. 비밀회의에서 그는 사제들의 독신생활의 논리적 근거를 문제 삼았고 심지어 수도사들의 독신생활까지 문제 삼았는데, 이에 루터는 경악을 금치 못했다. (루터는 사제들보다도 수도사들이 더욱 엄격하고 철저하게 서약을 지켜야 한다고 생각했다.) 루터와 카를슈타트 두 사람 다 많은 사제들이 남몰래 처자식을 두고 있으며, 그런 상황 때문에 '뜨거운 인두'로 지지듯 양심에 가책을 받고 있다는 사실을 충분히 잘 알고 있었다. 그러나 카를슈타트는 독신생활 문제에 대한 루터의 전략에서 벗어나 개혁운동을 강력히 추진하고 있었는데, 루터는 아직 그것을 실행에 옮길 만큼 충분히 준비가 되어 있지 않다고 보았다.

6월 21일 논쟁에서 카를슈타트는 그 문제를 더욱 진전시키고 싶어했다. 대학교 비밀회의가 있고 나서 8일 후에는 자기의 견해를 밝힌 『독신생활·수도생활·과부생활』이라는 제목의 논문에서 이렇게 주장했다. "성경에 근거하여, 서로 좋아하는 사제·수도사·수녀들은 양심과 하나님의 뜻에 따라 혼인하여 결혼생활을 시작하는 데 로마 교황청으로부터 관면이나 허가를 구하지 않아도 된다. 전혀 불필요한 일이기 때문이다. 그렇게 결혼생활을 시작하는 사람들은 위선적인 삶을 포기하고 진정한 그리스도인의 삶을 충만하게 살아가야 한다." 또한 약혼한 성직자는 행복한 결혼생활에 대한 대가로 성직자 복장은 포기해야 한다고 주장했다. 루터는 이에 동의할 수 없었다.

7월 22일, 카를슈타트는 비텐베르크 시내 교회에서 모든 성화와 성상, 입상 등을 없앰으로써 한 발 더 나아갔다.

8월 초, 바르트부르크에서 루터는 독신생활에 대한 카를슈타트의 논문을 마침내 받아보았다. 그 다음 몇 주 동안 루터는 성 문제에 사로잡힌 것 같았다. 자신이 밤마다 꾸는 꿈과 환상, 초조감, 유혹 등을 깊이 생각하며 심지어 나이가 들어서도 다음의 사실을 기억하곤 했다. 즉 성 아우구스티누스도 '몽정'에 대해 불평했다는 사실을. 성 히에로니무스도 욕망에 시달릴 때면 돌로 가슴을 쳤지만 그래도 로마에서 춤추는 것을 보았던 소녀에 대한 추억을 마음속에서 몰아낼 수는 없었다. 욕망을 억누르기 위해 성 프란치스코는 차가운 눈뭉치를 활용하기도 했고 성 베네딕토는 가시로 만든 침대에 누웠다고 한다. 그는 나중에 이렇게 말했다. "사정과 몽정을 한다면 더 이상 순결하다고 할 수 없다." 루터의 결론은 "그래서 하나님께서 주신 결혼이라는 구제책을 받아들여야 한다"는 것이었다.

루터는 카를슈타트의 작품이 정도에 어긋났다고 열렬히 비판했다. 그가 이 문제에 대해 성경에서 잘못된 인용 구절을 선택했으며, 주장을 펴기 위해 그 뜻을 잘못 해석하고 왜곡했다고 생각했다. 그렇게 엉성한 논리로 개혁운동에 손상을 입히고 있었던 것이다. 루터는 멜란히톤에게 불평을 털어놓았다. "나는 자네가 모호하고 확실치 않은 성경 구절에 근거한 어떤 작품도 더는 비텐베르크에서 출간하지 않았으면 하네. 우리에게 요구되고 있는 빛은 태양과 모든 별들을 합친 것보다도 더 밝아야 한단 말일세. 설령 우리의 적들이 거의 볼 수 없을지라도 말일세. 물론 카를슈타트가 어려운 주제에 도전한 것은 칭찬할 만한 일이지만 좀더 노련하고 성공적으로 해냈더라면 좋았을 텐데. 자네도 적수들이 우리에게 얼마나 명쾌한 것을 원하는지 알고 있잖은가. 그들은 우리 주장 중에서 가장 확실한 것조차도 왜곡해서 전하기 때문일세."

루터는 특히 사제에게 순결을 명령하는 것은 몰록(레위기 18:21, 20:2

에 나오는 가나안 사람과 베니게[페니키아] 사람들의 신. 몰록을 믿는 사람들은 어린 자녀들을 희생제물로 바쳤다)에게 정액을 제물로 바치는 것과 같다는 카를슈타트의 주장이 거슬렸다. 이 말은 자위를 은근히 암시했다. 이에 대해 루터는 멜란히톤에게 경고했다. "적들은 우리가 이 구절을 왜곡한 것을 조롱할 걸세. 그것은 정액을 땅에 쏟아버린다는 의미가 아니라 그 우상에게 자녀들을 번제물로 바쳤다는 뜻이기 때문일세."

성서를 잘못 해석하는 문제를 넘어서 비텐베르크의 이 '열성주의자'는 자위·동성애·간통 등의 골치 아픈 문제까지 건드리고 있었다. 루터는 멜란히톤에게 쓰는 편지에서 카를슈타트의 오류를 밝히고 있다. "카를슈타트는 남성성을 발휘하지 않는 사람을 유다의 아들 오난*(창세기 38:9)에 비유하고 있다. 그러나 그가 정액을 버린 이유는 사악한 목적에서 그런 것이었다. 남성성을 발휘하지 않는 것이 간음이나 간통보다 더 큰 죄인지 작은 죄인지는 아직 완전히 확립되지 않았다." 루터는 자위를 부도덕한 것으로, 남성이 무의식적으로 하는 '밤의 몽정'을 불결한 것으로 간주했다.

며칠 후 루터는 멜란히톤에게 다시 편지를 썼다. "나는 밤마다 욕망에 시달리는 젊은 처녀 총각들이 불쌍하다네." 그러더니 갑자기 카를슈타트를 조롱하며 말했다. "좋으신 하나님! 우리 비텐베르크 사람들은 결국 모든 수도사들에게 아내를 주고 말 테지만 저에게는 그러지 못할 겁니다." (그 당시는 아니었지만 나중에는 그렇게 된다.)

다행스럽게도 카를슈타트와의 이 논쟁에서 성의 모든 영역들을 다루지는 않았다. 마지막 보루인 동성애에 대해서는 타협의 여지가 전혀 없

* 유다의 아들. 그의 형 엘이 죽은 뒤 아버지의 명으로 대를 잇기 위해 형수와 살게 되었다. 그러나 형에게 자손을 만들어주지 않으려고 형수와 동침할 때마다 땅에 사정(射精)했으므로 하나님의 노여움을 받아 죽었다.

다는 것을 분명히 드러내려 했다. 또한 사제와 수도사들에게 철저한 금욕을 요구하는 서약과 법 때문에 동성애가 발생할 소지가 있다고 말할 생각도 전혀 없었다. 루터는 동성애를 소돔의 죄와 같다고 보았고, 그 근거로 인용한 구절은 창세기 19장 4절과 5절의 말씀이었다. 루터는 동성애를 "엄청나게 사악한 행위"로 보았고, 그 끔찍한 짓거리를 독일에 들여온 이탈리아의 카르투시오 수도회 은수자들을 비난했다. 소돔 사람들은 남녀가 서로에게 끌리는 "자연스러운 갈망"에서 벗어난 자들이었다. 구원으로 인도하는 것은 단순히 굴레에서 벗어난 금지된 욕망이 아니라 하나님의 거룩한 법이었다. 그 "자연스러운 욕망"은 하나님께서 우리의 본성에 심어놓으신 것이다.

8월 초, 독신생활과 육체의 욕망 문제에 이렇게 몰두하고 있는 동안 루터 자신도 엉성한 논리로 실수를 저지르고 말았다. 나중에 두고두고 그의 발목을 잡게 될 어떤 글을 쓴 것이었다. 루터는 인간이 죄악 가운데 태어나지만 신앙의 힘으로 죄를 극복할 수 있다고 생각했다. 멜란히톤에게 보내는 8월 1일자 편지에서 독신생활에 대해 논의하던 중 무심코 쓴 구절이 하나 있었는데 내용인즉 이러했다. "죄를 짓게, 대담하게 죄를 짓게, 하지만 자네의 신앙이 자네의 죄보다도 커지게 하게나. …… 우리는 세상의 죄를 모두 지고 가시는 하나님의 어린 양을 알게 된 것으로 충분하지 않은가. 설령 우리가 하루에도 백만 번 간음하고 살인한다 하더라도 죄가 우리 안에 있는 그리스도의 왕국을 파괴하지는 못한다네."

그로부터 몇 년 후 독일에서 농민과 귀족 사이에 전쟁이 일어났을 때 이 구절은 무법을 일삼아도 된다는 부름으로 해석되고, 루터와 그의 하나님의 이름으로 모든 끔찍한 행위를 정당화하는 데 이용된다.

제8장

악마와의 투쟁

바르트부르크 성에 고립되어 있는 시기에도 악마는 루터의 삶과 신앙 어디에나 도사리고 있었다. 교육을 받고 사제로 양성되는 동안, 그리고 그 이후로도 오랫동안 그랬던 것처럼 말이다. 강력하고, 간교하고, 교활하고, 변덕스럽고, 예측 불가능하며, 매우 끈질긴 사탄은 쉽게 무찌르거나 쫓아버릴 수 있는 존재가 아니었다. 질병과 재앙은 사탄의 소행이었다. 소경·벙어리·미치광이·불구자들을 자유자재로 부렸다. 악몽을 꾸게 하고 식은땀을 흘리게 만들었다. 전쟁과 대량살육을 부추기기도 한다. 자살하도록 충동질하는 것도 사탄이다. "자살하는 사람의 목에 끈을 감거나 목에 칼을 대는 것은 바로 사탄이다"라고 루터는 언급했다. 누군가가 침대에서 죽은 채로 발견된다면 그의 목을 조른 것은 사탄이다. 자살은 산중에서 강도에 의해 살해되는 것과 유사하다고 할 수 있는데, 그 강도가 바로 사탄이다.

루터는 인간의 본성이 행복하고 낙관적이지만, 바로 그때 악마가 나타나 "인간에게 더러운 짓을 한다"고 주장했다. 사탄은 악한 사람들의 생각을 잘 알고 있다. 그러한 생각을 불어넣은 것이 바로 사탄 자신이기 때문이다. 사탄은 멀쩡하게 잘 사는 사람들을 불시에 덮칠 수도 있으니, "사탄의 손아귀에 걸린 사람은 불행을 피할 길이 없다." 심지어 루터는 마귀들이 하늘과 땅에 잘 모여드는 장소도 알고 있었다. 하늘에서는 구름의 어두운 끝자락에 살고 있고, 지상에서는 특히 프로이센을 좋아한다고 했다. 스위스의 어느 높은 산에 빌라도의 호수라고 불리는 호수가 있는데 사탄은 그곳에서 장난치기를 좋아한다. 그리고 시끄럽고 짓궂은 폴터가이스트*의 온상지인 폴터스베르크라는 도시에는 호수가 하나 있는데, 그 호수에 돌을 던지면 커다란 폭풍을 일으킬 수도 있다.

에르푸르트에서 종교 교육을 받는 내내 루터는 성서를 공부하는 과정에서 사탄과 자주 접했을 것이고, 루치펠에 대해 배웠을 것이다. 루치펠은 타락하기 전에 대천사들의 수장이었지만 하나님께서 그를 제쳐두고 독생자인 예수를 천상의 무리를 다스릴 최고 지휘권자로 임명하자 반발심과 시기심에서 반란을 일으키고, 교만을 저지른 죄로 하늘에서 쫓겨난다. 몹시 분노한 루치펠은 이를 갈며 지상으로 내려와 지하의 사자(요한계시록 9:11), 붉은 용, 괴수, 오래 묵은 뱀, 예수님께 맞선 군대 귀신(마가복음 5:9) 등이 되었다. 지상에서는 여전히 초인적인 힘을 가지고 있고, 간사한 속임수와 끝없는 악의로 무장한 사탄은 인류의 적이 되어 유혹하고 거짓과 중상을 일삼고 미친 듯이 날뛰며 하나님과 인류에 대한 원한을 집요하게 드러낸다. 사탄은 힘 못지않게 악의도 대단하다. 설

* 독일 전설이나 민화에 등장하는 떠들썩한 장난꾸러기 요정. 소리를 내거나 물건을 움직여서 자신의 존재를 알린다.

령 하나님을 참되게 믿었더라도 하나님의 교회를 파괴하려고 끝없이 획책한다. 하나님께 등을 돌린 헤아릴 수 없이 많은 지상의 사악한 마귀들을 지휘한다. 그 가운데 일부가 예수님께서 게라사의 어느 사람에게서 몰아냈더니 돼지 몸속으로 들어가 갈릴리 호수로 뛰어들어 빠져 죽은 그 마귀들이었다.(마가복음 5:12~13, 누가복음 8:30)

바르트부르크에 도착했을 무렵, 루터는 독특한 방식으로 악마와 친해지게 되었다. 사실, 루터는 악마가 천둥과 번개를 일으킨다고 정말로 믿었으므로 1505년 슈토테른하임에서 거센 폭풍우를 만났을 때 사제가 되기로 한 결심을 악마의 탓으로 돌릴 수 있었다. 그 후로 몇 년 동안 루터는 자기회의에 시달렸고 특히 홀로 있는 시간에는 타락한 천사가 자주 찾아오곤 했다.

루터는 그에 대해 나중에 이렇게 회고했다. "비텐베르크의 우리 수도원에서 나는 사탄의 소리를 분명히 들었다. 시편에 대한 강론을 시작하거나 아침기도를 마친 후 휴게실에 앉아 공부하거나 글을 쓰고 있을 때면 사탄이 식료품 저장실의 난로 뒤에 나타나 마치 됫박을 끌고 가는 것처럼 세 번이나 덜거덕거리는 소리를 냈다. 사탄이 멈추려고 하지 않았으므로 나는 결국 책들을 챙겨 자러 갔다. 그날 사탄과 마주 앉아 이야기를 나누며 무엇을 원하는지 알아내지 않은 것이 지금까지도 후회가 된다." 그런데 바르트부르크에서는 그렇게 할 기회를 얻었다.

불청객의 잦은 방문에 루터는 마귀를 쫓아버릴 나름의 전략을 발전시켰고, 추종자들에게 자신의 비법을 열심히 전수했다.

사람들은 이렇게 물었다. "악마가 당신을 괴롭히러 나타나면 뭐라고 하십니까?"

"아무 말 안 합니다. 악마에게 말을 하거나 대답하지 마십시오. 그냥 내버려두십시오. 그러면 제 할 일을 하러 돌아다닐 것입니다."

그러나 무시 전략이 안 먹힐 때도 있다. 루터는 악령들의 출현은 감당할 수 있지만 악마는 단순한 짜증이나 유혹을 넘어서 하나님의 말씀 그 자체를 해치려 들 때 가장 무서워진다고 했다. 루터는 마그데부르크의 어느 여인의 전술은 쓰지 말라고 경고했는데, 그 여인은 악마의 얼굴에 침을 뱉으며 "악마의 배를 두들김으로써" 쫓아 보냈다고 자랑했다. 루터는 이렇게 충고했다. "그런 짓은 하지 마십시오. 악마는 그렇게 만만히 볼 상대가 아닙니다. 악마는 뻔뻔스러운 영인데다가 항복할 생각을 전혀 안 합니다. 자기 능력을 넘어서 악마와 대적하려고 하다가는 커다란 위험에 처하게 됩니다."

악마에 대항하는 좀더 효율적인 수단은 노래였다. 루터의 설명으로는 음악은 하늘이 주신 선물이기 때문에 악마가 싫어한다는 것이다. 루터는 자신을 추앙하는 사람들에게 가르쳐주었다. "우리의 노래와 시편만이 악마를 고통스럽게 하고 힘들게 할 수 있습니다. 우리가 내는 화와 짜증, 불평과 투덜거림, 한탄과 한숨은 악마를 아주 기쁘게 하는 일이므로 그때마다 악마는 주먹을 불끈 쥐고 회심의 미소를 짓습니다." 그러나 결국 악마를 이길 수 있는 것은 하나님의 손길이다. 악마가 잠을 방해하면 루터는 자기도 모르게 이렇게 외쳤다. "하나님께서는 (악마를 비롯해) 만물을 그의 발아래 두셨습니다"(히브리서 2:8의 개략적인 번역).

루터가 솔직히 인정했듯이 악마를 몰아내는 유일한 방법은 그리스도에 대한 믿음을 통해서였는데, 다음과 같이 크게 말하면 된다. "나는 세례 받았다. 나는 그리스도인이다."

그리고 온갖 방법을 써도 듣지 않으면 마지막으로 의지할 수단은 악마에게 엉덩이를 내보이며 방귀를 뀌는 것이다. 눈에는 눈, 악취에는 악취로 맞서는 것이다. "그러면 악마도 그쯤에서 중단할 것이다."

루터에게 독실한 삶을 산다는 것은 그렇게 자아 안에 있는 하나님과 악마 사이에서 벌어지는 매우 중요한 싸움에 언제나 진지하게 몰두하는 것이었다. 모든 그리스도인들이 사탄의 유혹과 꾐을 피할 수는 없다. 사탄의 존재를 인식하고 쫓아낼 전략을 세우는 것이 중요하다. 사탄은 죽음의 세력을 쥐고 있는 자(히브리서 2:14에서 사도 바울은 악마에게 그런 힘이 있다고 생각했다)일 뿐 아니라 모든 죄를 지어내고 사람들에게 가르치는 존재이기도 하다.

악마를 실재하는 것으로 만든 일, 즉 얼굴과 심지어 엉덩이까지 갖춘 존재로 형상화시킨 것은 루터의 신앙에 중요한 의미를 부여했다. 명백하고 집요하게 늘 존재하는 악을 믿게 됨으로써 신앙이 견고해진 것이다. 악마를 대수롭지 않게 여기고, 시대에 뒤떨어진 거의 우스꽝스러운 유령 정도로 일축하는 것은 신앙을 일방적인 지적 개념으로 축소시켜 격렬한 감정과 믿음의 힘이 결여되게 만든다. 악마가 없으면 신앙은 철학적 추상관념일 뿐이다.

루터는 이를 이렇게 표현했다. “악마가 우리 목을 묶게 두지 않으면 우리는 딱한 신학자에 지나지 않는다.”

나중에 바르트부르크를 떠나서 비텐베르크의 술집에서 동료들과 밤에 술 한 잔 기울이며 회의를 하는 편안한 와중에도 루터는 성가신 침입자를 쫓아내는 좀더 즐거운 방법을 추천했다. “한가득 채운 오래된 포도주 한 잔이 감각을 진정시키고 숙면을 부르며 악마에게서 도망치게 해주는 최고의 처방이다.” 이는 물론 건배와 함께 술잔을 들어 올리며 했던 말이다. 그리고 맥주를 마실 때에는 잔을 힘껏 들어 올리며 말했다. “악마를 납작하게 해줄 맥주병에 건배!”

루터가 바르트부르크에 머물렀다는 사실을 가장 생생히 보여주는 상징으로는 그의 수수한 방 벽에 남아 있는 잉크 자국을 꼽을 수 있다. 그

잉크 자국은 수백 년 동안 보존되어 왔는데, 루터의 삶에서 가장 격렬했던 이 시기를 깊이 느껴보려고 찾아오는 방문객들을 위해 루터의 전설을 지키는 관리인들에 의해 해가 갈수록 오히려 더 선명해지는 것 같다.

어떻게 해서 벽에 잉크 자국이 생기게 되었는지에 대해서는 여러 가지 설이 있다. 제일 잘 알려진 이야기는 루터가 실제로 악마와 격투를 벌였다는 내용인데, 뚱뚱하고 더러운 가톨릭 신자로 변장한 악마와 드잡이를 하다가 중요한 순간에 잉크병을 악마에게 내던졌다고 한다. 그러나 좀더 그럴듯한 이야기는 악마가 파리로 변한 내용이다. 루터의 말에 따르면, 논문을 쓰거나 성서를 번역하면서 책상에 앉아 있을 때 파리 한 마리가 밤낮으로 귀찮게 굴었다. 루터는 그것이 악마임을 알고 있었다. 곤충은 루터가 보고 있던 성경의 여백에 앉아 있다가 마치 "나, 여기 있었다!"라고 말하듯 더러운 얼룩을 남기는 것을 좋아했기 때문이다. 그리고 루터 생각에는 그것이 바로 악마의 수법이었다. 악마는 순수하고 순진한 마음을 찾아내 그 위에 똬리를 틀고 망가뜨린다.

어느 날 밤에 공부를 끝내고 촛불을 끄자 악마는 루터가 선물로 받은 견과류 자루를 흔들며 자신의 존재를 알렸다. "저리 가지 못해!" 루터가 소리치니 귀찮은 파리는 귓전으로 다가와 윙윙거리기 시작했다. 그러자 화가 난 루터가 잉크병을 집어 파리에게 던졌고, 그 바람에 잉크가 벽에 튀어 저 유명한 자국이 생겨나게 된 것이다.

바르트부르크에 유폐되었던 시절로부터 15년 후에 루터는 차분히 앉아 그날 밤 악마와 나누었던 오랜 비밀회의의 기억을 떠올렸거나 어쩌면 상상했다. 악마와 나눈 이 대담에서 루터는 신앙과 종교 의식의 중요한 요점에 대해 악마와 논의했다고 주장했다. 아이러니하게도 악마와 대면하는 동안 적극적이고 설득력 있는 악마에게 기가 죽어 루터 자신은 나약하고 우유부단한 모습이었다고 한다. 루터는 당당한 말투의 화

악마(알브레히트 뒤러).
루터는 악마와의 싸움에 언제나
진지하게 임했다. 그에게 악마는
신앙을 견고히 하는 통로였다.
악마가 없으면 신앙은
철학적 추상관념일 뿐이었다.

신인 악마에게 공손하고 예의바르며 정중한 태도를 취했다.

악마가 먼저 말을 시작했다. "들어라, 학식이 높은 박사여, 15년 동안 네가 매일 개인 미사를 드려온 걸 알고 있겠지. 그런데 그런 미사가 끔찍한 우상숭배였다면 어떻게 할 건가? 예수 그리스도의 몸과 피가 실재하지 않는다면, 그리고 다른 사람들이 그저 빵과 포도주에 불과한 것을 숭배하게 만들고 있는 거라면?"

"나는 임명된 사제다. 주교로부터 직접 도유*와 서품을 받았다. 나는 마땅히 복종하여 상급 성직자들이 명령하는 것은 모두 다 했다. 엄숙하게 예수 그리스도의 말씀을 선포하고 있는데 무슨 연유로 빵과 포도주

* 도유(塗油): 거룩하게 구별하기 위해 사물이나 사람에게 성유를 바르는 것. 세례나 사제 서품시 이마에 기름을 바른다.

를 축성하면 안 된단 말인가?"

"모두 맞는 말이다. 투르크인들과 이교도들도 자기네 신전에서는 상급 성직자들에 복종하여 모든 것을 행하고 자기네 종교의식을 엄숙하게 거행한다. 우상을 섬기는 여로보암의 사제들(열왕기상 12:31) 역시 예루살렘의 참된 사제들에 맞서 온 마음을 다해 열심히 모든 것을 행한다. 너의 성직 서임과 서품이 투르크와 사마리아의 사제들처럼 그릇된 것이라면, 그리고 네가 드리는 경배가 그들의 경배처럼 잘못되고 불경한 것이라면?"

그러더니 악마는 루터에게 개인적 공격을 가하기 시작했다. 그 일은 루터가 14년 동안 해오고 있는 것이기 때문에 가톨릭 신앙의 핵심이기도 했다. 악마는 루터가 예수 그리스도를 잘못 증거하고 있다고, 즉 영성체를 거행하는 것은 적그리스도가 좋아할 만한 불경한 흉내일 뿐이라고 공격의 포문을 열었다. 그리고 한층 신랄하게도 루터가 사제로 성별될 자격이 있었는지 물고 늘어졌다. 사제로 서품되던 순간에 루터가 그리스도를 엄격한 심판자로만 생각할 뿐 정작 예수 그리스도를 제대로 알지 못했다고 악마는 주장했다. 그렇게 함으로써 그리스도에게서 자비를 베풀 수 있는 힘은 빼고 영광만을 탐하게 되었다고 했다. 루터라고 해서 이교도인 투르크인들과 다를 게 하나도 없다고 악마는 조롱했다. "그러므로 너는 그리스도인이 아니라 이교도로서 도유 받고 삭발했으며 미사를 드려온 것이다."

이어서 악마는 성체성사 문제로 방향을 돌려 루터와 다른 사제들이 홀로 개인 미사를 드리는 방식이 잘못되었다며 경멸했다. 개인 미사는 그 자체로 미사이자 제사일 뿐 많은 사람들을 위한 미사가 아닌 배타적이고 개인적인 행위에 불과하기 때문이었다. 그러므로 개인 미사에 '친교'는 전혀 없고 사사로운 허영심만 있을 뿐이었다. 악마는 계속해서 놀렸다. "어쨌든 너는 어느 부류의 사제지? 교회를 위해서가 아니라 너 자신을 위해서 사제가 된 것인가? 너는 휘파람을 불듯 이 사이로 이렇게 내뱉지. '너희는 나를 기억하여 이를 행하여라.'* 그것은 너 혼자만을 위한 말들이지. 이 쓸모없고 믿음 없는 수도자여, 상황이 이런데도 네가 사제로 서임되었다고 할 수 있는가?"

그러므로 성사들도 엉터리였다. 제대로 권한도 없으면서 주제넘게 참견이나 하는 사제 없이 사람들이 스스로 세례 받지 못할 이유가 어디 있느냐고 악마는 주장했다. 사제들이 스스로 신품성사를 하거나 연인들이 스스로 혼인성사를 하고, 죽어가는 사람들이 스스로 종부성사를 하는 것이 어떻단 말인가?

루터는 악마에게 반박하기 위해 교황권에 맞서는데 썼던 무기를 사용해 간신히 대답했다. 자신은 교회의 미사를 집전함으로써 교회의 목적을 지키고 있는 거라고 말이다. 이 답변에 악마는 격렬하게 맞받았다. "사악한 신자가 예수 그리스도의 제단에 서서 교회의 성사를 선포할 수 있다고 도대체 어디에 씌어 있단 말인가? 오, 뻔뻔하기 그지없군! 너는 어둠 속에서 이런 짓거리들을 하지. 교회의 목적을 핑계로 너의 무례한 행위들을 변명하고 싶겠지. 네가 교회의 목적을 어떻게 알 수 있지? 그러니, 이 불경한 자여, 너의 잘못과 불신앙을 은폐하기 위해 예수 그리스도의 이름을 이용하고 있는 것 아닌가?"

* 미사의 가장 중요한 부분인 성찬전례에 나오는 성찬 제정과 축성문이다. "스스로 원하신 수난이 다가오자, 예수께서는 빵을 들고 감사를 드리신 다음, 쪼개어 제자들에게 주시며 말씀하셨나이다. '너희는 모두 이것을 받아먹어라. 이는 너희를 위하여 내어줄 내 몸이다.' 저녁을 잡수시고 같은 모양으로 잔을 들어 다시 감사를 드리신 다음, 제자들에게 주시며 말씀하셨나이다. '너희는 모두 이것을 받아 마셔라. 이는 새롭고 영원한 계약을 맺는 내 피의 잔이니 죄를 사하여 주려고 너희와 모든 이를 위하여 흘릴 피다. 너희는 나를 기억하여 이를 행하여라.'"

악마는 마지막 일격으로 루터에게 조롱을 퍼부었다. “너는 아무것도 축성하지 못했다. 다른 모든 이교도들과 마찬가지로 그저 빵과 포도주를 준 것뿐이지. 하나님을 능욕하고 수치스럽게 하는 부정거래로 너는 하나님과 예수 그리스도의 종이 아니라 단지 네 배를 불리기 위한 수단으로 그리스도인들에게 네 노동을 팔아온 것뿐이다. 도대체 그런 추태를 하늘에서고 땅에서고 들어본 적이 있느냐?”

이런 맹공 앞에서 루터는 기가 죽고, 변명하기에 급급하며 악마에게 진 것처럼 보였다. “악마는 거짓말을 일삼는 것이 맞다. 그러나 우리를 비난할 때는 거짓말을 하지 않는다. 그는 하나님의 법과 우리의 양심이라는 2중 증거를 가지고 싸우러 온다. 나는 내가 죄를 지었다는 것을 부인할 수 없다. 내 죄가 크다는 것 또한 부인할 수 없다. 내가 죽어서 지옥에 갈 정도로 죄인이라는 사실을 부인할 수 없다.”

적어도 그날 싸움에서는 루터를 저지하려는 악마의 노력이 승리를 거둔 것 같다. 악마는 루터에게 미사가 잘못됐으며 우상을 숭배하는 것이라고 설득했다. 설교와 단순한 신앙이 전례를 대신해야 했다. 1521년 8월 1일 루터는 멜란히톤에게 편지를 썼다. “이제 앞으로는 영원히 개인 미사를 드리지 않겠네.”

어떤 면에서는 바르트부르크에서 악마와 이러한 대화를 주고받음으로써 루터는 결국 자신을 복음사가인 사도 요한과 동일시하게 되었다. 요한계시록에 보면 밧모 섬에 유배되어 있던 요한에게 환시가 나타났던 것처럼 루터의 계시도 그가 세상에서 격리되어 있을 때에만 나타났다. 요한이 도미티아누스 황제의 그리스도 적대세력에 의해 추방되었던 것처럼 예언자 마르틴 루터도 도미티아누스의 계승자라고 할 수 있는 카를 5세에 의해 추방되었다. 그리스도가 돌아가시고 1세기에 예언 행위가 정치적 범죄로 낙인찍혀 억압되었듯이 루터의 시대에도 상황은 마찬가지였다. 요한의 환시가 견고한 로마제국의 힘에 균열을 냈듯이 루터의 계시 역시 새로운 로마제국의 힘에 균열을 내기 시작하여 본래의 신앙을 회복하도록 이끌 터였다.

루터는 그렇게 믿었고, 믿는 대로 되었다.

제9장

새로운 피조물

루터처럼 집착이 강하고 열정적이고 의욕이 넘치는 사람이 긴장을 풀고 고요히 숲 속에서 살아가는 기쁨에 젖어든다는 것은 놀라운 일이다. 루터가 아우구스티노 엄수 수도원에 있던 시절 이러한 사례가 딱 한 번 있었다. 당시 루터는 악마와의 싸움에서 스스로 벗어나 펜과 잉크도 내려놓은 채 성찰과 고행으로부터도 자유로운 순간을 누렸었다. 아주 짧은 동안의 휴식이었지만, 이 일화에서는 속세와 단절된 채 방안의 소박한 책상에서 무엇인가를 끼적대거나 창조와 믿음과 인간 본성에 대한 위대하고도 심오한 질문들을 사색하는 것 말고 다른 무엇인가를 하고 있는 루터의 모습이 나타난다. 루터는 늘 하던 일에서 벗어나 적어도 하루나 이틀은 가짜로 행세하고 있던 편력 기사처럼 행동했다.

친절하고 정중한 성주 한스 폰 베를렙쉬는 피보호자인 루터가 건장한 정치 망명객으로 보이게 하려고 애썼다. 8월 중순에 성주는 사냥을 하러

나가자고 융커 외르크를 설득했다. 길을 가다가 사람들과 마주치면 루터는 귀족들의 습관대로 수염을 쓰다듬고 언제라도 칼을 뽑아들 자세를 취하기로 했다. 일단 바깥세상 구경에 나서자, 루터의 호기심은 "무위도식하는" 사람들은 그렇게 빈둥거리며 어떻게 시간을 보내는지 궁금해졌다. 그는 "영웅들의 쓰고도 단 기쁨"을 체험하고 싶어졌다.

그리고 며칠 후 루터는 슈팔라틴에게 시골에서의 떠들썩한 놀이에서 느낀 기쁨과 연민을 자세히 묘사했다. 루터는 사냥에서 산토끼 두 마리와 자고새 몇 마리를 잡았다. 하지만 인간이 놓아둔 올가미나 사냥개에 아무 죄 없이 희생되기보다는 곰이나 늑대처럼 충분히 자신을 방어할 수 있는 더 큰 진짜 사냥감을 뒤쫓는다면 훨씬 즐겁고 공정한 시합이 되리라고 평가했다. 사냥꾼 무리는 살아 있는 작은 토끼를 잡아서 가짜 기사인 루터에게 주었고 루터는 그것을 즉시 애지중지 옷자락에 숨겼다. 그러나 사나운 사냥개가 냄새를 맡고는 루터의 외투를 이빨로 물어 찢은 후 숨어 있던 토끼를 죽여버렸다.

루터는 그답게 토끼의 죽음에서 비유를 찾아냈다. 그의 상상 속에 등장하는 곰과 늑대와 여우는 바로 사악한 교사들, 필연적으로 로마 교황청의 주교와 신학자들일 수밖에 없었다. 그들은 악마의 자식들로서 치명적인 무기로 무장하여 무방비 상태의 피조물과 죄 없는 영혼들을 사냥하는 자들이었다. 지옥이 바로 그들의 집이 될 것이었다. 루터는 슈팔라틴에게 말하길, 사냥을 즐기는 자들이야말로 천국에서는 모든 사냥꾼 중에 으뜸인 그리스도의 사냥감이 되리라고 했다. 오로지 예수 그리스도만이 자신의 외투 속에 숨겼던 작은 토끼처럼 세상의 모든 죄 없는 피조물을 잡아서 보호하고 구원할 수 있다.

루터는 처량한 어조로 썼다. "나는 이런 종류의 사냥은 구역질나네."

1521년 8월이 되기 훨씬 이전부터 루터는 엄밀한 주장을 강조하는 점잖은 학구적 담론이라는 안전한 터전을 벗어나 열정적이고 감정적인 선동을 활용해왔다. 루터를 헐뜯는 사람들은 그가 "눈부신 웅변으로 펼치는 독설"에 빠지고 말았다고 비난했다. 유창한 말로 변명하고 미칠 듯이 흥분해서 적어도 공개적으로는 모든 비판적 논리를 버렸다고 말이다. 그는 이제 대중을 상대로 말하며, 그나마 가톨릭과 맺고 있던 관계를 완전히 끊어버렸다. 한때는 이렇게 주장했다. "복음은 혼란·반감·반란 없이는 도입될 수 없다." 또 어떤 때는 이렇게 주장했다. "하나님의 말씀은 칼이요, 전쟁이요, 파괴며, 추문이고, 멸망이고, 독이다." 가톨릭 주교들과 추기경들과 사제들을 "온갖 종류의 무기로 공격해야 하며 그들의 피로 우리의 손을 씻어내야 할 것"이다.

물론, 이 무렵 루터는 자신의 악담에 전혀 사죄할 마음이 없었으며 쏟아질 비난에도 상관하지 않았다. 그는 자기를 헐뜯는 사람들에게 더 이상 자신의 가르침을 판단하는 "영광"을 허용하지 않기로 했다. "나는 심지어 천사라 할지라도 그 누구에게도 판단받지 않을 것이다." 그러나 루터는 교회의 교리를 판단할 권리를 가졌다. 그가 업신여기며 복종하지 않았으므로 교회는 그의 목숨을 빼앗으려 들 테지만, "당신네들은 내 이름도, 내 가르침도 망치지 못하리라. …… 나를 살려둔다면 당신네들은 나로 인해 골치가 아플 것이다. 그리고 나를 죽인다면 그보다 열 배는 더 골머리를 앓을 것이다."

만일 교회가 나를 계속 야생 멧돼지로 표현하고 싶다면 그렇게 하라지. 기꺼이 받아줄 테니. 루터는 구약의 호세아서에 있는 구절을 인용했다. "새끼 빼앗긴 암곰처럼 그들에게 달려들어, 염통을 갈기갈기 찢을 것이다. 암사자처럼, 그 자리에서 그들을 뜯어먹을 것이다"(13:8). 그리고 루터 자신도 마찬가지였다. 시골로 사냥 나갔을 때 떠올랐던 사냥꾼과 사냥감의 비유가 다시 생각나 이렇게 말했다. "호세아가 말하듯이 나도 길 위의 곰과 거리의 사자가 될 것이다."

바르트부르크에 있는 동안 루터의 혁명적 에너지는 점점 더 활활 타올랐다. 사람들은 루터의 목적이 로마 가톨릭교회의 전체 체계를 붕괴시키는 데 있다고 비판했다. 루터는 라틴어와 독일어로 각각 펴낸 소책자 『교황과 주교들이 잘못 알고 있는 영적 상태에 반박하여』에서 이러한 비난에 대해 반박했다. "그들은 '영적 왕국에 반란이 일어날지 모른다는 두려움이 있다'고 말한다. 그에 대해 나는 이렇게 대답한다. '영혼들이 영원히 도륙당하는 것이 과연 정당한가, 저 멍청이들이 조용히 즐기고 있는 것이 옳단 말인가? 이 허수아비들이 망친 모든 영혼들은 말할 것도 없고 한 영혼이 죽는 것보다는 모든 주교들이 죽임을 당하고, 모든 종교기관과 수도원이 완전히 파괴되는 것이 낫다.' 다른 사람들의 땀과 노동을 착취하고 욕망에 사로잡혀 살아가면서 하나님의 말씀을 방해하기만 할 뿐 그들이 무슨 소용이 있단 말인가?"

1522년 마침내 소책자가 출간되자 교회는 "그의 독설은 누구도 넘보지 못할 정도로 극에 달했다"는 반응을 보였다.

그 책은 도발적이고, 귀에 거슬리며, 거칠고 단호한 혁명가로서 루터의 공적인 모습을 적나라하게 보여준다. 비평가든 당국이든 자기에게 도전하는 자는 누구든 서슴지 않고 공격했다. 그러나 자기 방안에 있을 때 루터의 주된 관심사는 학문과 가르침이었다. 8월 초 루터는 5월에 바르트부르크에 도착했을 때 명확히 밝혔던 것처럼 처음의 계획을 다시 시작했다. 라틴어로 써놓았던 전례 시기별 강론을 번역함으로써 대림과 성탄에 집중하고 어쩌면 새로운 원고를 쓸 수도 있는 일이었다. 전반적인 계획은 대림 4주간과 이후의 중요한 축일들, 즉 12월 25일 성탄대축일, 12월 26일 성 스테파노 첫 순교자 축일, 12월 27일 성 요한 축일, 새해 첫날, 주님공현대축일*을 위한 강론을 준비하는 것이었다. 이 과정에서 루터는 성서 원문을 독일 민중의 언어로 설명하려고 애쓰게 된다.

그러나 그 계획은 간헐적으로 진행되었다.

6월에는 성탄 전야 강론 글을 끝냈는데, 해당 성서 말씀은 디도서였다. "그 은총은 우리를 교육하여, 불경건함과 속된 정욕을 버리고, 지금 이 세상에서 신중하고 의롭고 경건하게 살게 합니다. 또 그것은 우리로 하여금 복된 소망을 갖게 합니다. 곧 위대하신 하나님과 우리의 구주이신 예수 그리스도의 영광이 나타나기를 기다리게 합니다. 그리스도께서는 우리를 위하여 자기 몸을 내주셨습니다. 그것은, 우리를 모든 불법에서 속량하시고 깨끗하게 하셔서, 선한 일에 열심을 내는 당신의 백성이 되게 하시려는 것입니다"(2:12~14). 6월 10일에는 이 글을 인쇄하도록 보냈지만 더 포괄적인 계획은 미루어두었다가 8월이 되어서야 다시 시작하게 된다.

비록 루터 자신은 당시에는 의식하지 못했겠지만 라틴어로 된 복음을 발췌하여 구어체 독일어로 번역하는 데 집중하다보니 그의 최고 걸작인 성서 번역을 준비하는 과정이 되었다. 11월에는 성탄절 강론을 완성하여 출간하도록 보냈다. 그러나 전례력으로는 먼저 시작됨에도 불구하고 대림 주간을 위한 강론들은 다음해로 접어들 때까지 완성하지 못했다.

성탄절 강론을 위해 준비한 이 작품은 바르트부르크 난외주로 알려지

---

* 세 동방 박사가 구세주께서 탄생하심을 알고 별의 인도로 아기 예수님을 찾아가 경배한 사건을 경축하는 날이다. 공현(公現)은 구세주이신 예수 그리스도 탄생이 공적으로 드러났음을 의미한다. 그리스도교 초기에는 태양신 탄생 축일(동지)을 예수 성탄일로 지냈다. 동지가 각각 다르다보니 서방교회는 12월 25일, 이집트를 포함한 동방교회에서는 1월 6일을 성탄일로 지냈다. 그러다 4세기 말 동방교회의 성탄일이 서방교회에 전해지면서 혼동이 생겼다. 그래서 혼동을 막고 성탄과 공현을 구분하고자 예수 성탄 대축일은 12월 25일에, 주님공현대축일은 1월 6일로 나눠 지내게 됐다.

게 되었다. '난외주'라는 말은 라틴어 'post illa verba textus'(성서의 이 말씀 뒤에)라는 말에서 유래했다. 최초의 난외주는 9세기에 샤를마뉴 대제의 명령으로 만들어졌지만, 루터의 난외주가 그때까지 쓰인 것 중에 가장 유명한 것이 되었다. 이러한 난외주 작업을 통해 번역 작업에도 시동이 걸려 순조롭게 진행되었다.

가을이 가까워오자 루터는 다시 커다란 육체적 고통에 시달렸다. 9월 9일은 특히 끔찍한 날이었다. 엿새 동안 위통이 점점 심해져 고생하고 있었다. 거기다 치질의 상처도 성이 났다. 루터는 슈팔라틴에게 하소연하는 편지를 보냈다. "몸이 너무 좋지 않아 정신적으로도 흐리멍덩하고 맥이 빠져서 아무 느낌이 없다네. 오늘 치질 부위를 도려냈더니 거의 죽을 지경이라네. 지금 앉아 있기는 한데 아이를 해산한 것처럼 상처가 욱신거려서 제대로 잘 수도 없을 것 같군. 좀더 살살 제거했더라면 이토록 아프지는 않았겠지. 하지만 사흘 동안 좀 가라앉았던 것이 환부를 도려내는 바람에 다시 성이 나고 말았어." 루터는 그 상황이 악마가 자기를 괴롭히고 주님이 자신을 시험하는 또 다른 표징이라고 생각했다. "이 편지를 쓰는 건 동정을 바라서가 아니라 나를 축하해주었으면 하네. 내가 영적으로 뜨거워질 수 있는 합당한 자격을 갖출 수 있게 기도해주게."

같은 날, 루터는 멜란히톤에게도 편지를 보내어 교황과 신성로마제국으로부터 냉대를 받는 상황을 고려해볼 때 자신의 성직자 신분이 유효할지 물었다. 자신이 아직 성서학자라고 할 수 있을까, 아니면 이제 더는 스스로 성직자라고 부를 권리가 없을까? 사제로서 서약한 것은 이제 무효일까? 자신이 정말 레오 10세의 파문 교서에서 부른 대로 '야생 멧돼지'일까? 공적인 지위를 잃어버리자 루터는 분명 빈정대는 어투로 이렇게 말했다. "짐 자루를 잃어버린 당나귀처럼 당황스럽군."

그날 멜란히톤·슈팔라틴·암스도르프에게 각각 보내는 편지에서 루터는 자신의 손상된 상태의 사제 서약을 정돈하는 과정에서 스스로 명명한 "서약의 예속"의 논리적 근거를 세워나갔다. 만약 서약을 지키는 것이 불가능해진다면 서약이 무효가 될까, 아니면 더 나쁘게 신을 모독하는 위선적 행위가 될까? 예를 들어 혼인한 부부가 잘 살 수 없다면, 그것으로 혼인서약 자체가 무효가 되어 이혼이 받아들여질 뿐 아니라 당연히 해야 하는 일이 되어야 하지 않을까? 아니면 좀더 신랄한 예로, 수사가 독신 서약을 이행할 수 없다면 그 서약이 무효가 될까?

그러다 갑자기 자신의 체험이 생각났다. 루터는 수년 전 끔찍한 천둥이 치던 날 밤 젊은 자신이 수도사가 되겠다고 남몰래 맹세했을 때 아버지 한스 루터가 분노했던 사실을 멜란히톤에게 상기시켰다. 당시 아버지는 루터의 성급한 결정이 악마가 부추긴 망상이 아닌지 의심했었다. 그 말이 깊이 걸렸으므로 루터는 늘 잊지 않고 있었다. 스스로 인정했듯이 그것은 "지독한 양심의 가책을" 주었다.

서약의 효력에 대한 문제 제기는 비텐베르크에서 반향을 일으켰다. 아우구스티노 수도회 수사들은 점점 더 동요했고, 카를슈타트와 멜란히톤 같은 대학교수와 격렬한 논쟁을 벌였다. 7월에 루터는 돈을 받고 집전하는 개인 미사는 우상숭배라고 주장했고, 10월 초에는 가브리엘 츠빌링이 주도하는 가운데 40명의 아우구스티노 수사들 가운데 39명이 개인 미사를 거부하겠다고 정식으로 공표했다. 츠빌링은 개인 미사를 "악마의 관습"이라고 불렀고, 루터의 지인이자 교회법 전문가였던 유스투스 요나스는 죽은 사람을 위한 연미사는 영혼에게 신성모독을 저지르는 짓이라고 주장했다. 7월에 카를슈타트는 영성체에서 신자들에게 빵만 주고 포도주는 주지 않는 미사는 죄라고 주장했다. 루터는 그렇게까지 과격하게 나아갈 생각은 없었으므로 처음부터 동의하지 않았다. 루터가 생각하기에 평신도들은 성혈(포도주)을 거부한 가해자가 아니라 피해자였다.

10월 초 츠빌링은 성체를 공경하는 개념을 공격했고 위험스럽게도 축성된 빵과 포도주에는 그리스도가 현존하지 않는다고 주장하기에 이르렀다. 비슷한 무렵에 성 앙투안 구호형제회*의 순회사절단이 비텐베르크를 방문하여 목수이신 예수님을 본받아 자신들이 복종·정결·침묵·기도·청빈·노동에 서원하는 모습을 선보였다. 그러나 츠빌링은 일군의 무리를 이끌고 와서 그들을 괴롭히고 모욕했다. 멜란히톤과 카를슈타트는 미사가 남용되고 있다고 주장하는 아우구스티노 수도회 수사들의 견해에 철학적으로 동의하긴 했지만 흥분을 가라앉혀 온화한 지적 담론의 선에서 대화를 유지하려 했다. 그러나 혼란스러운 결과만 낳았다.

사태가 심각해지자 프리드리히 선제후는 우려의 시선으로 지켜보았고 미사 쇄신에 반대하는 명령을 내림으로써 개혁의 속도를 늦추려고 했다. 그러나 그의 요구는 무시되었다. 11월 둘째 주가 되자 13명의 수도사가 수도복을 벗어던지고 수도원에서 도망쳤다. 츠빌링은 꾀병을 부리는 수사들을 꾸짖고 비웃었고, 곧 더 많은 수사들이 수도원을 떠나갔다.

멀리 떨어진 바르트부르크에서 루터는 사태가 급박하게 돌아가는 것을 당황스럽게 지켜볼 수밖에 없었다. 그는 수사들이 충분한 근거 없이 맹세를 저버리고 있으며, 나중에는 이것이 양심의 가책이 되리라 보고 걱정했다. 11월 1일 아우구스티노 수도회 수사들에게 편지를 써서 자신들의 개혁운동은 교회를 쇄신하려는 것이지 파괴하거나 저버리려는 것이 아니라고 강조했다. 루터는 여전히 가톨릭 내부에서의 개혁에 전념하고 있었던 것이다. 미사는 제대로 드리기만 한다면 복음의 가르침에

* 1039년 프랑스 도피네의 귀족 가스통 드 발루아가 설립했고 1247년 교황 우르바누스 2세가 승인한 수도회. 호밀의 이삭에 핀 곰팡이를 먹어서 걸리는 맥각중독을 앓았던 가스통이 안토니오 성인의 유물에 기도하고 나서 치유된 경험을 계기로 설립했다. 14세기 흑사병 창궐 당시 환자들을 돌봄으로써 급속히 불어났다.

합당하게 드릴 수 있었다. 그는 로마서 12장 1절에서 2절까지의 구절을 인용하여 성직의 위계가 없는 만인사제직 개념을 다시 상기시켰다. "여러분의 몸을 하나님께서 기뻐하실 거룩한 산 제물로 드리십시오. 이것이 여러분이 드릴 합당한 예배입니다. 여러분은 이 시대의 풍조를 본받지 말고, 마음을 새롭게 함으로 변화를 받아서, 하나님이 기뻐하시는 선하고 완전하신 뜻이 무엇인지를 분별하도록 하십시오."

11월 22일, 루터는 슈팔라틴에게 보내는 편지에서 다시 한 번 우려하는 마음을 나타냈다. 수도복을 벗어던진 수사들에 대해서 "양심에 충분히 비추어보지 않고 이러한 짓을 저질렀다"고 썼다. 루터는 그들이 "스스로에게 좀더 솔직해지기"를 바랐다. "수도생활의 서원은 오로지 한 가지 이유에서만 규탄하는 것이 분명했다. 그 한 가지 이유란 바로 수도원에서 하나님의 말씀을 다루지 않는다는 점이다. 그곳은 순전히 인간의 거짓말만이 지배하고 있다."

그동안 루터는, 뻔뻔스럽게도 면벌부를 또 판매하려는 시도가 있음을 알게 되었다. 작센의 도시 할레에서 마인츠 대주교 알브레히트의 허가가 떨어졌다. 알브레히트는 그 면벌부 장사의 배후에서 농간을 부리고 있었을 뿐 아니라 돈을 긁어모으기 위한 교묘한 계책을 내놓았다. 죄를 지은 사람들은 돈을 내고 대주교의 놀라운 성유물 수집품을 경배할 수 있고, 그렇게 경배하면 연옥에 머무는 날을 줄일 수 있다고 현혹했다. 루터는 훌륭하신 대주교가 현금을 벌어들이는 데 도움이 될 만한 몇 가지 새로운 성유물을 제시하며 그 계략을 비웃었다. 시내 산의 불타는 떨기나무 불꽃 세 개, 베엘제불의 수염 몇 가닥, 성령의 깃털 두 개와 알 하나, 가브리엘 대천사의 날개 반쪽, 시내 산의 나팔소리 서른 번, 다윗 왕의 수금에서 가져온 줄[絃] 다섯 개, 엘리야가 호렙 산의 동굴에서 밤을 지낼 때 여호와가 지나가시며 일으킨 바람 일 파운드도 성유물에 포함시키면 도움이 될 거라고 비아냥거렸다.

그러나 할레의 새로운 면벌부 판매는 웃어넘길 일이 아니었고 루터는 분노했다. 그의 기질대로 몹시 격앙되어 비난의 글을 쏟아냈다. 그런데 얼마 지나지 않아 이 글과 선동적인 다른 소책자들 몇 권도 아직 출간되지 않은 사실을 알게 되었다. 미사의 남용과 수도사의 독신에 대한 이 소책자들을 슈팔라틴에게 보냈지만 결과물은 감감무소식이었다. 곧 알게 되었지만 인쇄가 지연되고 있었던 이유는 루터의 그 과격한 글들로 더 큰 소동이 일어나는 것을 원치 않았던 프리드리히 선제후가 출간을 금지시켰기 때문이다.

이 사실을 모른 채 루터는 11월 12일 슈팔라틴에게 항의하는 편지를 보냈다. "그렇게 출간을 금지시키다니 가만있지 않겠네. 자네와 대공, 모두를 잃더라도 말이야. 교황한테도 굴하지 않았는데 이 작자에게 굽혀야 할 이유가 뭐가 있겠나? 대중의 평화를 어지럽히지 않아야 한다고 말하는 것도 좋지만 전벌을 받아 마땅한 이 불경스러운 작태로 하나님의 영원한 평화를 어지럽히는 것을 가만히 보고만 있을 텐가? 보통 사람들 사이에서 우리의 평판이 나빠질까봐 신경 쓰면 안 된다네. 그리스도와 사도들께서는 사람 마음에 들려고 행동하지 않으셨다는 사실을 알고 있지 않은가. 우리는 잘못된 행동으로 비난받는 것이 아니라 불신앙을 경멸했다고 비난받고 있는 것 아닌가. 우리들 가운데 일부가 정도를 넘어서는 죄를 짓는다고 해서 복음이 무너지지는 않을 걸세."

그 무렵 루터는 마치 죽음이 얼마 남지 않은 사람처럼 미친 듯이 계속 글을 써내려갔다. 『수도서원에 대하여』(*On Monastic Vows*)라는 소책자를 써서 아버지에게 헌정하기도 했다. (한스 루터는 이제 예순두 살이었고 만스펠트에서 살고 있었다.) 헌정사에는 루터가 이제까지 쓴 것 가운데 가장 감동적인 말들이 담겨 있었는데, 그 이유는 수도자가 되기로 결심한 후에 관계가 소원해졌지만 이제는 화해하게 된 아버지에게 바치는 글이었기 때문이다.

그는 16년 전에 그 결정이 이루어진 상황을 되돌아보았다. 그것은 슈토테른하임에서 무시무시한 천둥이 내리치는 와중에 두려움에 사로잡혀 충동적으로 이루어졌으므로 아버지는 알지도 못했고 의지에 반하는 것이기도 했다는 사실을 깨달았다. 루터는 아버지가 했던 말을 떠올렸다. "이것이 사탄이 꾸며낸 망상이 아니길 바란다." 그 말은 아버지가 했던 또 다른 말처럼 그의 영혼 깊숙이 들어가 박혔다. "부모님께 순종해야 한다는 말은 들리지 않았더냐?"

이제 돌연 루터는 수도사가 되려는 당시의 결정이 잘못되었다고 주장했다. 그것은 아버지의 권위를 거스르는 죄였고 자유롭게 또는 자발적으로 이루어진 결정도 아니었다. 흥분한 젊은이의 두려움과 미신에서 비롯된 행동이었다. 그 결과 사탄의 주요 표적이 된 것이다. 사탄이 끊임없이 자신을 파멸시키고 훼방놓은 것으로 보건대, 때로는 사탄이 온 세상에서 유일하게 자기만 뒤쫓고 있는 것은 아닌지 의문이 들 정도였다.

돌이켜 생각하며 루터는 스스로에게 물었다. "아버지는 여전히 나를 수도원에서 빼내려 할까? 사실상 주님께서 아버지의 뜻을 이루셨군. 주님께서 나를 친히 빼내셨다. 내가 수도생활을 계속하거나 그만두거나 무슨 차이가 있단 말인가?" 루터는 이제 양심이 홀가분해졌다. 그것은 완전한 해방감이었다. "나는 여전히 수도자이기도 하고 아니기도 하다. 나는 이제 교황의 사람이 아닌 그리스도의 새로운 피조물이 되었다."

1521년 가을과 초겨울에는 비텐베르크와 작센 주의 많은 지역에 흑사병이 다시 돌았다. 역병이 돌게 된 원인으로는 막연히 악령 때문에, 또는 거리가 불결하여, 유독한 안개 때문에 또는 악마 때문이라는 소문이

헤라클레스로 묘사된 루터(한스 홀바인 2세, 1523).
가톨릭교회라는 거대한 기둥을 무너뜨리는 루터를 표현했다.
오캄주의자들, 아리스토텔레스주의자들, 가톨릭 신자들을
물리치고 있다.

돌았다. (19세기까지는 흑사병의 원인이 감염된 쥐와 벼룩 때문이라는 사실을 아직 확실히 알지 못했다.)

바르트부르크에서 건강하게 휴식을 취하고 있던 루터는 전염병이 매우 위험한 수준이라는 소식을 전해 들었다. 선페스트의 효력은 끔찍했다. 그것은 림프절을 공격하여 팔 아래와 사타구니 부위가 기괴하게 부풀어 오르게 만들며 구토와 떨림, 호흡 곤란, 고열에 시달리다가 죽음에 이르게 한다. 비록 질병에 관해 묘사하지는 않았지만 틀림없이 루터는 사랑하는 고향의 거리에 부풀어 오른 시신들이 널린 모습과, 그 가운데에는 친구들도 있으리라 상상할 수 있었다. 개중에는 밖에 나오기 두려워 집에만 있다가 희생된 사람의 시신이 나중에 심하게 부패되어 악취 때문에 발견되는 경우도 있었다.

상상력이 풍부했던 루터는 위태로운 개혁운동을 지키고 있는 수호자이자 가장 아끼는 필리프 멜란히톤의 건강을 특히 염려했다. 그래서 10월 7일 슈팔라틴에게 편지를 써서 부탁했다. "만일 흑사병이 비텐베르크에도 돈다면 필리프가 그곳에 있지 못하도록 해주길 바라네. 영혼의 구원을 위해 주님께서 그에게 맡기신 말씀을 보존하려면 그의 목숨이 꼭 붙어 있어야 한단 말일세." 그러한 염려에도 불구하고 멜란히톤은 프리드리히 선제후가 11월 20일 대학에 소개령을 내린 후에도 떠나지 않고 남아 있었다.

그러나 1505년에 흑사병이 찾아왔을 때 그랬던 것처럼 많은 사람들이 비텐베르크를 등진 반면에, 흑사병에서 보호해준다고 생각되었던 3세기의 성 세바스티아누스와 14세기의 성 로코에게 기도를 올리는 사람들도 있었다. 1505년에 흑사병이 창궐할 당시 루카스 크라나흐는 흑사병을 묘사한 「그리스도의 심장」(A Christian Heart)이라 불리는 그림을 그렸는데 그림 속에는 비텐베르크의 첨탑들이 늘어선 앞에 무릎을 꿇고 있는 두 성인이 그려져 있다.

4년 후 루터는 그리스도인이 흑사병을 피해서 달아나는 것이 도덕적으로 합당한지에 대한 문제를 정식으로 제기했다. 마가복음 16장 18절과 요한복음 10장 11절의 말씀을 근거로 믿음이 강한 사람들은 떠나지 않으리라 말했다. 손으로 뱀을 집어 들고 독을 마셔도 아무런 해도 입지 않는 신자는 "선한 목자는 양을 위하여 자기 목숨을 버린다. 삯꾼은 목자가 아니요, 양도 자기의 것이 아니므로, 이리가 오는 것을 보면, 양들을 버리고 달아난다"(요한복음 10:11~12)는 예수님의 명령을 따를 터였다. 공적 지위에 있는 사람들, 병자나 곤궁한 사람들이나 고아들을 돌봐야 하는 사람들, 이웃에 대한 책무가 있는 사람들은 남아 있을 의무가 있다. 하지만 그러한 의무에 매어 있지 않다면 피난 가는 일 그 자체가 잘못은 아니다. 오히려 이웃에게 해를 끼치지 않을 수 있다면 죽음을 피해 목숨을 보존하는 것이 당연한 일이었다. 어떤 약이나 보호를 받을 수 있다면 받아야 했다. 그렇지 않고 경솔하게 병에 노출되는 것은 일종의 자살이나 마찬가지였다. 그러므로 피난 가는 사람들이 비난받을 이유는 없었다.

"전염병이야말로 나무와 장작 대신에 생명과 몸을 먹어치우는 불길이 아니고 무엇이겠는가?"

다른 사람들에게 병을 옮기는 것에 전혀 신경 쓰지 않거나 혹은 악랄하게도 다른 사람에게 병을 옮기면 자신의 병세가 누그러지리라 생각해 순전히 악의적인 의도에서 고의로 다른 사람들과 접촉하는 감염자를 가장 심하게 질타했다.

"만일 그런 사람들이 눈에 띈다면 판사들은 계획적이고 노골적인 살인범으로 판결하여 형 집행인에게 당장 넘겨 사형에 처해야 한다."

제10장

비밀 사명

11월 말 루터는 일촉즉발의 비텐베르크 상황을 알아봐야 한다고 결심했다. 거기에는 그럴 만한 충분한 이유가 있었다. 12월 초 에르푸르트에서 한 무리의 학생들과 주민들이 시 교회에서 진행되고 있던 미사를 방해하며 사제들을 제단에서 끌어내리고 모든 기도서들을 빼앗았다. 다음 날에는 "제멋대로 날뛰는 무지한 루터 추종자들"로 묘사된 40명의 학생들이 프란치스코 수도원을 습격해 제단을 파괴하고 수도원의 규범이 적힌 창을 부수었다. 시 당국이 그 자리에 있었지만 아무런 조치도 취하지 않았다. 이 소요 소식을 전해들은 프리드리히 선제후는 사태를 진정시키기 위해 대처했다.

1521년 12월 5일 루터는 바르트부르크에서 몰래 빠져나와 비텐베르크로 향했다. 남자 시종 한 사람만 대동한 채 라이프치히로 먼저 갔다. 그곳 여인숙에서 하룻밤을 묵은 뒤에 비텐베르크의 든든한 지원자 니콜

95개조 논제가 내걸릴 당시의 비텐베르크 성 교회(루카스 크라나흐, 1509).
크라나흐의 웅장한 제단화가 있는 곳으로 유명하다.

라스 폰 암스도르프의 집으로 향했다.

베를린에서 남서쪽으로 100킬로미터 정도 떨어진 비텐베르크는 당시 프로이센의 작은 공국 작센-비텐베르크 공국의 중심지였다. 도시는 보도가 깔린 좁은 길과 목재 골조로 된 집들이 특징이었다. 주요 역사적 명소로는 루터가 교황의 파문 교서를 불태운 엘스터 성문, 1281년에 건설되고 쌍둥이 망루를 갖춘 성모 마리아 교회(시립교회), 높이 솟은 웅장한 망루가 있는 성(城) 교회(제국교회)를 꼽을 수 있는데, 특히 성 교회는 사도상으로 장식된 헤르만 비셔의 세례반, 최후의 만찬과 주님의 세례와 신앙고백을 그린 크라나흐의 웅장한 제단화로 유명하다. 1500년대로 접어들 무렵 비텐베르크는 인구가 2천 3백 명에 불과했지만 1520년대 무렵에는 위대한 종교개혁가의 발치에서 공부하길 원하는 학생들이 독일 전역에서 몰려들었으므로 인구수가 두 배로 늘었다.

예상된 일이지만, 도시가 성장하면서 일반 시민과 대학생들 사이에 갈등이 커졌다. 1520~1521학년도에 일반 시민과 대학생들 사이에 싸움이 벌어지면서 사태가 걷잡을 수 없이 커졌다. 학생들은 단검 소지 금지를 무시했는데, 이를 엄격히 강화하자 주민들이 자신들을 늘 괴롭힌다고 불평했다. 루카스 크라나흐의 북적대는 화실에 드나드는 중견 화가들이 특히 비난을 받았다. 그들은 아마도 크라나흐의 묵인하에 작업복 아래에 무기를 갖고 다니는 것으로 알려져 있었기 때문이다. 보름스로 떠나기 전 미사 강론 중에 루터는 규칙을 따르지 않는 학생들에 반대하는 말을 하지 않을 수 없었다.

신분을 숨긴 채 집에서 며칠 지내며 루터는 멜란히톤과 크라나흐를 비롯해 옛 친구들을 만났다. 친밀한 관계를 다시 회복하고 개혁운동과 사태의 추이에 대해 긴 대화를 나누었다. 고향에서 은밀하게 보낸 이 일주일 동안 크라나흐는 루터를 기사 외르크로 표현한 저 유명한 초상화

(129쪽 참조)를 그렸다. 그림 속에 묘사된 루터의 모습은 비스듬히 응시하는 차분한 시선, 놀랄 만큼 맑은 눈, 다부진 체격을 보여주고 있다. 머리카락은 짧게 쳐내긴 했지만 숱이 많은 곱슬머리였고, 풍성한 구레나룻은 폭포처럼 흘러내려 팔자 콧수염과 양털처럼 풍성한 턱수염으로 이어졌다. 얼굴은 야위었고, 마치 변장한 것이 마뜩지 않다는 듯 눈빛이 강렬하다. 이 인물은 확실히 소홀히 대할 사람은 아니었다.

1622년에 그림을 완성하자 크라나흐는 하단에 라틴어로 몇 마디 추가했다.

> 예수님만이 나의 유일한 희망. 내가 그분과 함께하는 한
> 그분은 날 속이지 않으실 거라네. 믿을 수 없는 로마여 안녕.

이번 방문에서 루터는 자신의 "존재를 드러내지 않기 위해" 아우구스티노 수도회 근처에는 얼씬도 하지 않고 비텐베르크에 머물고 있다는 사실을 비밀로 하고 싶어했다. 또한 프리드리히 선제후의 궁정에 있는 지지자들을 위험에 빠뜨리지 않기 위해 그쪽 사람들과도 만나지 않았다. 그래도 도착하기 무섭게 슈팔라틴에게 편지를 써서 자신의 글들이 출간되지 않고 있는 것에 화를 냈다.

"누가 중간에서 원고를 가로챘거나 전달하는 사람이 어딘가에서 잃어버린 것이 아닌지 걱정스럽군." 루터는 슈팔라틴에게 핑계댈 구실을 주려는 듯 이렇게 운을 뗐다. "지금 내가 가장 알고 싶은 것은 자네가 그 원고들을 받았는지, 그리고 그대로 가지고 있는지 여부라네. 나는 이 작은 책들에서 가장 시급한 주제들을 다루었네. 자네가 그것들을 가지고 있다면, 제발 과감하게 행동해주기 바라네. 시대의 흐름을 거스른다면 아무것도 이루지 못한다네. 비텐베르크에서 출간하지 않아도 상관없으

니 아무데서라도 꼭 출판해주기 바라네." 그리고 마지막 말은 아예 경고조였다. "생명 없는 종이쪼가리 몇 장 없앤다고 해서 내 의지마저 꺾을 수는 없을 걸세. 만일 원고들을 잃어버렸거나 자네가 보류하고 있는 거라면 나는 몹시도 분통이 터져 이 문제들에 대해 이전보다 더욱 격하게 쓸 걸세."

슈팔라틴이 절친한 친구이자 매우 중요한 지지자이긴 해도 자신의 최대 보호자인 프리드리히 선제후와의 관계를 유지하기 위해서라도 선제후의 비서인 그를 너무 호되게 나무랄 수는 없었다. 여기저기서 혼란이 계속되고 있는 와중에 선제후가 복잡한 정치 문제까지 떠안게 되었으므로 이에 대해서는 루터도 곧 인정하게 된다. 그래서 12월 5일자 편지의 말미에서는 누그러진 태도를 보였다. "내가 듣고 보는 모든 것이 매우 기쁘다네. 주님께서 옳은 일을 하는 사람들의 용기를 굳건하게 해주시길 바라네."

안드레아스 카를슈타트와 의견 차이가 있었고 상황이 통제할 수 없게 될까봐 우려했는데도 루터는 자신이 없는 동안 그의 지휘 아래 진행되어온 개혁의 기본 원칙을 받아들인 것 같았다. 이제는 미사에서 평신도들도 성혈(포도주)을 영할 수 있게 되었고, 개인 미사는 근절되었다. 그리고 성화들은 교회에서 모두 치워졌고, 아우구스티노 수도사들은 떼를 지어 수도회를 떠났으며 심지어 독신생활과 수도서원에 대한 카를슈타트의 선동적인 견해도 잘 받아들여졌다. 암스도르프의 집 거실에서 상세한 내용을 전해 듣자 루터는 적어도 당분간은 잠잠해졌다.

그럼에도 불구하고 루터는 슈팔라틴에게 "우리 가운데 누군가가 처신을 잘못하고 있다는 소문"을 듣고 당황했노라고 언급했다. 이 무렵 에르푸르트에서 가장 최근에 일어난 폭력 사태에 관한 소식이 루터에게도 전해졌는데, 그것은 빙산의 일각일 뿐이었다. 3주 전에 루터는 성 앙투

안 구호형제회의 순회사절단을 상대로 소동을 일으킨 비텐베르크 학생들에 대해 전해 들었다. 루터는 이러한 행동은 비난받아 마땅하다고 보았다. 슈팔라틴에게 보내는 편지에서 루터는 "나의 광야"로 돌아가면 그러한 폭력 사태에 반대하는 준엄한 경고문을 쓸 작정이라고 했다. 그리고 약속을 지켰다. 사실은 아직 비텐베르크에 머물고 있는 동안, 바르트부르크로 돌아갈 때까지 기다리지 않고 모든 그리스도인들을 상대로 폭동과 반란에 반대하는 "진심 어린 훈계"의 글을 썼다.

루터가 말하고자 한 요점은 반란, 특히 폭력적인 반란은 개혁으로 가는 올바른 길이 아니라는 점이었다. 폭정과 압제에 저항하는 보통 사람의 단순한 열망에는 공감하면서도 정의는 오로지 기도와 참회와 진지한 논의를 통해서 달성할 수 있고 그래야만 한다고 생각했다. 폭력을 행사하는 것은 개혁운동에 먹칠을 할 뿐이므로 그것은 악마의 소행이었다. 폭력적인 반란은 그 자체로 하나님께서 금하셨으므로 시위자들은 늘 자제하며 폭력으로 치닫지 않도록 조심해야 했다. 그렇게 스스로를 해치는 파멸을 정당화하는 데 루터 자신의 이름과 저작을 들먹이면 안 되었다.

루터는 개인적으로 주석을 붙인 『폭동과 반란에 주의하도록 모든 그리스도인들에게 전하는 진심 어린 충고』를 끝냈다. 루터를 지지하는 사람들은 자신을 루터주의자라고 부르면 안 된다. "저는 그 사람들이 제 이름을 언급하지 않았으면 합니다. 그 사람들이 루터주의자가 아니라 그리스도인이라고 부르게 하십시오. 루터가 뭡니까? 저는 그렇게 가르친 적이 없습니다. 그리고 저는 그 누구를 위하여 십자가에 달린 적이 없습니다. 보잘것없는 제가 어떻게 감히 제 이름으로 그리스도의 자녀들을 부를 수 있단 말입니까?"

은밀한 비텐베르크 방문이 끝나갈 무렵이기도 하고 비텐베르크 교회와 선제후의 궁정에서 벌어지고 있던 사건들을 완전히 알게 된 12월 12일, 루터는 슈팔라틴에게 다시 편지를 썼다. 편지에는 루터의 기질대로 칭찬과 비난이 균형을 이루며 적절히 섞여 있었다. 마지막은 온화한 작별인사로 맺으며 루터는 결국 참지 못하고 선제후의 비서인 슈팔라틴이 세상 물정에 너무 밝으면서도 너무 소심하다고 넌지시 내비쳤다. 그렇긴 하지만 할레에서 면벌부를 판매하는 알브레히트 추기경을 공격하는 내용이 담긴 소책자를 멜란히톤이 편집하는 데 동의하여 너무 과격한 구절들은 빼도 좋다고 했다. 그리고 책의 출판을 연기하는 데도 동의했다. 그러나 알브레히트 추기경이 일부는 풀어주긴 했지만 결혼한 사제들을 감금한 사실을 모른 척 지나칠 수는 없었다. 감금되었다 풀려난 그 사제들은 결혼을 포기하도록 종용받아왔는데 루터는 이를 참을 수 없었다. "추기경의 관리들이 그들을 풀어주었다고 했던가. 그들의 행태란 마치 이렇게 풀어주는 일이 감금하는 일보다 일곱 배는 더 잔인하다는 사실을 모르는 것 같군. 이 가여운 사람들은 위증을 하고 하나님의 진실을 부인하라고 강요당하고 있기 때문일세."

할레에서의 면벌부 판매에 대한 항의 서한은 마인츠 대주교 알브레히트에게 꼭 전달되어야 했다. 루터는 편지에 이렇게 썼다. "아마도 대주교 예하께서는 제가 제대로 활동하지 못하고 있으니까 저로부터 안전하며, 한낱 수도사인 제가 황제인 카를 5세의 통제를 잘 받고 있다고 생각하실 테죠. 그렇지만 저는 그리스도인의 사랑이 필요로 하는 것은 그 무엇이든 지옥의 문조차 마다하지 않을 거라는 사실을 알아두시기 바랍니다." 루터는 대주교가 드러내놓고 그 사건을 무시하려 든다면 좌시하지 않을 작정이었다. 대주교는 가난한 사람들을 강탈하고 있으며 그가 판매하는 면벌부는 사기와 기만에 지나지 않았다. 더구나 대주교는 "부정(不貞)을 피하기 위해 결혼한" 사제들을 괴롭히는 짓을 당장 중단해야 했다. 결혼은 그들이 "하나님으로부터 받은 권리"였다.

그러고 나서 최후통첩을 보냈다. 만일 면벌부 판매가 중단되지 않는다면 "주교와 늑대"의 차이점을 알려주기 위해서라도 대주교를 공개적으로 공격할 의무감을 느낄 수밖에 없다고 말이다.

"대주교 예하, 저는 이미 충분히 경고했습니다. 바울의 가르침에 따라 하나님의 나라에서 죄의 원인을 몰아내기 위해 이제는 명백히 죄를 지은 사람들을 비난하고 조롱하고 공개적으로 처벌해야 할 때입니다." 이 구절은 고린도전서의 다음 구절에서 영감을 얻었다. "밖에 있는 사람들은 하나님께서 심판하실 것입니다. 여러분은 그 악한 사람을 여러분 가운데서 내쫓으십시오."(5:13)

루터는 대주교가 자신의 편지에 긍정적으로 대답하도록 14일간의 말미를 주었다. 그때까지 아무런 답신이 없으면 대주교에 대한 격렬한 비난을 발표하겠다고 했다.

옛 친구들을 만나고 프리드리히 선제후의 궁정도 자극하고, 개혁운동의 정세를 가늠하는 일 말고도 루터가 비텐베르크를 비밀리에 찾아갔던 주된 이유는 바로 성경 번역을 논의하기 위해서였다. 이 문제는 멜란히톤과 1년 넘게 논의 중인 사안이었다.

당시에 사용되고 있던 표준 성경은 오래되고 이해하기 어려운 불가타 성경이었다. 원래 4세기에 성 히에로니무스가 그리스어와 히브리어 원전에서 라틴어로 번역하고 로마 가톨릭 교회가 공인해서 천 년이 넘도록 사용되어온 것이었다. 몇 백년 동안 유럽 전역의 외딴 수도원에서 수도사들은 불가타 성경을 필사했다. 여러 곳에서 필사가 이루어진 결과 많은 오류가 성경 본문에 스며들었고 난외주까지 부가되어 표현이 장황하고 거추장스럽게 되었다. 그래서 성직자들을 제외하면 라틴어로

동료들과 성경을 번역하고 있는 루터(피에르 앙투안 라부셰르, 1860).
왼쪽이 필리프 멜란히톤이다. 히브리어 실력이 부족했던 루터는 구약을
번역하기 위해 동료들의 도움을 받아야 했다.

된 성경을 읽을 수 있는 사람이 거의 없었다. 1455년 구텐베르크가 인쇄한 성경은 바로 불가타 성경이었고, 그 값은 천문학적인 금액에 달해 소 200마리 또는 대저택 한 채 값과 맞먹었다.

불가타 성경을 독일어로 번역한 최초의 인쇄본 성서*는 1466년 슈트라스부르크에서 처음 선보였는데, 14세기의 독일어 필사 번역본을 기초로 했다. 루터가 태어난 1483년 무렵에는 추가로 여덟 개의 번역본이 인쇄되었고, 1521년 무렵에는 작자 미상의 18개 번역본이 존재했다.

그러나 이 성경들은 매우 비쌌으므로 오로지 부자들만 소유하고 있었다. 불가타 본에서 각기 번역되어 성경은 훨씬 더 난해했고 언어도 훨씬 더 복잡했다. 게다가 교계는 주교들의 권위가 약화될 것을 우려하여 지역 언어로 성경을 번역하는 데 반대했다.

게다가 당시 독일에는 표준 독일어라고 할 만한 것이 없었다. 서로 다른 지역끼리는 제대로 소통이 안 될 정도로 전국적으로 방언이 급증했다. 루터의 집에서도 아버지는 작센안할트의 고지 독일어를 쓴 반면 어머니는 튀링겐의 저지 독일어를 썼다. 때로는 이 두 지방어를 구사하면 소통이 어렵기도 했다.

바르트부르크로 피신하기 몇 년 전부터 루터는 보통 사람들의 언어로 성경을 번역하고 설명하는 데 전념했다. 1517년 이후로 그는 신약, 특히 마태복음의 중요한 구절들을 번역해오고 있었는데, 불가타 원전을 갖고 할 때도 있었고 때로는 이전의 그리스 원전을 참조할 때도 있었다. 앞서 몇 달 동안에는 이미 적그리스도,** 시편 36편과 67편, 서간문, 복음서, 성

---

* 멘텔 성서(Mentel Bible)를 말하며 1533년까지 18판이 나왔다.

** '적그리스도'란 명칭은 요한의 서신서에만 등장하지만 그 사상은 성경 전체를 통해 나타나고 있다. 사도 요한은 적그리스도가 거짓말을 하고 속이는 존재라고 언급했다.(요한일서 2:22, 요한이서 1:7)

모 마리아의 마니피캇 등에 대해 썼다. 정치적인 소책자와 더불어 이러한 번역 작품들이 필생의 역작인 성서 번역을 위한 예비 실험처럼 보였을 것이다.

루터는 이 예비 작업에 대해 이렇게 말하려 했다. "이 모든 것은 독일어로 씌었다. 나는 나의 민족인 독일인들을 위해 태어났다. 내가 섬기고 싶은 사람들은 그들이다."

결국 루터가 번역에 착수하고 바르트부르크에 체류하는 기간을 다음 부활절까지 연장하기로 비텐베르크에서 결정했다. 루터는 이 일을 혼자서 떠맡을 것이며 좀더 짧은 분량의 신약에 오롯이 집중하기로 했다. 그리스어에는 완전히 능통했지만 고대 히브리어는 아직 초보 수준이었다. 만만치 않은 구약 번역을 위해서는 비텐베르크에 있는 동료들의 실질적인 도움이 필요했다. 그러므로 구약 번역은 좀더 이후로 미뤄야 했다.

바르트부르크에 루터는 공인 본문(*Textus Receptus*)*이라 불리는 신약 그리스어 판본을 하나 갖고 있었다. 이것은 위대한 인문주의자 에라스무스가 1516년에 출간했고, 1519년에 개정한 것이었다. 에라스무스는 신약 전체를 망라하고 있지는 않은 여섯 권의 고대 그리스어 본을 원전으로 하여 번역했다. (나머지 빠진 부분들은 라틴어로 쓰인 불가타 성경에서 직접 번역했다.) 루터는 에라스무스의 인문주의적 신학은 마음에 들어하지 않았으나 그의 학식과 문필력은 높이 평가했다. 고대 히브리어 원전을 예비 자료로 활용하는 한편, 라틴어 번역 인쇄본을 에라스무스의

* 17세기 초의 인쇄업자였던 엘제비어(Elzevir) 형제가 원어 신약성경을 1624년에 출판했고, 이어 1633년에 제2판을 냈다. 제2판을 알리면서 자기들이 낸 신약성경은 "모두가 수락하는 책"(*textum …… ab omnibus receptum*)이라는 광고를 내걸었다. 그때부터 그 신약성경을 '텍스투스 레셉투스'(*Textus Receptus*)라고 부르기 시작했다. 그러나 이 성경 역시 그 앞에 나온 것이나 그 후에 나온 여러 인쇄본 성경들 가운데 하나에 지나지 않는다.

공인 본문과 함께 1차 자료로 썼다. 이것 말고도 루터의 머릿속에는 몇 년 동안 무삭위로 번역한 작품들이 광범위하게 편집되어 있었다.

바르트부르크로 돌아가기 무섭게 루터는 당장 일에 매달렸다.

제11장

10주 만에 번역한 신약 27권

소박한 방안의 책상에 앉아 기념비적인 과업인 신약성경 번역에 몰두하는 루터의 모습이 어렵지 않게 상상이 가리라. 실질적 참고자료라고는 그리스어 성경과 히브리어 성경이 유일하고, 자료를 찾아볼 도서관도 없고, 작업을 방해하거나 늦추거나 혼란스럽게 할 요소도 없는 상태에서 그의 집중력은 최고로 발휘되었다. 그 과정을 낭만적으로만 생각하기 쉽다. 그러나 실상은 고된 노역과 좌절과 오랜 숙고의 시간이 이어졌고, 무력감에 휩싸이기도 했다. 루터는 경외감을 갖고 일에 착수했다. 나중에는 그 작업을 '위대하고도 값진 과업'이었으며, 보통 사람에게는 성경이 언감생심이었던 점을 생각하면 "사람들을 위해 그것이 꼭 필요한 일이다"라고 말했다. 그러나 루터는 성경의 언어에 눈이 부셨다. 자기가 하나님의 말씀을 다루고 있는 것이라고 정말로 믿었다.

그 심경을 나중에 이렇게 표현했다. "온 세상 앞에서 떨기보다도 성경의 한 글자 한 글자 앞에서 떨어야 한다! 모든 말 한 마디 한 마디에 하나님이 계신다. 헛된 것은 하나도 없다."

첫 번째 과제는 번역의 규칙을 세우는 일이었다. 무엇보다도 글을 읽는 독자들이 그의 생각에 최대한 집중하게 해야 했다. 전형적인 독일인이 이해할 만한 것은 무엇일까? 어조는 어떠해야 할까? 문법은 어떻게 써야 할까? 여기에 대한 루터의 생각은 이랬다. "성서 구절의 문법을 아는 것만으로는 충분치 않다. 의미에 주목해야 한다. 나는 마치 그리스어나 히브리어나 라틴어를 전혀 모르는 것처럼 …… 그 뜻이 무엇인지 철저히 파고들 것이다."

초반에는 번역과 관련하여 두 개의 원칙을 이끌어냈다. 첫 번째는 모든 것들을 가장 일반적이고 기초적인 근원과 유형으로 정리하는 일이었다. "만약 어느 단락의 의미가 모호하다면 말하고자 하는 바가 은총에 관한 것인지 율법에 관한 것인지, 또는 징벌에 관한 것인지 죄의 용서에 관한 것인지 고려해보고 그 가운데 어느 것이 더 잘 맞을지 생각했다. 이렇게 차근차근 정리함으로써 나는 가장 애매한 단락들도 이해할 수 있게 되었다." 두 번째 원칙은 모호한 구절들을 히브리어 원본에 대조해보고 탈무드 학자들이 그랬던 것처럼 태만하게 기계적 번역의 오류에 빠지지 않으려고 했다. "유대인들은 성서의 참된 내용을 모르기 때문에 자주 잘못된 길로 빠진다. 내용을 알고 있다면 그것에 가장 가까운 의미가 선택되어야 한다." 일반 독자들을 위해서 번역의 최종 목적은 "모세가 유대인이라고 아무도 생각하지 못할 정도로 독일인처럼 느껴지게 만드는 것"이었다.

이렇게 하려면 어느 누구의 말투로 써야 할까? 빈에 있는 신성로마제국의 왕궁 조신들이 쓰는 식자층의 말투나 작센 선제후령의 공식 언어처럼 고상하고 정확한 어투로 써야 할까? 아니면 거리에서 사람들이 쓰는 대화체 어투가 되어야 할까? 당시 비텐베르크에는 독일어로 쓰는 방식이 열일곱 가지나 되었다. 이 가운데 어느 하나를 고르거나 여러 가지를 혼합해 써야 한단 말인가?

머지않아 루터는 선택을 했다.

그에 대해 나중에 이렇게 설명했다. "밖으로 나가 가정의 아낙네들, 거리의 아이들, 시장의 보통 사람들에게 말을 걸어봐야 한다. 그들이 어떻게 말하는지 잘 보았다가 그런 식으로 번역을 해야 한다. 그래야 그들이 내 말을 이해할 수 있고 내가 자기들에게 독일어로 말하고 있다는 사실을 깨닫게 될 것이다."

작업을 시작했을 때 루터는 최종 결과물이 커다란 논쟁을 불러일으키리라는 사실을 알고 있었다. "남의 제상에 감 놔라 배 놔라"할 인간이 많다는 것을 잊지 않고 있었다. 루터는 대담하게도 자기가 최초의 성경 번역자인 성 히에로니무스의 계승자라고 생각했다. 4세기의 그에게도 많은 스승과 비평가들이 있었다. 또한 히에로니무스가 "그분의 신발을 닦을 깜냥도 안 되는 자들"로부터 형편없다는 비판을 받았다는 사실도 알고 있었다. 교황 다마수스로부터 고대 라틴어 성서를 번역하라는 요구를 받았을 때 히에로니무스는 그 일을 선뜻 맡으려고 하지 않았다.

히에로니무스는 걱정이 되었다. "배운 자든 못 배운 자든 내가 쓴 것을 읽고는, 굳어진 본인 취향에 맞지 않는다 생각이 들면 별안간 심한 말을 쏟아내며 뻔뻔스럽게도 옛 책들에 감히 덧붙이거나, 바꾸고 고쳤다며 나를 약탈자요 신성모독을 저지른 자라고 욕하지 않을 사람이 있을까?" 하지만 그는 자기를 비난하는 자들을 "두 발 달린 당나귀"와 "짖어대는 개들"이라고 일축해버렸다.

불가피하게 루터의 경우는 히에로니무스보다 더 심할 터였다. 그를 중상모략하는 자들은 우선 트집부터 잡은 다음에 그의 번역본을 자기들

성 히에로니무스로 묘사된 루터(알브레히트 뒤러, 1546).
루터는 대담하게도 자기가 최초의 성경 번역자인 성 히에로니무스의 계승자라 생각했다.

것으로 사용할 터였다. 그들은 "마차 바퀴에 붙은 똥처럼" 그의 작품에 꼭 달라붙을 것이었다. 맹렬한 반응은 피할 수 없었다. 루터는 온 세상이 다 비판하리라 생각했다. 그것이 바로 세상의 방식이었다.

일을 시작한 지 하루도 안 돼서 루터는 그리스도의 탄생, 헤롯 왕의 음모, 별의 인도를 받아 유대를 찾아가는 동방박사의 여정 등이 나오는 마태복음 2장 1절에서 12절은 건너뛰었다. 이 부분은 비텐베르크에 은밀히 다녀오기 전 '성탄 난외주'(Christmas Postil)라 불리던 강론을 쓰고 있을 11월 말쯤에 이미 번역을 마쳤었다.

그러나 이 열두 절 다음부터는 새로운 영역에 들어선 것 같았다. 과거에는 라틴어로 쓰인 불가타 성경을 보았다. 그런데 이제 보니 문어체 라틴어는 적절한 독일어로 표현하는 데 혼란스럽고 무의미한 장애물에 불과해보였다. 얼핏 보아도 라틴어의 부족한 점이 확연히 드러났다. 예를 들면, 천사가 동정 마리아에게 인사하는 장면인 누가복음 1장 28절 대목에서 막혔는데, 불가타 본에는 "은총이 가득한 이여, 기뻐하여라 ……"로 표현되어 있다. 루터는 스스로에게 물었다. 도대체 어떤 독일인이 그렇게 말하겠는가? "은총이 가득한"이라고 말하는 것이 도대체 무엇을 의미하는가? 맥주로 가득한 술통이나 돈이 두둑한 지갑 같은 것이란 말인가? 그리고 그 인사말을 단순하게 번역했다. "마리아여, 주께서 네게 인사하신다." 그것이 천사가 하려던 말의 전부였으리라 생각했다.

마태복음 12장 34절에도 유사한 쟁점이 있었다. 이 구절의 불가타 본 표현은 "*Ex abundantia enim cordis os loquitur*"로 문자 그대로 직역하면 "마음의 지나침이 입 밖으로 나온다"라는 뜻이다. 그것이 독일어식 표현이라 할 수 있을까? "마음의 지나침"이 대체 뭘 말하는 건가? 집이나 난로나 의자가 지나치다는 말과 같을까? 독일 길거리에서 볼 수 있는 보통 남자나 가정의 아낙네는 "마음에 꽉 차 있던 것이 입 밖으로 흘러나오는 법이다"라고 말할 것이다.

마태복음 26장과 마가복음 14장의 막달라 마리아 이야기에서 또 다른 난관에 봉착한다. 서기관과 장로들이 대제사장 가야바의 저택에 모여 예수님을 붙잡아 죽이려고 공모하는 사이 막달라 마리아는 나병환자 시몬의 집에 계신 예수님을 찾아온다. 그녀는 매우 값진 향유가 든 옥합을 가지고 다가와, 식탁에 앉아 계시는 예수님 머리에 향유를 붓는다. 제자들은 그것을 보고 놀라는데, 불가타 본에 보면 특히 유다가 불쾌해하며 말한다. "왜 향유의 손실을 일으키는가?" 이것을 독일어로 말하면 어떻게 될까? 루터는 콧방귀를 뀌었다. 독일인들은 아마도 향유를 잃어버려서 찾아보아야 한다고 생각할 것이다. 하지만 제대로 의미가 통하게 하려면 이렇게 말해야 하리라. "이렇게 낭비하는 까닭이 뭐요?" 또는 "왜 이렇게 허투루 쓰는가?", 아니면 "향유 가지고 무슨 장난질이요!"

처음부터 루터는 문자 그대로 직역에 얽매이지 않고 본질적 의미를 통찰한 다음 그 바탕 위에서 간결하고 직접적이며 적극적인 표현을 쓰기로 결심했다. '기쁨'·'사랑'·'마음'과 같은 단어들이 나오면 하나님에 대한 믿음과 관계가 있음을 강조했다. 마태복음 11장 28절의 "수고하며 무거운 짐을 진 사람은 모두 내게로 오너라. 내가 너희를 쉬게 하겠다"라는 구절에서는 평범한 일꾼이셨던 예수님께 충분히 공감할 수 있도록 '수고하며' 대신 '일하며'를 썼다.

그럼에도 독일어 방언들은 모두 결함이 있었으므로 "거리의 사람들"의 특정한 말투를 선택하기란 쉽지 않았다. 어느 거리의 어느 사람을 기준으로 삼아야 한단 말인가? 히브리어 구문을 보통 독일어로 옮기는 것은 루터의 표현에 따르면 나이팅게일에게 수탉처럼 울라고 가르치는 일과도 같았다. 예를 들면 '배'라는 말은 보통은 '나룻배'이지만 '작은 배'·'거룻배'·'젓는 배'일 수도 있다. 이 가운데 어느 말을 써야 할까? 그리고

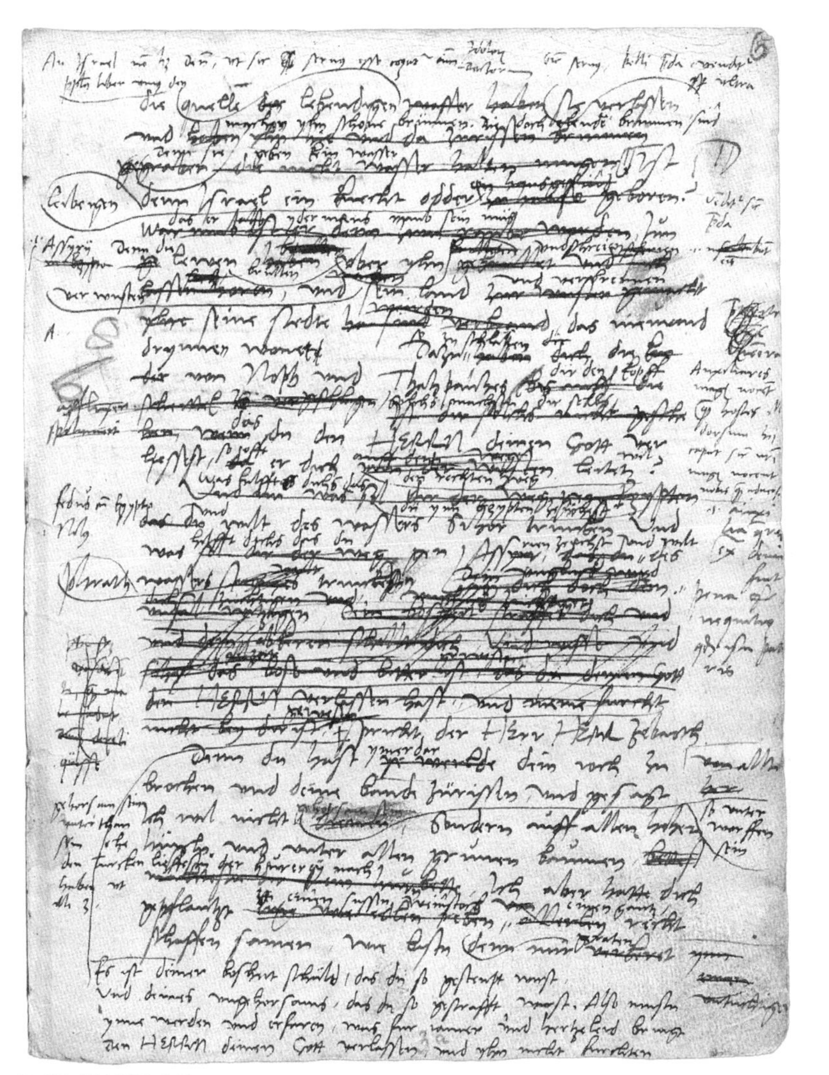

루터의 성서 번역 초안.
그는 성서 번역에서 문자 그대로 직역에 얽매이지 않고 본질적 의미를 통찰한 뒤
간결하고 직접적이며 적극적인 표현을 찾았다.

신약성경을 번역하고 있는 루터(파울 투만, 1872).
“성경의 한 글자 한 글자 앞에서 떨어야 했다”고 말한 그는 성경의 언어에 눈이 부셨다.
그는 놀라운 집중력으로 10주 만에 신약을 번역해냈다.

소리는 같아도 철자가 다른 경우가 흔히 있었다. 예를 들면 Rad와 Rat, fiel와 viel 등이다. 반대로 히브리어로는 '하나님'이라는 단어를 말하는 방법이 열두 가지나 있었지만 독일어로는 하나밖에 없었다.

복잡성과 속도와 취지 면에서 이전의 불가타 본이나 90년 후에 나오는 킹제임스 본과 비교해보았을 때 루터의 번역이 훨씬 더 인상적이다. 루터 번역의 주된 목적은 보통 사람들도 성서를 접할 수 있게 만드는 것이었지만 킹제임스 본의 번역자들은 우아하고 시적인 문구로 오로지 왕을 즐겁고 영광스럽게 하는 데 주안점을 두었다. 1600년대 초반에 이루어진 그들의 작업은 루터의 경우처럼 한 사람이 10주 만에 끝낸 것이 아니라 48명의 번역자들이 10년 동안 매달린 끝에 마무리할 수 있었다.

두 접근법의 차이는 루터의 절실한 상황에서 보면 마음에 확 와 닿을 게 틀림없는 몇 구절과 경우를 비교해보면 확연히 드러난다.

마태복음 5장 15절을 보면 불가타 본은 이렇다. "누구나 등불을 켜서 됫박 아래에 두지 않고 등경 위에 놓는다. 집 안에 있는 모든 것에 빛을 주기 위해서다." 킹제임스 본은 다음과 같다. "누구나 촛불을 켜서 함지박 아래에 두지 않고 촛대 위에 놓는다. 그러면 그것은 집 안에 있는 모든 것에 빛을 준다." 루터의 번역을 보자. 훨씬 직설적이다. "누구나 등불을 켜서 함지박 아래에 놓지 않고 선반 위에 올려놓는다. 그러면 집 안의 모든 곳을 구석구석 비춘다."

마태복음 6장 11절을 비교해보면 불가타 본과 킹제임스 본은 같다. "이날 저희에게 일용할 양식을 주시고." 루터의 번역본이 훨씬 분명하다. "오늘 저희에게 일용할 양식을 주시고."

킹제임스 본의 마태복음 6장 34절은 이렇다. "그러므로 내일을 생각하지 마라. 내일 생각은 내일이 할 것이다. 그날 하루 안 좋았던 것으로 충분하다." 불가타 본은 표현이 좀더 거칠다. "그날 하루 괴로웠던 것으로 충분하다." 그러나 루터는 의미를 완전히 바꾸었다. 아마도 최근에 비텐베르크에서 발생했던 흑사병을 생각하며 마지막 행을 이렇게 표현한 것 같다. "매일 고역을 겪는 것으로 충분하다."

마태복음 7장 6절 불가타 본은 이렇다. "거룩한 것을 개들에게 주지 말고, 너희의 진주를 돼지들 앞에 던지지 마라. 안 그러면 그것들이 발로 그것을 짓밟고 돌아서서 너희를 물어뜯을지도 모른다." 킹제임스 본은 본질적으로 같다. 그러나 루터는 훨씬 생생하게 표현했다. "개들에게 거룩한 것을 주거나 돼지들에게 진주를 던지면 안 된다. 녀석들이 그것들을 발로 짓밟고 돌아서서 너희를 갈기갈기 물어뜯을지도 모른다."

누가복음 1장 57절 부분에서 불가타 본을 문자 그대로 직역했더라면 세례자 요한의 출생에 관한 뜻으로만 읽혔을 것이다. "이제 엘리사벳의 해산달이 꽉 차서 아들을 낳았다." 킹제임스 본은 이렇다. "이제 엘리사벳이 해산해야 할 달이 다가왔다. 그리고 아들을 낳았다." 왜 이리 빙빙 돌려 말하지? 루터는 스스로에게 이렇게 물었을 것이다. 그는 그리스어 본을 보고 핵심어만 뽑아냈다. "엘리사벳이 아기를 해산할 때가 되어 아들을 낳았다."

요한복음 번역을 시작할 무렵에는 비텐베르크에 있는 친구들에게 무슨 일이 생겼는지 또는 자기가 없는 동안 무슨 일이 일어난 것은 아닌지, 자기가 잡힌다면 어떻게 될지 걱정하고 있었으므로 루터는 요한복음 15장 12~13절은 감정을 실어서 표현했을 것이다. "이것이 나의 계명이다. 내가 너희를 사랑한 것처럼 너희도 서로 사랑하여라. 친구들을 위하여 목숨을 내놓는 것보다 더 큰 사랑은 없다."

루터가 1521년 바르트부르크에 홀로 갇혀 있을 때 성탄절을 어떻게 보냈는지에 대한 기록은 없다. 12월 18일에 쓴 편지 두 통이 그해에 바깥세상으로 보내는 마지막 편지였다. 한 통은 벤세스라스 링크에게 쓴 것이었는데, 그는 10년 전 비텐베르크 대학의 신학대학 학장이었고 현재는 아우구스티노 수도회 부총장이었다. 아우구스티노 수도회 수사들의 대량 이탈 사태를 처리할 책임이 링크에게 맡겨졌다. 루터는 자신이 원인 제공자이기는 했지만 그 문제를 그렇게까지 떠들썩하게 처리할 필요는 없다고 생각했다. 두 달 후인 1522년 2월 링크는 비텐베르크에서 수도회 총회를 소집하게 되고, 총회에서는 모든 수사들이 원한다면 아무런 처벌이나 불이익을 받지 않고 수도원을 떠날 수 있게 허용하는 결정안이 통과되었다.

루터는 12월에 보낸 서신에서 바로 그와 같은 절충안을 촉구했었다. "수도원을 떠나고 싶어하는 사람을 막을 수는 없습니다. 다가오는 수도회 총회에서는 키루스 왕*의 모범을 따라 떠나고 싶어하는 사람들에게 자유를 준다고 공식 성명을 발표하는 것이 최선의 방법일 겁니다." 에스라서 1장 1~3절에 따르면 여기서 말하는 키루스 왕은 페르시아의 대제를 지칭하는데, 그는 당시 칙서를 발표하여 유대인들이 페르시아를 떠나 예루살렘으로 가서 성전을 재건하도록 허락한 인물이었다.

나머지 한 통은 또 다른 아우구스티노 수도회 사제인 요한 랑에게 보냈는데, 그는 당시 에르푸르트 분원 총회를 주재한 인물이었다. "육체적으로는 건강하고 보살핌을 잘 받고 있다네. 하지만 죄와 유혹과도 철저히 싸우고 있다네. 나를 위해 기도해주게. 광야에서, 마르틴 루터가."

그러고 나서 한동안은 서신이 끊겼다.

루터는 초여름부터 대림절과 성탄절 강론을 준비하고 있었으므로 어

---

* 성경에 나오는 바사(페르시아)의 초대 왕 고레스를 말한다. 선정을 베푼 인물로 유명하다. 이사야 선지자는 그를 '기름 부은 자'라 하였다.(이사야서 45:1)

느 의미에서는 그때부터 성탄절을 준비해오고 있었던 셈이다. 이 강론들은 늘 그렇듯 자리가 부족해 서까래에 매달릴 정도로 신자들이 꽉 찬 대성전에서 수많은 청중을 상대로 하려고 계획되었다. 성탄절이 가까워오고 있는 상황에서 지금은 그저 조그만 독방에 앉아 새로운 강론에 신자들이 어떠한 반응을 보일지 상상해보았으리라. 하지만 오로지 상상만 할 수 있었을 뿐이다.

루터는 하나님의 육화(肉化)를 다른 모든 창조 행위보다도 더 큰 선물로 보았다. '하나님께 영광, 땅에서는 그가 사랑하시는 사람들에게 평화.' 이것은 바로 예수님이 태어나셨을 때 처음에는 천사가, 그 이후로는 모든 사람들이 불러온 최고의 찬미가였다. 찬송을 부르는 것은 환희를 표현하는 데 중요했다. 루터는 신랄한 말투로 다음과 같이 이야기했다는 한 설교가를 인용하곤 했다. 아마도 성모 마리아에게 아기가 하나 더 있었더라면 "우리는 찬미하느라 목청껏 소리 지르다 죽었을지도 모른다!"

그러나 1521년 성탄절에 루터와 함께한 회중은 단 한 사람, 바르트부르크의 성주 한스 폰 베를렙쉬였을 것이다. 아름다운 튀링겐 시골에 우뚝 솟은 성에서 단 두 사람만이 오붓하게 저녁을 들었고, 대화는 루터가 성탄절 강론에 썼던 동정 마리아에 관한 메시지로 이어졌을 것이다.

마리아의 본명은 쓴 몰약을 의미하는 미리암이었고, 루터가 생각하기에는 가난한 하층민 출신의 열네 살 정도 되는 순진한 소녀였을 것이다. 가브리엘 천사가 마리아를 찾아갔고, 마리아는 요셉과 결혼하기 전이었음에도 이미 성령으로 잉태한 상태였다. 루터는 동정 출산이라는 '사소한 일'보다 마리아의 깊은 신앙심에 훨씬 마음이 갔다. 이에 대해 루터는 일전에 표현한 적이 있었다. "만일 마리아가 하나님을 깊이 신뢰하지 않았다면 잉태하지 못했을 것이다." 6월에 완성했던 '마니피캇'에서는 마리아가 자기처럼 기적적으로 고령의 나이에 수태한 사촌 엘리사벳을 찾아간 부분을 다루었다. 그리고 마리아와 요셉의 감동스러운 관계에 대해서도 언급했다. 한겨울에 나사렛에서 베들레헴으로 가는 여정, 방이 없어 여관에 묵을 수 없는 사정, 누구로부터도 도움의 손길을 전혀 받을 수 없었던 처지에 대해 썼다. "마리아를 돌로 변하게 하지 마십시오"라고 루터는 표현했다. 마리아는 그러한 처지의 사람, 특히 하층민 출신 사람이 당했을 법한 거부와 굴욕과 혹한을 겪었다.

연회를 꽤나 즐겼을 베를렙쉬를 옆에 두고 그 즐거운 성탄 절기에 루터가 평소 깊이 생각해오던 주제를 가슴속에만 묻어둔 채 입다물고 있지는 않았을 것이다. 당시는 노래하고 축제를 벌일 흥겨운 시기였다. 이 무렵에 베를렙쉬는 자신이 성의껏 돌보고 있는 유명인사에 대해 잘 알게 되었을 테고, 분명 그와 깊은 유대 관계를 형성했을 것이다. 베를렙쉬가 심술궂거나 시시하지만 않았다면(그렇다는 증거는 전혀 없다) 분명 루터가 성탄절에 관한 지혜를 나누어주길 원했으리라. 그러한 거물과 단둘이 성탄절을 보낼 수 있다니 얼마나 커다란 특권이었겠는가!

아마 성탄전야에 밖에는 바람이 매섭게 몰아치고 있는 가운데, 루터는 베를렙쉬와 촛불을 밝히고 함께 기도했고, 그에게 성탄전야의 의미에 대해 친근하게 알려주었을 것이다. 그 가르침은 디도서 2장 11~14절까지의 말씀을 인용하여 모든 사람에게 나타나는 하나님의 은총, 예수 그리스도의 출현을 기다리며 의롭고 경건하게 사는 것에 관한 내용이었을 것이다. 루터는 여름에 성탄절에 대해 이렇게 써놓았다. "우리는 하나님의 말씀을 평화로울 때와 전쟁할 때로 나누어 빵과 무기, 먹여 살리는 것과 저항하는 것, 이렇게 이중으로 사용해야 합니다. 한 손으로는 건설하고, 모든 그리스도인들을 향상시키며, 가르치고 먹여 살려야 합니다. 또 다른 손으로는 악마와 이단자들과 세상에 저항해야 합니다. 풀밭을 제대로 지키지 않으면 악마가 이내 파괴해버릴 것이기 때문입니다."

영광의 날이 밝으면 천사들이 왕이나 대제사장이 아닌 순진한 목동들에게 나타나 매우 기쁜 소식을 전하고, 하늘의 수많은 군대가 하나님을 찬미하는 소리가 울려 퍼진다. 바르트부르크의 높은 성채에 있던 루터와 베를렙쉬는 주위의 완만한 구릉지에서 양떼를 몰던 목동들을 마음속에 떠올렸을 것이다. 그러다 밤이 되면 동방박사들을 인도하는 베들레헴의 별이 나타난다. "이 동방박사들은 왕이 아니라 자연의 법칙에 통달한 사람들이다"라고 루터는 설명했다. 그들은 그리스의 철학자이거나 동방이나 아라비아의 학자 또는 자연과학자였을 것이다. 루터에게는 그들의 겸손한 자세가 중요했던 것 같다.

그렇다면 탄생 자체의 의미는? 궁금해 했을 베를렙쉬에게 루터는 이렇게 설명했다. "강보는 복음의 가르침을 의미한다. 구유는 하나님의 말씀을 들으러 그리스도인들이 모여드는 장소를 의미한다. 소와 당나귀는 우리를 나타낸다."

성주인 베를렙쉬는 분명 다음날 튀링겐의 후덕한 인심을 잘 보여주며 자신의 귀한 손님에게 어울릴 성대한 연회를 베풀었을 것이다. 첫 번째 코스로는 돼지고기·당근·부추·양파·마늘·보리를 넣어 만든 수프에 빵을 곁들여 먹었을 것이다. 그다음 메인코스로는 사슴구이(오로지 귀족들만 숲에서 사슴을 사냥할 수 있었다)와 멧돼지구이, 아마도 향나무 열매, 정향, 돼지비계로 양념한 붉은 양배추를 곁들인 오리구이, 캐러웨이(향신료)로 양념한 하얀 양배추가 나왔을 것이다. 다른 요리로는 회르젤 강에서 잡아온 잉어, 수북이 쌓아올린 유명한 튀링겐 소시지, 감자 푸딩과 샐러드, 입가심용 맥주나 쇠뿔에 부어 마시는 벌꿀술, 그리고 루터가 제일 좋아한 라인산 포도주도 양껏 준비되어 있었을 것이다.

아마 세 시간쯤 지나 연회가 끝나고 마르틴 루터는 틀림없이 16세기부터 모든 독일 학생들이 그를 떠올리게 만들었을 말을 되풀이했으리라. 그 말을 옮기자면 이렇다. "왜 방귀를 안 뀌고 트림도 안 합니까? 맛이 없었나요?"

제12장

로마의 상황

교황 레오 10세가 살아 있는 한 루터는 언제 죽을지 몰랐다. 파문 교서에 암시된 루터의 사형은 그것을 쓴 장본인인 교황의 생명과 관계되어 있었다. 그 결과 루터가 바르트부르크에 얼마나 체류하게 될지는 이 이상하고도 복잡한 교황의 건강에 달려 있었다. 교황이 살아 있는 한 죽음에 대한 압박감이 줄어들 기미는 전혀 없었다.

교황은 성품이 매력적이고 아량이 넓다고 온갖 선전을 했음에도 일단 분노하면 얼마나 잔인하게 복수할 수 있는 인물인지 루터는 잘 알고 있었다. 이는 5년 전 교황을 암살하려는 음모가 발각되었던 1516년의 상황을 보면 훤히 드러났다. 이 흉악한 음모를 꾸민 주동자는 시에나의 추기경 알폰소 페트루치였다. 그는 레오 10세가 교황으로 선출되는 데 크게 기여한 핵심 지지자였으나 자신의 공헌에 보답하지 않는 교황에게 화가 난 것이었다. 게다가 자신의 동생이 교황청에서 고위직으로 승진하기는커녕 쫓겨난 데 대해 앙심을 품고 있었다.

처음에 페트루치는 자기 손으로 직접 교황의 목숨을 시해하려고 생각했다. 그렇지만 계획이 그다지 현실적이지 않다고 판단하자 유명한 외과의사인 바티스타 다 베르첼리를 내세워 일을 추진하려고 했다. 교황이 앓고 있던 종기의 환부에 의사가 독 묻은 붕대를 붙이는 것이 원래 계획이었다. 그러나 시에나에 있던 페트루치가 로마에 있던 비서와 범행을 모의하는 편지가 중간에 유출되는 바람에 의심을 받게 되었다. 바티칸에서는 페트루치 추기경을 로마로 유인하기 위한 책략을 궁리해냈다. 그래서 안전 통행증을 마련해주었고 스페인 왕의 대사가 보증해주었다. 그러나 페트루치는 교황 앞에 모습을 드러내자마자 체포되어 산탄젤로 성의 지하 감옥으로 끌려갔다. 교황의 안전 통행증이란 그렇게 믿을 수 없는 것이었다. 스페인 대사는 크게 항의했다. 그러자 교황은 안전 통행증은 교황 암살자들에게는 적용되지 않는다고 대답했다.

그러고 나서 가혹한 심문이 시작되었다. 결국 페트루치는 지하 감옥에서 무슬림 사형집행인에 의해 교살당했다. 그리스도인의 손으로 추기경을 사형하는 것은 모양새가 좋지 않았기 때문이다. 나머지 용의자들에 대해서도 혹독한 심문이 진행되었고 사건의 전말이 모두 밝혀졌다. 용의자들의 내장을 꺼내고 사지를 절단하는 것으로 처벌이 시작되었다. 외과의사는 이 처벌만으로는 충분치 않았다. 세속 당국은 바티스타 다 베르첼리를 인계받자마자 뜨겁게 달군 펜치로 온 몸을 지진 후 말 뒤에 매어 온 거리를 끌고 다니고 나서야 산탄젤로 성의 다리에 내걸었다.

그사이 격분한 교황은 추기경 회의를 소집하여 추기경단에 포진해 있던 페트루치의 공모자들과 마주했다. 시해 음모에 가담한 추기경들은 무릎을 꿇고 눈물로 자백했고 교황은 각기 2만 두카트의 벌금을 내는 조건으로 사면해주고는 추기경 자리에서 해임했다. 결국 그 시해 음모는 교황에게 엄청난 돈벌이 수단이 되었다. 뜻밖에 횡재한 그 돈은 즉시 교황의 부채를 갚는 데 쓰였다.

교황이 페트루치 추기경 문제를 처리한 예를 보면 루터는 자기가 교회의 손아귀에 떨어졌을 때 재판이 일사천리로 진행되리라는 것을 충분히 짐작할 수 있었다. 그래도 한편으로는 다행인 점도 있었다. 1521년 여름 교황의 관심이 시급한 다른 일에 쏠려 있었으므로 루터 문제에 대한 교황청의 관심도 한 풀 꺾였다. 바티칸에서는 보름스 칙령으로 '작센 주의 추문'을 없앨 구제책이 마련되었다고 확신했다. 흡족한 레오 교황은 루터가 바르트부르크에 막 발을 들여놓았을 무렵인 6월 7일 회의에 참석한 추기경들에게 보름스 칙령이라는 대단한 소식을 전했다. 회의가 끝난 후 축제 분위기에 젖은 추기경들은 나보나 광장으로 몰려가 루터의 사진과 책들을 불태웠다.

이제 교황의 최고 관심사는 북부 이탈리아의 군사적 상황이었다. 프랑수아 1세의 프랑스와 카를 5세의 신성로마제국은 밀라노를 중심으로 다투고 있었으므로 교황은 어느 한쪽을 선택할 수밖에 없었다. 우유부단하기로 유명한 교황의 의사결정 방식은 주저하고 미루며 끊임없이 재면서 결정을 번복하는 것이었다. 신성로마제국에 맞서도록 프랑스를 이리저리 가지고 노는 모습을 보면 그가 "두 개의 나침반으로 조종한다"라는 말이 떠돌 정도였다. 그러나 프랑스가 밀라노를 공격해오자 더 이상 선택의 여지가 없었으므로 레오 10세는 카를 5세와의 군사 동맹을 발표했다. 여기에서도 교황의 공적인 태도와 사적인 감정에는 차이가 있었다. 공개적으로는 다음과 같이 신랄하게 비판했다. "프랑스인들은 만만치 않은 적수인 만큼 동맹을 맺기에도 힘든 상대다." 그리고 카를 5세와의 협정을 발표하면서는 태양과 달의 이미지를 다시 떠올렸다. "그리스도계의 진정한 두 우두머리가 모든 잘못을 제거하고 보편 민족을 확립하며 불경한 자들과 싸우고 모든 점에서 사태를 개선하기 위해" 뭉치게 되었다.

9월에 교황권과 황제권 사이에 동맹이 이루어졌다는 소식을 듣고도 루터는 자신과 개혁운동을 박멸하기 위해 연합하는 두 권력의 이러한 수상한 동맹에 별 관심이 없었다. 그에 대해 비웃듯이 슈팔라틴에게 답장을 보냈다. "교황과 황제의 계획은 아직 완전히 드러나지 않았다네. 하나님께서 그들이 마땅히 가야 할 적절한 길로 이끄실 걸세." 루터는 그 동맹을 성경(창세기 15:16)에 죄악으로 자멸한 문제 많은 족속으로 등장하는 고대 아모리족과의 연합에 비유했다. "나는 황제도 같은 운명에 처하길 바라마지 않지만 그야 오로지 하나님만 아실 테지."

점차 쇠락해가고 있는 바티칸의 유일한 희망은 권력의 균형을 유지하는 일이었다. 현재는 프랑스가 카를 5세와 바티칸에 맞서 베네치아와 동맹을 맺고 있었다. 그것은 외교가로서 교황 레오 10세의 수완과 악명 높은 표리부동의 성향에 도전이 될 일이었다. 프랑수아 1세의 기분을 상하지 않게 하면서 어떻게 카를 5세를 지지할 것인가? 교황을 옹호하는 사람들은 세력균형을 맞추려는 이 절묘한 행위로 그가 르네상스 시대의 참된 정치가로 거듭났다고 말할 것이다.

루터는 교황의 과식 못지않게 그의 우유부단함을 조롱했다. 몇 년 뒤에 비텐베르크의 가장 좋아하는 술집에서 친구들과 함께 있을 때, 루터는 두 철학자를 만찬에 초대한 교황의 일화를 들려준다. 교황을 즐겁게 해주기 위해 두 철학자는 영혼의 불멸 여부에 대해 토론을 벌이게 되었다. 토론이 끝나면 교황은 두 철학자 가운데 누가 옳은지 결정하기로 되어 있었다. 교황은 영혼의 불멸을 주장한 철학자에게 말했다. "당신은 사실을 말하는 것 같군. 하지만 아주 재미있는 쪽은 당신의 상대였소." 루터의 결론은 이러했다. 쾌락주의자들은 정신에 적합하며 사실에 근거한 주장보다는 육신에 적합한 주장에 끌리는 법이다.

이 시점에 루터가 바티칸의 어리석은 행위를 비웃으며 즐거워할 수 있었던 것은 그만큼 압박을 덜 받고 있다는 증거였다. 1521년 여름과 가을 동안 교황이 독일의 이단 주장에 격노하기보다는 이탈리아의 지정학적 문제에 열중해 있었던 사실은 루터와 개혁운동의 관점에서 보면 하나님의 선물이었다. 덕분에 루터 일행은 세력을 성장시키고 강화하기 위해 숨 고르기를 할 여유가 생겼다.

11월 19일 드디어 신성로마제국 군대가 밀라노 성을 급습하여 도시를 점령하고 적군을 몰아냈다. 프랑스 군대는 알프스 산맥을 넘어 도망쳤고 다시 신성로마제국과 교황은 파르마와 피아첸차의 교황령에 대한 통치권을 되찾았다. 레오 10세는 며칠 뒤 로마 남서부 테베레 강변의 마글리아나에 있던 별장에서 이 기쁜 소식을 전해 들었다. 당시 교황은 떠들썩하기로 유명한 사냥을 즐기고 있었다. 이것은 루터가 바르트부르크 성 밖에서 성주와 함께 경험했던 작은 사냥과는 본질적으로 다른 종류였다.

교황은 매우 비대한데다 한쪽 눈이 거의 안 보였으므로 가마를 타고 사냥터로 갔다. 사냥이 시작되면 종자들이 시끄러운 뿔피리와 방울로 경사면에서 사슴과 멧돼지를 골짜기 아래로 몰아갔다. 시력이 괜찮은 한쪽 눈으로 교황이 지켜보는 가운데 그의 발치에서 짐승들이 도살되었다. 날이 좋은 날에는 허공에 날아다니는 새들을 뒤쫓게 교황의 매들을 풀기도 했고, 운이 좋으면 지나던 독수리까지 사냥에 가세해 작은 새들을 죽여 떨어뜨려주었다.

"얼마나 영광스러운 날인가!" 교황은 그렇게 외치고는 했다. 한바탕 사냥을 즐기고 난 후에는 성대한 연회가 열리곤 했다. 연회에는 상스런 연극과 귀청이 찢어질 듯한 음악이 곁들여졌고 온갖 산해진미가 나오는 것으로 유명했는데 무려 65가지 코스 요리가 선보였다. 때로는 공작새의 혀가 메뉴에 들어 있었고, 가끔은 대형 파이가 준비되었는데 그 안에서 어린아이가 튀어나와 손님들에게 시적인 인사말을 전하기도 했다.

그러나 이날 저녁에는 전선에서 들려온 기쁜 소식에 흥분한데다 사냥의 노고가 겹쳐 교황은 몹시 피곤했다. 창백한 얼굴로 창 아래에 사열 중인 스위스 병사*들에게 인사를 하고 횃불이 준비되고 있는 모습을 지켜보았다. 그때 갑자기 교황은 한기를 느끼며 오한이 일었다. 의사들은 단순한 감기로 생각했다. 교황은 다시 로마로 옮겨졌지만 발병한 지 겨우 일주일 만인 12월 1일에 갑작스럽게 죽어버렸다. 너무도 황급히 사망하는 바람에 미처 종부성사를 받을 시간조차 없었다.

8년 전 피렌체의 대공은 세간의 기대를 한 몸에 받으며 교황의 자리에 올랐다. 에라스무스는 황금시대가 도래했다고 선포했다. 위대한 메디치 가문의 자손인 레오 10세는 사자보다는 양처럼 평화를 옹호하는 사람이 되리라 예상되었다. 그의 교황 즉위식은 이전에 본 적이 없을 정도로 화려하게 치러져 로마의 정복자를 위한 개선행진처럼 느껴졌다. 분수에서는 물 대신 포도주가 솟구쳤다. 추기경과 병사들의 웅장한 행렬을 위해 장엄한 헌정사가 새겨진 특별한 아치길이 세워졌다. 오르시니 가문과 콜론나 가문의 사절들은 화해 분위기를 조성했다. 메디치 가문의 문장이 어디를 가나 걸려 있었다. 출입구는 값비싼 천으로 장식되었다. 교황이 가는 길에는 꽃이 뿌려져 있고, 예전의 적수이던 페라라와 우르비노의 공작들이 교황기를 들고 앞서 걸어가는 동안 새 교황은 멋진

* 1506년 교황 율리우스 2세가 스위스 근위대를 창설했다. 교황을 최측근에서 지키는 유일한 군사력으로 오늘날까지 남아 있다.

백마를 타고 갔다. 내리쬐는 햇볕이 교황에게 닿지 않도록 시종들이 수놓은 비단 차양을 들고 옆에서 걸어갔다. 산탄젤로 성에서는 유대인 대표단이 자신들의 권리를 재확인해줄 것을 요구하며 율법서를 들고 앞으로 나왔다.

레오 교황은 큰소리치듯 대답했다. "확인은 해주겠지만 동의하지는 못한다."

죽기 며칠 전까지도 자신에게 맡겨진 교황의 지위를 누리는 데 매진한 레오 10세는 예술의 발전에 지대한 공헌을 했고, 로마를 학문과 문화의 중심지로 만들었다. 그는 라파엘로와 미켈란젤로를 후원한 공로, 매력 넘치고 유쾌한 성격, 화려한 야외극과 호사스러운 연회, 이단자 루터와 이교도 투르크인들에 맞서 그리스도교계를 수호하려는 열정으로 칭송받고 있었다.

그러나 이탈리아에서는 그의 사망과 함께 그동안 억눌려 있었던 반교황 정서가 수면 위로 떠올랐다. 작고한 교황의 사치와 방종, 바티칸의 금고를 고갈시키고 바티칸을 이교도의 외설스러운 공연장으로 전락시킨 세속적 허식을 조롱했다. 로마의 한 농담꾼은 이렇게 비꼬았다.

> 듣기에 레오 교황은 교회의 성사도 받지 못한 채 죽었다고 하네.
> 자기 손으로 직접 팔아먹었으니 무슨 수로 성사를 다시 받을 수 있었겠나?

교황으로서 레로 10세의 치세에 대한 평가는 가혹했다. 당시의 작가인 시기스몬도 티치오는 이렇게 썼다. "교회의 수장이 신자들의 요구에 진지하게 관심을 기울이고 그들의 불행에 가슴 아파하지 않고 연극, 음악, 사냥, 저속한 오락이나 즐겼다는 사실은 교회에 해로운 일이었다."

교황이 너무도 갑작스럽게 사망했으므로 살해된 것이 아닌가하는 의심마저 퍼졌다. 교황이 죽기 전 자신이 살해당하는 것이라고 소리쳤으므로 이 마지막 말이 소문을 증폭시켰다. 우르비노와 페라라의 공작들처럼 원한이 깊은 냉혹한 권모술수가들과 마찬가지로 로마에 있던 프랑스 왕의 군단이 즉각 의심을 받았다.

그러나 가장 혐의가 큰 용의자는 바로 교황의 헌작 시종이었던 베르나르보 말라스피나였는데, 그는 프랑스 단체에 소속되어 있었고 수상쩍게도 교황이 죽자 재빨리 로마를 떠났었다. 사람들이 기억해낸 바로는 교황이 병에 걸리기 직전에 그가 교황에게 포도주를 한 잔 주었는데, 그것을 마신 교황이 화를 내며 뱉고는 왜 그렇게 고약한 것을 주었느냐고 호통쳤다고 한다. 말라스피나는 구속되었지만 심문을 받은 후 그냥 석방되었다. 교황의 사망 원인은 결국 말라리아였던 것으로 판명되었다.

교황이 면벌부와 다른 하사품 판매로 벌어들인 수입보다도 지출이 여섯 배나 많았던 탓에 교황청의 금고가 이미 바닥났으므로 장례는 간소하고 저렴하게 준비되었다. 한 참석자의 기록에 따르면 관을 밝히는 양초가 단 한 개밖에 없었는데, 그마저도 일주일 전에 죽은 어느 추기경의 장례식에서 쓰고 남은 토막 초였다고 한다.

레오 10세의 서거 소식을 듣자 그의 조카이자 수석 고문이었던 줄리오 데 메디치는 자신이 교황 자리에 오를 것으로 확신했다. 그렇게 되면 메디치 가문이 이탈리아를 지배하길 바랐던 레오 교황의 꿈이 실현되리라는 희망에 부풀어 롬바르디아 전장에서 황급히 로마로 돌아갔다. 줄리오는 여러 면에서 상당히 유리했다. 바티칸 재정이 고갈된 상황을 고려하여 피렌체의 후보로 나섰는데 그럴 경우 피렌체라는 도시가 가진 모든 부와 그가 속한 메디치 가문의 부가 든든한 힘이 되어줄 수 있었다.

그리고 이 무렵 벌어진 전쟁에서 군사적 경험을 쌓았고 로도스의 기사이기도 했다. 정치적 경험 또한 상당했다. 8년에 걸친 치세 동안 레오 10세가 세속의 환락에 빠져 있을 동안 줄리오는 교황청 상서국* 차장으로서 바티칸의 외교정책을 노련하게 펼쳐나갔다.

추기경으로서 줄리오 데 메디치가 교활하고 유능하다는 점에서는 의심의 여지가 없었다. 하지만 그가 과연 교황으로서도 역량이 있는지에 대해서는 확신을 주지 못했다.

1521년 12월 27일 전통적인 성령 미사 후 시스티나 성당의 문이 닫혔고 교황을 선출하기 위한 콘클라베**가 시작되었다. 콘클라베에 참여하고 있는 추기경들 사이에 커다란 혼란과 내분이 일었다. 투표권을 가진 39명의 추기경들 가운데 36명이 이탈리아인이었다. 이 가운데에는 파르네세·콜론나·피콜로미니·오르시니·푸치 가문 등을 비롯하여 르네상스기 이탈리아의 부유한 주요 왕가 출신 후보들이 포진해 있었다.

경합에 나선 메디치 가문의 줄리오가 가장 많은 표를 얻긴 했지만 강력한 경쟁자가 있었다. 잉글랜드 왕 헨리 8세는 울지 추기경을 강력히 밀고 있었는데, 울지의 당선을 위해 금화 10만 두카트를 제시했다. 헨리 8세는 울지 추기경이 당선될 가능성을 점쳤다. "마치 아버지와 아들처럼 우리는 교황의 권력과 권위가 우리 것인 양 누리며 온 세상에 법을

* 교황청의 행정기구의 하나로 교황청이 발표하는 주요 문서를 기초하고 공포하였으며, 주요 공식문서를 관장하는 기구였다. 문서국(文書局)이라고도 불렸다.

**라틴어 '쿰'(Cum, 함께)과 '클라비'(Clavi, 열쇠)의 합성어로 '열쇠로 잠근 방'을 뜻한다. 교황 선출이 추기경단 회의에 위임된 후에도 세속권력에서 계속 간섭하고 시간제한을 두지 않는 선출방식 때문에 추기경이 회의 도중에 사망하거나 회의 후 후유증으로 사망하는 일이 일어났다. 이런 폐단을 없애고자 그레고리우스 10세가 제2차 리옹 공의회가 한창이던 1274년 '회의 시작 사흘이 지나면 추기경들에게 점심·저녁 가운데 한 끼만, 닷새가 지나면 빵과 물만 제공하며, 교황을 선출하기 전까지 그 누구도 방에서 나오지 못한다'는 교령을 발표함으로써 콘클라베가 시작되었다.

주게 될 것이다." 교황을 선출하는 절차가 진행되자 영국의 특사가 울지에게 편지를 써서 상황을 알렸다. "이곳은 각자 파벌로 너무 나뉘어 있는데다 어느 한 계파의 지지를 얻기 힘들 것 같습니다." 울지 추기경은 선거단에게 압력을 넣기 위해 로마로 군대를 진격시키라고 왕에게 제안하기까지 했다.

울지 추기경은 곧 후보군에서 멀어졌지만 줄리오에 대한 반대도 여전히 강했다. 또다시 메디치 가문 출신이 교황 자리에 오르게 되면 세습 원칙이 세워질 수도 있다는 점에서 우려심이 가장 컸다. 줄리오를 싫어하는 사람들은 그가 서자 출신이며, 폭군의 성향이 다분하고 정치가로서 바티칸의 재정 파탄에 일부 책임이 있다고 강조했다. 프랑스와 신성로마제국 두 세력은 이탈리아 북부에서 격렬히 전쟁 중이었고 교황을 선출하는 추기경단 회의에서도 신성로마제국 황제파와 프랑스-베네치아파가 팽팽히 맞서고 있었다. 두 나라의 싸움에서 전임 교황이 카를 5세 편을 들었으므로 프랑수아 1세는 만일 추기경들이 "이 전쟁의 원인인 메디치 가문의 또 다른 인물을 뽑는다면 나는 물론 내 왕국의 어떠한 사람도 로마 교회에 복종하지 않을 것"임을 공공연히 밝혔다. 만일 자신에게 유리한 추기경 후보를 뽑아준다면 은화 1백만 탈러를 지불할 용의가 있다고 했다.

며칠이 흘렀고, 추기경들이 회의실에 격리된 채 고심하는 가운데 다양한 이탈리아인 후보들이 급부상했다가 낙마했다. 시스티나 성당의 굴뚝에서는 더러운 검은 연기만 피어올랐다.* 1월 4일 유력한 후보들에 대한 4차 투표에서도 교황이 선출되지 않자 격리된 추기경들의 식사를 한

* 콘클라베에서는 투표지를 태워 교황 선출을 알리는데, 당선인이 나오지 않았을 경우에는 검은 연기가, 당선인이 나왔을 경우에는 흰색 연기가 피어오른다.

끼 줄이라는 명령이 떨어졌다.

교황을 선출하는 그 과정을 성령께서 조용히 이끌고 계시다고 믿었으므로 아직은 낙관적인 분위기가 있었다. 그 과정을 가까이서 지켜보았던 만투아 후작의 대사 발다사레 카스틸리오네는 이렇게 적었다. "하나님께서는 그 누구도 감히 예상할 수 없는 최선의 결과를 주시려고 계속 무산시키실 것이다." 득표수가 당선 요건인 재적 3분의 2에 약간 못 미치자 줄리오 데 메디치의 선거운동은 실패할 것처럼 보이기 시작했다. 몇 번의 투표가 무위로 끝나자 카스틸리오네는 이렇게 썼다. "모든 이가 매일 아침 성령께서 임하시길 기다렸지만 내가 보기에는 성령께서 로마를 떠나신 것 같았다."

좁은 방에 갇혀 끼니 수도 줄어든 채, 시스티나 성당에 괴어 있는 답답한 공기에 콜록거리던 추기경들에게 1522년 1월 9일 11차 투표에서 마침내 전환점이 찾아왔다. 그 중심에 있던 인물은 토마스 카예탄 추기경이었다. 그는 루터의 저항이 시작되었을 때부터 교황 특사로 독일에 있었고 1518년에 사적으로 루터에 대해 조사하여 성과를 거두었다. 그리고 가장 중요한 점은 레오 10세를 위해 루터의 파문 교서 초안을 작성한 책임자가 바로 카예탄이라는 사실이었다.

아마도 카예탄 추기경은 그때까지 전쟁 관련 이야기와 정치적 책략에 좌우되고 있던 교황 선출 과정에서 루터에 관한 논쟁을 다시 전면에 띄우고 싶어했을 것이다. 현재의 난국을 타개하는 방법으로 이제까지 나오지 않은 인물 가운데 흠잡을 데가 전혀 없고 루터의 저항 운동에 분연히 맞설 훌륭한 인품을 갖춘 추기경을 물색해보자고 제안했다. 카예탄은 그 조건에 딱 맞는 인물을 알고 있었다. 그는 바로 루터에 반박하는 활동을 할 당시 자신과 긴밀하게 작업했던 종교재판소 대심문관이었다.

카예탄의 제안에서는 이어질 투표에서 유력 후보에 표를 몰아주자

카예탄 추기경 앞에 선 루터(페르디난트 파웰스, 1872).
카예탄은 교황 특사로 루터를 조사했고, 파문 교서의 초안을 작성했다.
그는 새 교황의 선출에서도 루터의 저항에 맞설 수 있는 인물을 추천했다.

는 책략이 엿보였다. 메디치 가문 세력은 흔쾌히 그 방안을 편들어 카예탄이 제시한 인물에게 지지를 보냈다. 이번 투표가 무위로 끝날 경우 계속 이어질 투표를 생각하니 다른 파벌들도 메디치 세력에 동조했다. 결국에는 모두가 수치스러워 할 의외의 인물이 갑자기 선출되고 말았다. "*Habemus Papam*"(새 교황이 탄생했습니다!)라는 소리를 들은 사람들은 모두 경악하지 않을 수 없었다.

새로운 교황 당선자는 이탈리아인이 아닌 외국인으로서 그것도 이탈리아인들에게는 '야만족'으로 여겨지던 '게르만족'이었다. 그때까지 비이탈리아인 교황이 선출된 사례는 단 한 번밖에 없었다. 그 유일한 외국인 교황은 이름만으로도 대단한 문제의 인물이었던 스페인 사람 알렉산데르 보르자(알렉산데르 6세)였다. 그는 잔인하기로 유명했던 체사레 보르자와 루크레치아 보르자 남매의 아버지였다. 그런데 더구나 새 교황은 카를 5세의 영향권에 있는 것으로 전해졌다. 언짢아하던 한 추기경은 이렇게 말했다. "이제 황제가 새로운 교황이나 다름없으니 교황 황제라고 불러도 되겠군."

바티칸에서 걸어 나오는 추기경들을 향해 온갖 야유가 쏟아졌다. "날강도들! 그리스도의 성혈을 저버린 자들! 훌륭한 바티칸을 무식한 독일인에게 내주다니 부끄럽지도 않은가?" 어떤 사람은 대담하게도 교황청 담에 다음과 같은 팻말을 걸어두었다. "이 궁전 세놓음." 한편 파리에서는 프랑수아 1세가 '인물 나셨다'고 비웃고 '황제의 선생'이라고 비난했다. 완전히 풀이 죽은 추기경들이 교황청에서 살금살금 빠져나오는 모습을 지켜보던 한 사람은 이렇게 썼다. "내가 본 얼굴들은 얼마나 창백하고 얼이 빠졌는지 연옥에서 온 귀신인 줄 알았다. 거의 모든 추기경들이 불만스러워 보였고 외국의 야만인이자 황제의 가정교사였던 인물을 뽑은 것을 벌써부터 후회하고 있는 눈치였다."

그 '외국인'은 바로 약칭 유트레히트의 아드리안이라고 불리던 아드리안 플로렌츠 데달로서 이제는 하드리아누스 6세가 되었다. 레오 10세와는 대조적으로 검소하고 학식이 높으며 신앙심이 깊고 로마에는 전혀 알려지지 않았던 예순두 살의 창백한 이 네덜란드인은 한때 카를 5세의 개인교사였다. 교황으로 선출될 당시에는 스페인 토르토사의 추기경이었다. 그리고 의미심장하게도 무시무시한 두 전임자 토마스 데 토르케마다와 히메네스 데 시스네로스의 뒤를 이어 스페인 종교재판소의 대심문관이기도 했다. 레오 10세가 어떻게 해서든 루터의 신병을 확보하기만 하면 보내어 종교재판을 받게 하려고 한 곳이 이 아드리안 추기경이 있는 스페인 종교재판소였다. 사실은 보름스 국회가 열리는 동안 그곳에서 루터를 체포하여 즉각 로마로 보내 처벌받게 해야 한다고 카를 5세에게 권고한 이도 아드리안 추기경이었다.

로마 사람들이 커다란 굴욕감을 느꼈다면 스페인의 빅토리아에 있던 아드리안 본인은 누구보다 착잡한 기분이었다. 1522년 1월 24일 자신이 교황으로 선출되었다는 소식을 듣자 아드리안은 자신의 약점과 노령과 확실치 않은 건강, 자격 불충분 등을 이유로 고사했다. 항변의 이유로는 자신은 학자 기질이지 지도자의 기질이 아니라고 했다.

아드리안의 선출 소식에 모든 사람들이 당황한 것은 아니었다. 카를 5세의 진영에서는 겉으로 드러내지는 않았지만 속으로 쾌재를 불렀다. 이탈리아에서의 전쟁, 이슬람의 동유럽 침공, 루터의 저항 운동 등 사면초가에 몰려 있던 상황에서 카를 5세는 "이제껏 교황 자리에 오른 그 누구보다도 신임 교황을 완전히 의지할 수 있을 것"으로 확신한다고 언급했다.

멀리 떨어진 바르트부르크의 외딴 방에 있던 루터는 그 소식에 거의 아무런 관심을 보이지 않았다. 로마로부터의 온갖 공격과 위협에 이제는 이골이 나 있었으므로 심지어 스페인 종교재판소의 대심문관이 교황으로 뽑혔다고 해도 이 떠들썩한 교황 선출 소식쯤은 무시할 수 있었다. 루터의 마음을 절실히 사로잡고 있던 것은 정치문제가 아니었다. 루터의 편지를 보면 그는 심지어 레오 교황의 죽음으로 자신이 비참한 운명에서 풀려날 수도 있다는 사실을 깨닫지 못한 것 같다. 지금 루터의 관심은 궁극적으로는 로마에서 벌어지고 있는 협잡보다도 세계정세에 더 큰 파장을 미치게 될 원대한 계획에 온통 집중되어 있었다.

제13장

오직 믿음으로

로마가 교황 선출에 한창 난항을 거듭하고 있었던 신년에 루터는 바르트부르크에서 기념비적인 번역에 박차를 가하고 있었다. 그러나 여전히 당황스럽긴 마찬가지였다. 1522년 1월 14일 친구인 니콜라스 폰 암스도르프에게 보내는 편지에 솔직한 심정을 토로했다. "내 능력으로는 감당이 안 되는 짐을 짊어졌네. 이제야 비로소 번역한다는 것이 어떤 의미인지 알겠네. 자신의 이름을 남기고 싶어하는 사람들이 왜 아무도 그 위업에 착수하지 않았는지 이제야 알 것 같네."

그러나 어쨌든 부활절까지는 계속 애써보겠노라고 약속했고 이미 마음속으로는 일찌감치 구약 번역을 기획하고 있었다. "물론 자네들 협력 없이 전적으로 나 혼자서는 구약을 시작할 수 없을 걸세. 어떻게 해서든 자네들 가운데 누군가와 함께 지낼 수 있는 비밀방을 하나 마련할 수 있다면 좋으련만. 그렇다면 당장이라도 가서 도움을 받아가며 모든 그리스도인들이 읽을 만한 훌륭한 번역서가 되도록 처음부터 전서를 번역할 수 있을 텐데. 우리 독일인들을 위해 라틴 사람들이 가지고 있는 것보다 더 훌륭한 번역본을 만들어내면 좋겠네."

피곤에 지쳐서 루터는 마태복음 11장 28절 부분부터 다시 시작했을 것이다. 불가타 본은 이렇게 씌어 있다. "수고하고 무거운 짐을 진 자들아 모두 내게로 오너라. 내가 너희를 회복시켜주겠다." 루터도 회복이 필요했지만 표현은 다르게 했다. "일하며 지친 자들아 모두 내게로 오너라. 내가 너희에게 안식을 주겠다." 안식과 회복, 루터에게는 둘 다 필요했다.

루터는 작업을 시작한 지 겨우 5주도 안 되어 4복음서와 사도행전을 이미 끝내고 고린도전서에 집중하고 있었는데 7장 14절에서 출생의 적법성 문제에 봉착했다. 멘토로 삼았던 에라스무스의 그리스어 본으로 작업하던 루터는 다음의 구절에 이르렀다. "신자 아닌 남편은 아내로 말미암아 거룩해졌고, 신자 아닌 아내는 그 남편으로 말미암아 거룩해졌기 때문입니다. 그렇지 않으면 여러분의 자녀도 더러울 터이지만, 사실은 그들도 거룩합니다." 이 구절을 보며 루터는 에라스무스를 떠올렸을 것이다. 위대한 인문주의자 에라스무스도 한쪽 부모만 신자였으므로 하나님의 거룩한 자녀가 될 수 없었고, 그의 비적법한 출생은 1517년 교황의 관면을 통해서야 정화되었기 때문이다. 그렇다면 한쪽은 신자고 한쪽은 신자가 아닌 부부 사이에서 태어난 아이들은 모두 부정하단 말인가? 암스도르프에게 편지를 쓴 그날 루터는 멜란히톤에게 조언을 구하는 편지를 보냈다.

"고린도전서 7장 14절의 말씀을 자네는 어떻게 이해하는가? 오로지 어른들에게만 해당되는 구절로 이해해야 할까 아니면 일반적으로 모든 사람에게 해당되는 구절로 이해해야 할까?" 부모의 신앙 여부에 상관없

바르트부르크 성에 체류할 당시 루터가 기거했던 방.
그는 이곳에서 기념비적인 독일어 성서 번역작업에 매달렸다.

이 세례로 아이들이 거룩해질 수 있는 것 아닌가? 그리고 이 구절은 아이들을 위해 함께 결혼생활을 유지하고 있는 신자-비신자 혼인의 중요성을 간과하고 있는 것 아닌가? 이 구절은 오로지 아이들에게만 적용되는 것인가 아니면 마찬가지로 어른에게도 적용되는 것인가? 좀더 숙고한 후에 루터는 이 구절의 의미를 좀더 확장하여 표현했다. "신자 아닌 남자는 아내를 통해 거룩해지고, 신자 아닌 여자는 남편을 통해 거룩해집니다. 그렇지 않다면 그들의 아이는 더러워질 것입니다. 이제 그들은 거룩합니다." 이는 이제껏 나온 어떠한 번역보다도 성경을 훨씬 광범위하고 자유롭게 해석한 것이었다. 그리고 이제 막 착수하려던 또 다른 구절의 전조가 되었는데 이것은 루터의 신학 전체를 정의하는 핵심구절이 될 터였다.

로마서 3장은 인류의 근원적인 죄성을 재확인하고 있지만 또한 죄인이 어떻게 해서 의로워질 수 있는지 묻고 있다. 모든 인간은 그저 속임수와 거짓말로 영원히 저주받아 구원이 거부된단 말인가? 아니면 죄인은 믿음이든 선행이든 어떻게 해서든 자신을 스스로 구원할 수 있을까? 믿음과 선행, 이 두 가지 가운데 어느 것이 용서와 구원에 이르는 참된 길이란 말인가? '의화'(칭의)가 핵심 문제였다. 그것은 악의에 찬 죄인이 올바르고 의로운 사람으로 변할 수 있는 과정을 지칭한다.

루터는 의화 교리를 전체 그리스도인의 신앙을 "하나로 단단히 결속시킬" 자기 신학의 핵심으로 보았다. 오로지 이것을 통해서만 하나님을 이해할 수 있었다. 그리스도 교회가 굳건히 서 있어야 할 토대는 바로 이 의화 교리였다.

그리고 이제 로마서 3장 23~24절에 이르렀다. 성 히에로니무스의 공인 본문은 이렇다. "모든 사람들이 죄를 지어 하나님의 영광이 필요하게 되었습니다. 그러나 예수 그리스도의 대속을 통하여 그분의 은총으로 거저 의롭게 됩니다." 킹제임스 본은 말을 약간 바꾸었다. "모든 사람들이 죄를 지어 하나님의 영광을 잃었습니다. 그러나 그리스도 예수 안에 있는 대속을 통하여 그분의 은총으로 거저 의롭게 됩니다."

그리스도의 은총을 통하여 의롭게 된다니 도대체 이것이 무엇을 의미하는가? 이토록 애매하고 추상적인 개념을 죄인이 어떻게 이해할 수 있을까?

루터는 이 구절을 다음과 같이 고쳐 썼다. "그러므로 우리는 인간이 오직 믿음만으로 의롭게 될 수 있음을 압니다."

이렇게 고친 데 대한 이론적 설명으로 루터가 제시한 첫 번째 근거는 독일어 자체의 특성에 있었다. '오직'(alone)이라는 말은 일상적으로 '나는 오직 마시기만 했을 뿐 아직 취하지는 않았다'와 같은 문장에서 쓰인다. 루터의 모국어인 독일어에서는 '오직'이라는 단어는 문장을 더욱 완전하고 분명하게 하기 위해 덧붙여진다는 것이 그의 주장이었다. "우리는 이 멍청이들과 달리 독일어를 어떻게 말하는지 문어체 라틴어에 물어볼 필요가 없다."

이 급진적인 해석으로 'sola fide'(오직 믿음만으로)라는 탁월한 개념이 확립되었다. 이 생각은 몇 년 동안 그의 마음 안에서 발전되고 있었다. 사실 그 생각은 루터가 아우구스티노 수도사로 수련 받는 과정에서 자신을 성 아우구스티누스와 동일시할 때부터 싹텄을 수도 있다. 4세기 히포의 주교였던 성 아우구스티누스는 젊은 시절 방종을 일삼았고, 자신의 나약함을 의식하고 겸손해지려고 투쟁했으며 정욕의 유혹에 맞서 싸웠다. 그렇다면 아우구스티누스는 어떻게 구원을 얻었을까? 나중에 한 선행에 의해서?

당시까지 자신이 한 많은 선행을 돌아보며 루터는 공허감과 불만을 느꼈을 뿐이다. 정직하고 자비로운 사람이 되는 것만으로는 충분하지 않았다. 인간이 구원되기 위해서는 좀더 깊고 영적이며 신비로운 그 무엇이 필요했다. 의화 개념을 형성하는 과정에서 루터는 또한 당대 프랑스의 인문주의자였던 자크 르페브르 데타플의 작품에 영향을 받았다. 1512년 르페브르는 이렇게 썼다. "얼마 되지도 않거나 아예 없는 우리의 공로를 떠들 것이 아니라 만물이신 하나님의 은총을 찬양합시다."

루터는 이제 의화 개념을 자신의 개혁운동의 핵심 신조로까지 끌어올리고 있었다. 그는 선행을 강조하는 로마 가톨릭 신학과 자신의 새로운 구원신학 사이의 주된 차이점으로 이 의화 개념을 내세울 작정이었다. 이제 그것이 그에게는 변화의 기회였고, 성령께서 불어넣어주신 것으로 확신하게 되었다. 마음속에서 이 개념이 확고해지자 다음과 같이 선언했다. "나는 전적으로 새로 태어나 활짝 열린 문을 통해 천국으로 들어간 것처럼 느껴졌다."

이 한 문장을 번역하면서 루터는 의식적으로 '오직'이라는 단어를 덧붙임으로써 그 말이 지닌 혁명적인 힘을 인식했다. 로마서의 번역을 전부 마치고 서간문을 시작할 때 다루었던 이 근본적인 문제에 다시 매달렸다. 좋은 행위는 대변에 기입하고 나쁜 행위는 차변에 기입하여 기계적으로 정산하는 것처럼 죄인이 자신의 선행으로 구원받을 수 있다고 생각하는 것은 한낱 꿈이요 허상이라고 주장했다. 선행을 평가하려는 충동은 하나님이 아닌 인간에게서 나온 생각이었다. 많은 선행을 함으로써 죄인이 천벌을 피할 수 있다는 의식적이고도 지적인 환상에 불과했다. 그 생각은 마음이 아닌 머리에서 온 것이며 하나님이 아닌 인간으로부터 온 것이므로, 개인이든 공동체든 그런 생각으로는 진정한 회심이 우러나올 수 없었다.

루터가 생각하기에는 신앙 그 자체만이 변화를 가져온다. 그것은 믿는 사람과 절대자 사이에 개인적으로 맺어지는 생생하고 직접적인 관계를 의미했다. 루터는 그것을 이렇게 표현했다. "그것은 살아 있고, 창조적이며, 적극적이며 강력한 것이다." 말이 난 김에 덧붙이자면 루터는 진정으로 회심한 신자는 선행을 하지 않을 수 없다고 말했을 것이다. 그가 말하는 교리는 수동적인 것과는 거리가 멀다. 그것은 이것 아니면 저것, 신앙 아니면 선행의 문제가 아니었다. 그러나 사람은 신앙이 깊어지면 저절로 선행을 하게 된다. 그것이 바로 본질이고 촉매였다. 그래서 루터는 이렇게 결론지었다.

"믿음과 선행을 분리하는 것은 불에서 열기와 빛을 분리해내는 것만큼이나 불가능하다!"

제14장

광신의 물결

1521년 12월 중반 루터는 비텐베르크 사태에 어느 정도 안심하고 그곳을 떠났다. 하지만 얼마 되지 않아 상황은 또 다시 걷잡을 수 없이 통제 불능 상태로 바뀌었다. 안드레아스 카를슈타트가 개혁운동의 주도권을 잡으려고 공세적으로 나온 것이다. 그는 루터가 준비하고 있던 것 이상으로 훨씬 과격하고 위험하게 개혁운동을 추진해가면서 자신들의 프로테스탄트 신앙의 전례와 예배에 급진적인 조치를 시행함으로써 일반 신자들의 반대를 불러일으킬 수 있는 위험을 초래했다. 루터가 보기에는 근본적인 변화를 위한 토대가 아직 다져지지 않았다.

루터가 비텐베르크를 떠나고 나자 카를슈타트는 새해 첫날에 전통적인 미사를 따르지 않고 새로운 예식에 의거해 복음에 따른 주님 만찬 예배를 드리겠다는 의사를 밝혔다. 프리드리히 선제후가 개입하여 저지시키자, 계획을 성탄절로 앞당겼다. 카를슈타트의 승인을 받은 학생들이 교회에 난입하여 등불을 깨며 모든 사제들의 머리 위로 역병과 불길이 쏟아지라고 악담을 퍼부었다. 비텐베르크 성 교회에서 성탄절 미사를 드리면서 카를슈타트는 제의를 착용하지 않았고, 미사 통상문에서 대영광송도 생략하고, 신자들이 성작을 직접 들어 그리스도의 성혈(포도주)을 마시도록 허용했다. 그리고 사제들에게는 결혼이 의무라고 선포했고, 하루 뒤에는 자신도 몰락한 귀족 가문의 열다섯 살짜리 소녀와 결혼하겠다고 발표했다.

그사이, 비텐베르크 주변 도시들에서는 과격한 수사 가브리엘 츠빌링이 학생 복장에 멋진 깃털을 단 모자를 쓴 채 복음주의 미사를 드리고 있었다. 고해성사는 하지 않았다. 단식 율법도 폐기되었다. 병자성사도 없어졌다. 그리고 일요일을 제외하고는 모든 축일도 없애라는 의견이 제시되었다.

그와 동시에 남부 작센에서는 개혁운동에 새로운 문제가 대두되었다. 직물 제조로 유명한 인구 7천 명의 주요 상업도시인 츠비카우에서 또 다른 저항이 일고 있었다. 그곳은 루터에 대한 지지세가 강한 곳이었는데, 특히 현격한 빈부격차에 불만을 품은 떠돌이 직조 노동자들의 지지가 컸다. 그들은 토마스 뮌처라는 선동적인 연설가에게 강하게 끌렸다. 뮌처는 원래 사제계급 내에서 루터에 의해 발탁이 되었다.

뮌처는 일류 선동가였다. 사람을 흥분시키는 유창한 달변에 날카로운 눈과 어깨 위로 흘러내리는 곱슬머리를 갖춘 그는 이단자 얀 후스의 유령을 깨우고 싶다고 공공연히 선포했다. 그리고 기성 사제들을 전적으로 경멸했다. 면벌부, 연옥, 사제의 독신생활, 연미사 등을 비난하는 설교를 했고 비할 데 없는 열정을 지닌 노동계층 추종자들에게 자신의 정열을 쏟아 부었다. 그는 큰 소리로 부르짖었다. "인간은 오랫동안 하나님의 정의를 갈망해왔습니다. 자녀가 빵을 달라고 외치는데 그것을 매정하게 뿌리칠 사람은 아무도 없습니다. 그런데도 마치 개에게 주듯이 성경 말씀을 던져주는 자들을 보십시오. 여러분의 미사를 집전하는 자들이 참된 사제인지 여러분은 알 것입니다. 젖꼭지가 말라붙어 더 이상 자신의 양들에게 줄 젖이 없는 가엾은 목자들이여 …… 운 나쁘게 늪지에 살게 된 불쌍한 개구리들을 먹어치우는 황새들이여 …… 먹이처럼 생긴 돌로 새끼들을 먹이는 맹금류여 …….”

“여러분께 드리는 말씀인데 북쪽 나라들에는 은총의 강물이 곧 넘쳐흐를 것이랍니다. 교회가 쇄신될 것이며 그 왕국을 온 세상까지 넓힐 것입니다. 제게 오지 말고 …… 하나님께 가십시오. 그리스도의 성혈의 이름으로 로마에 있는 여러분의 사제들과 저를 비교해보시기 바랍니다. 나 뮌처는 교회가 아무 말 없는 신들에게 바치는 기도를 당장 중단할 것을 요구하는 바요.”

뮌처는 니콜라스 스토르흐라는 직물 재단 장인과 연대했다. 뚱하고 창백한 표정이었지만 비전만은 분명했던 스토르흐는 성경에 정통한 사람이었다. 그는 자신이 전능하신 하나님과 특별하고도 직접적인 관계를 맺고 있다고 주장하며 하나님의 계시와 신비한 환상에 대해 말하고 다녔다. 츠비카우를 중심으로 그는 교회에 속하지 않은 추종자들을 뽑아 비밀모임을 개최하고 있었고 가끔은 폭동을 일으키기도 했다. 스토르흐는 챙이 넓은 모자와 긴 회색 법복을 걸친 채 성큼성큼 걸어 다니며 순진한 사람들을 상대로 지혜를 타고 났다고 칭찬하며 그들에게 “모든 권위에 맞서 피처럼 붉은 깃발”을 들라고 촉구했다.

그리고 외쳤다. “지금 드리는 말씀을 잘 들으십시오. 지난밤에 하나님께서 천사를 보내시어 말씀하시길 제가 대천사 가브리엘과 같은 좌품천사*가 될 거라고 하셨습니다. 사악한 자들이여 두려워하라! 의로운 자들이여 희망을 가지십시오! 사악한 자들은 괴멸될 것이고, 하나님께서 뽑으신 이가 세상의 왕이 될 것입니다. 하나님께서는 제게 세상의 왕국을 약속하셨습니다. 저처럼 주님을 영접하고 싶으십니까? 그러면 성령을 받기 위한 마음의 준비를 하십시오. 더 이상 하나님의 나라를 선포하는 어떠한 성직자나 사제나 책이 있어서는 안 됩니다. 옷차림과 식사를 검소하게 하십시오. 그러면 하나님께서 여러분에게 내려오실 것입니다."

종말의 때가 오기 전에 완전히 '사악한' 자들의 교회를 정화하도록 성령께서 자신을 부르고 있다고 주장했다.

뮌처의 공격적인 설교와 스토르흐의 종말론적 호언장담으로 시민들의 소요 사태가 이어지자 츠비카우 시의회는 겁에 질렸다. 라이프치히에 있는 수염공 게오르크 공작과 토르가우에 있던 한결공 요한 공작 양쪽에 불만이 제기되었고 곧 조사가 시작되었다. 그러나 조치가 취해지기도 전에 뮌처는 프라하로 도망쳐버렸다. 한편 스토르흐와 다른 두 주모자도 비텐베르크로 탈출하여 그곳에서 루터의 개혁운동을 망치기 시작했다.

자신들을 스스로 "내면의 빛을 지닌 사람들"이라 부르던 스토르흐와 동료들은 12월 27일 비텐베르크에 도착했고 이내 온 도시의 화젯거리가 되었다.

그들이 도착한 날, 순진한 멜란히톤은 프리드리히 선제후에게 편지를 썼다. "살펴보았더니 그들의 말이 훌륭하다고 고백하지 않을 수 없습니다. 사실 그들을 거부할 특별한 이유가 없답니다." 루터의 소심한 대리자 멜란히톤은 츠비카우에서 온 스토르흐 일행의 열렬한 확신에 사로잡혔다. 하나님의 계시를 받는다는 그들의 주장에 두려움을 느끼며 매혹

* 천사는 역할에 따라 9품 천사로 나뉘는데, 치품(세라핌)·지품(케루빔)·좌품·주품·역품·능품·권품·대천사·천사가 있다. 이 가운데 좌품천사(Thrones)는 많은 눈을 가졌으며 하나님의 판결을 전달하는 역할을 맡고 있다. 좌품은 왕권을 의미한다.

당한 것이다.

멜란히톤은 그들에게 물어보았다. "설교하라고 누가 권한을 주었습니까?"

그에 스토르흐는 간단하게 답했다. "주님께서 주셨습니다." 이것은 심각한 문제가 아닐 수 없었다. 당시는 종교개혁운동의 신학 이론이 태동하던 때였으므로 이 대답은 원칙적으로는 용인될 수 있었다. 『교회의 바빌론 유수』에서 만인사제직의 개념으로 누구나 강론대에 설 수 있다고 주장한 이가 루터 본인이 아니었던가? 그러니 이 사람이라고 안 될 이유는 없지 않은가?

카를슈타트 또한 이 광신도들을 즉각적으로 열렬히 지지했다. 드라마틱하게도 비텐베르크의 최고 지식인 카를슈타트가 교본과 주석, 심지어 성서 그 자체보다도 직접적인 영감을 더 중시하는 원시주의자로 바뀌고 말았다. 그러나 개혁운동의 대의에 대한 이 직접적인 도전에 대처하는 과제는 필리프 멜란히톤에게 맡겨졌다. '작은 그리스인'이란 별명으로 불리던 멜란히톤은 처음에는 순진했지만 점점 근성이 생기고 있었다.

신학적으로 말해 종교개혁에서 특별히 어려웠던 부분은 츠비카우 출신 과격분자들의 유아세례 거부였다. 그것은 루터의 추종자들이 아직 손대지 못하고 있던 문제였다. 아무것도 모르는 유아들이 세례를 받는 동안 그 성사의 의미를 제대로 아는지, 그리고 알지 못한다면 그들이 정말로 진정한 신자로 간주될 수 있는가가 관건이었다. 루터의 견해로는 진짜 성사라고 할 만한 것은 두 가지밖에 없었는데, 하나는 성체성사, 나머지 하나는 세례성사였다. 가톨릭에서는 어린아이들을 신앙으로 안내하기 위해 이 의식이 보편적으로 널리 활용되었다. 하지만 유아세례를 받는 어린아이들이 무슨 일이 일어나고 있는지 제대로 이해할까?

자칭 '예언자들'은 차츰 발전해가고 있던 루터 신학의 약점, 즉 유아세례는 오직 믿음으로 의롭게 된다는 핵심 원칙과 상반된다는 사실을 건드리고 있었다. 이에 대해 루터 본인은 나중에 이렇게 말했다. "나는 악마가 이 아픈 부분을 건드릴 것으로 늘 예상하고 있었다. 하지만 악마는 교황 추종자들을 이용하지 않았다. 오히려 우리 내부에 커다란 갈등을 일으켰다."

사람들을 동요시키는 이 성령주의자들의 존재에 프리드리히 선제후 또한 위기감을 느꼈다. 이러한 내부 갈등 말고도 평화를 유지하는 데 충분히 어려움을 겪고 있었기 때문이다. 선제후는 한탄하지 않을 수 없었다. "제대로 되는 것이 하나도 없군. 다들 갈팡질팡하고 있어. 누가 누군지 제대로 알아보는 작자가 하나도 없군."

1522년 새해 첫날 프리드리히 선제후는 앞으로 무엇을 어떻게 할지 결정하기 위해 고문들인 멜란히톤·암스도르프·슈팔라틴을 소집했다. 멜란히톤은 사태가 우려할 만한 수준이니 루터를 바르트부르크에서 불러들이자고 제안했다. 오로지 루터만이 이 새로운 사태에 맞설 능력과 평판을 갖추고 있었기 때문이다. 그러나 선제후는 루터를 비텐베르크로 데려오는 것은 아직 안전하지 않다고 생각했다. 동시에 자신이 아직 명목상으로는 가톨릭 신자였으므로 유아세례, 사제의 독신생활, 미사의 폐지에 관한 문제 등 신학적 논쟁거리를 분명히 정리하길 원했다.

멜란히톤은 사태를 관망했다. "악마가 우리의 약점을 잡아서 물고 늘어질 줄 알았습니다." 하나님으로부터 계시를 받는다는 과격분자들의 주장을 결국 의심하게 되었지만 멜란히톤은 유아세례에 대한 공격을 몹시 우려했다. 한편 암스도르프는 츠비카우에서 온 예언자들이 대파괴와 종말이 오기 전에 정말로 성령을 듬뿍 받고 있는지도 모른다고 생각했다.

선제후는 일단 미봉책으로 그 예언자들을 무시하고 더는 아무런 관계도 맺지 말라고 명령했다.

그리스도가 하나님의 아들로서 드러나셨음을 기념하는 주님공현대축일인 1월 6일에 1천 명의 회중이 모여들어 새로운 방식으로 미사를 드리고 천장까지 쩌렁쩌렁 울리는 카를슈타트의 설교를 들었다. 그는 영성체를 하기 전에 죄를 고백하는 참회 예절이 필요 없으며 단식에 관한 이전의 규정도 무효화되었다고 선언했다. 교회에서 성인의 성화나 조각상에 비는 것을 비난하고 신성을 모독하는 우상숭배라고 비웃었다. 유아세례는 효력이 없게 되었으니 성인이 되어 세례를 받아야 한다고 선언했다. 또한 2주 후인 1월 19일에 결혼하리라고 공표했다. 그리고 가장 놀랍게도, 성령으로부터 빛의 이끄심을 받는 예언자들이 가능하다는 입장을 취해 성경을 이해하는 데 학식이 불필요하게 만들었다. 이 마지막 선언에서 카를슈타트는 출애굽기의 다음 구절을 특히 강조하는 스토르흐를 지지했다. "너희는 내 앞에서 다른 신들을 섬기지 못한다. 너희는 너희가 섬기려고 위로 하늘에 있는 것이나, 아래로 땅에 있는 것이나, 땅 아래 물속에 있는 어떤 것이든지, 그 모양을 본떠서 우상을 만들지 못한다. 너희는 그것들에게 절하거나, 그것들을 섬기지 못한다. 나, 주 너희의 하나님은 질투하는 하나님이다."(20:3~5)

그 직후에 비텐베르크의 치안판사들이 모르는 척하는 가운데 가브리엘 츠빌링이 이끄는 한 폭도 무리가 도시의 교회들을 공격하고 조직적으로 모든 제단과 성상들을 파괴했다. 아이러니하게도 그들은 부와 탐욕의 신인 맘몬 신상만 건드리지 않고 남겨두었다. 기이하게도 이렇게 빠뜨리고 파괴하지 않은 것을 정당화하기 위해 폭도들이 내세운 주문은 누가복음 16장 13절의 구절이었다. "한 종이 두 주인을 섬기지 못한다. 그가 한쪽을 미워하고, 다른 쪽을 사랑하거나, 한쪽을 떠받들고, 다른 쪽을 업신여길 것이다. 너희는 하나님과 재물을 함께 섬길 수 없다."

교회의 성화를 파괴하고 있는 카를슈타트(빌렘 린니히, 1882).
루터가 비텐베르크에 없는 동안 카를슈타트는 개혁운동의 주도권을 잡으려 했다.
그의 과격하고 급진적인 조치가 오히려 개혁의 위기를 불러왔다.

모든 광신자들의 도피처로서 비텐베르크의 명성은 멀리 퍼져나갔다. 종교개혁은 약탈자들과 미치광이들의 집단에 불과하다는 낙인이 찍힐 위험에 처했다. 개혁운동의 미래를 위해서라도 싸워야 할 절실한 국면에 접어들고 있었다.

불가피하게 멜란히톤과 그의 동지들은 스승에게 도움을 청할 수밖에 없었다. 1522년 1월 13일 루터는 답신을 보냈다. 암스도르프에게 보내는 편지에서 루터는 거의 기사 같은 분위기를 풍겼다. 나중에 루터가 그들을 '몽상가들'로 취급할 테니 광신자들에 대해 너무 걱정하지 않아도 되며, 그들 때문에 비텐베르크로 돌아갈 마음은 없다고 했다. 그들은 하나님과 소통하는 특별한 능력이 있다고 자랑했지만 루터는 그들이 직접적이든 간접적이든 정말로 하나님과 대화를 했는지 매우 의심스러웠다. 같은 날 멜란히톤에게 보내는 편지에서 루터는 그 문제를 더욱 신랄하게 언급했다. 루터는 멜란히톤이 그 "예언자들"(항상 이 단어를 인용했다)에게 현혹되었다는 사실을 감지하고는 미덥지 못하고 우유부단한 행동이라고 꾸짖으면서 한편으로는 용기를 북돋워주었다. "자네는 영적으로나 학식으로나 나보다 월등하잖나." 루터는 멜란히톤이 그 위기상황에 충분히 대처할 능력이 있다고 치켜세웠다.

루터가 멜란히톤에게 말해준 바에 따르면, 그 선동가들의 주장을 시험해보는 것이 중요했다. 그들이 만일 하나님과의 즐겁고 평화로운 대화에 대해서만 이야기하고 부활로 이르는 지옥의 고통에 시달리거나 영적 고뇌를 겪는 것에 대해서는 아무런 말도 하지 않는다면 그들의 진위를 의심해봐야 한다고 했다. 다시 말해서 "그들을 시험해보라"는 말이었다. 그들이 십자가에 달리신 그리스도에 대해 먼저 말하지 않는다면 영광스러운 그리스도에 대해서만 말하는 것도 듣지 말아야 했다. 하나님께서는 결코 사람들에게 직접 말하지 않으시고 중재자를 통해서만 간접적으로 말씀하신다고 루터는 주장했다. 그 근거로 사무엘 3장 4~14절에 나오는 사무엘 예언자의 사례를 들었다. "하나님은 사람들을 통해서 간접적으로 말씀하시는데 그 이유는 그분의 말씀을 직접 견딜 수 있는 사람이 아무도 없기 때문이다. 심지어 동정 마리아도 천사를 무서워했고, 다니엘도 마찬가지였다."

유아세례 문제에 대해서도 루터는 그들의 의견에 호의적이지 않았고, 그 근거로 마가복음 16장 16절을 들었다. "믿고 세례를 받는 사람은 구원을 얻을 것이요, 믿지 않는 사람은 정죄함을 받을 것이다." 그런데 어떻게 이 "예언자들"은 아이들이 하나님을 믿지 않는다고 입증할 수 있다는 건가? "어린아이들도 그리스도가 베푸는 은혜와 약속에 함께할 수 있다." 세례는 받는 사람의 자격에 제한이 없으며 나이에 상관없이 모든 사람이 받을 수 있어야 했다. 세례를 할 때 어린아이에게 신앙이 고취되는데, 이것이 바로 하나님의 특별한 기적이었다. 어떤 사제도, 심지어 이단자마저도 아직까지 이 유아세례에 대해 반대의 소리를 낸 적은 없었다.

"그렇다면 세례 시에 어린아이는 그리스도의 공로를 나누어 받지 못한단 말인가"라고 루터는 물었다.

그로부터 사흘 후 선제후의 비서인 슈팔라틴에게 보내는 편지에서 루터는 츠비카우 선동의 실질적 측면을 다루었다. 설령 "예언자들"이 폭동을 일으키도록 학생들을 선동하고 카를슈타트가 극단적으로 나아가도록 부채질했더라도 그들을 공격하거나 감옥에 보내기를 원치 않았다. "나는 그들 때문에 전혀 불안하지 않으니 선제후께서는 츠비카우에서 온 이 새로운 '예언자들'의 피를 손에 묻히는 일이 없도록 잘 살피게."

적어도 그 당시 츠비카우의 예언자들이 루터를 불안하게 하지는 않았을 것이다. 그러나 그들이 비텐베르크에 있었던 것이 화근이 되어 1521년 말에서 1522년 초 무렵 집단폭동이 일어났는데, 오늘날 역사가들은 이를 비텐베르크 소요 사태라고 부른다. 루터는 이 침입자들이 저지른 폐단을 과소평가했다. 루터가 없는 동안 사태는 걷잡을 수 없이 통제 불능상태가 되고 말았다.

루터는 틀림없이 지난 여덟 달을 성찰해보고 이 혼란스러운 일련의 사태에 자신도 일말의 책임이 있음을 알았으리라. 그는 가톨릭 조직을 가차없이 강타했다. 사제의 독신생활은 악마가 영감을 불어넣은 것이라고 주장하며 사제들의 결혼을 장려했다. 연옥은 속임수일 뿐이며, 수도서원은 인간이 생각해낸 것이고, 미사는 제사가 아니라고 주장했다. 그리고 가톨릭 성서를 개작하는 과업에 착수했다. 이렇게 인습 타파적인 입장을 취했기 때문에 루터는 육체적으로도 시달렸고 가톨릭의 모든 성직자들로부터 공격을 받았으며 왕·교수·교황들로부터 온갖 비난을 들어야만 했다. 자신의 책들이 불태워지는 것을 지켜보았고 화형당할 위험에 처하기도 했다.

또는 이렇게 표현했다. "불길과 장작과 석탄으로 그 무모한 멍청이들을 태워버리기를!"

그러던 것이 이제 그의 제자들과 고지식한 추종자들에 의해 그 화살이 자기에게로 향하게 되었으니 루터는 그것을 악마의 소행이라고 볼 수밖에 없었다. 그리고 몇 주 후에 이렇게 통탄했다. "사탄이 비텐베르크에 있는 나의 양떼 속으로 끼어들어갔다." 결국 루터는 자신이 없는 동안 멜란히톤의 지도력을 더는 신뢰할 수 없게 되었다. 그런데 공교롭게도 루터가 미처 알지 못하는 사이 츠비카우의 세 예언자들은 1월 6일에 돌연 비텐베르크를 떠나버렸다. 그러나 떠나고 없어도 그들의 영향력은 비텐베르크 여기저기에서 여전히 위세를 떨치고 있었으므로 얼마 후 루터는 이 문제를 처리하지 않을 수 없다고 느꼈다. 루터는 광신자들과 그리스도인들은 다르다고 생각했다. 그리스도인들은 언제나 질문을 던지며 의심할 준비가 되어 있던 반면, 광신도들은 자기의 믿음만을 고수한 채 결코 변하지 않기 때문이었다. 거기에 그들의 힘이 있었다.

바르트부르크에서 루터는 하루에 두세 시간밖에 안 자며 깨어 있는 시간은 편지를 쓰거나 번역하는 데 매달렸지만 그것으로는 충분치 않았다. 비텐베르크에서는 그의 메시지가 효력을 발휘하지 못하고 있었다. 매일 "상황이 더욱 악화되고 있다"는 소식만 들려왔다. 결국은 신약 번역을 미처 끝내기도 전에 비텐베르크로 돌아가야 하는 것 아닌가하는 생각이 들기 시작했다. 그의 개혁운동은 정말로 심각한 위험에 처해 있었다.

결국 루터는 슈팔라틴에게 알렸다. "주님의 뜻이니 빠른 시간 내에 돌아가겠네."

제15장

해방

1522년 1월 22일 새롭게 전개되는 위험한 정세로 루터의 상황은 극적으로 바뀌었다. 루터의 가장 큰 숙적인 작센의 게오르크 공작의 자극을 받아 뉘른베르크의 황제섭정 의회는 작센의 모든 교회에서 벌어지고 있는 개혁을 당장 중지할 것을 요구하며 만일 명령에 복종하지 않으면 강제로 진압하여 가혹히 처벌하겠다는 칙령을 발표했다. 특히 사제들은 새로운 형식에 맞서 공개적으로 강론하라는 명령이 떨어졌다. 최종 책임은 절대적으로 루터에게 있겠지만 어쨌든 카를슈타트와 과격한 아우구스티노 수도사 가브리엘 츠빌링이 비텐베르크 소요 사태에 직접적인 책임이 있는 것으로 생각되었다. 과격한 두 사람은 설교할 권한이 없다는 점이 특히 강조되었다. 다시는 그렇게 하지 못하도록 금지되었다. 암스도르프가 엄격한 지침에 따라 비텐베르크 교회에서 설교하도록 정식으로 지명되었다. 가톨릭 전례에 따르지 않고 있다고 보고된 모든 교회를 조사하도록 황제의 관리들이 급파되었다.

루터의 혁신과 과격한 분파들에 대한 탄압은 심각한 국면을 맞고 있었다. 바티칸과 제국 당국 양쪽에서 종교개혁과 그 옹호자들을 상대로 결국 실력행사에 나선 것이다.

며칠이 안 되어, 루터는 가혹한 그 조치들에 대해 전해 들었고, 조치에 담긴 의미를 즉시 이해했다. "현재 소란 사태의 근본 원인이 나한테 있다는 사실을 아무도 부인할 수 없다." 이미 갖가지 폭력과 파괴행위에 대한 이야기들이 비텐베르크에서 들려오고 있었으므로 마음속에서는 바르트부르크 성을 잠시라도 떠나야 할 것 같은 의무감이 점점 커졌다. 이제 더는 멀리 떨어진 곳에서 펜에만 의지하여 상황을 관리하거나 통제할 수 없었다. 시달림을 받고 혼란에 빠진 그의 양들은 루터 본인의 입에서 나오는 말을 직접 들을 필요가 있었다. 황제의 치안관들이 비텐베르크로 오고 있을 가능성도 있으므로 루터는 자신이 너무 오래 지체한 건 아닌지 걱정했음이 틀림없다.

완전히 '초야에' 묻혀 있는 동안 루터는 프리드리히 선제후와는 궁정사제인 게오르크 슈팔라틴을 통해서 간접적으로 소통해오고 있었다. 그런데 이제 말이 전달되는 과정에서 오해가 생기지 않도록 직접 소통할 필요가 있었다. 그래서 2월 22일 빈약한 핑곗거리지만 기존의 방대한 성유물 수집품 외에 또 다른 유물을 입수한 것을 축하한다는 편지를 선제후에게 보냈다. 그 유물은 못이 박히고 창과 채찍으로 장식된 십자가였다. 루터는 그 유물이 비텐베르크에 닥친 고난의 상징이므로 프리드리히 선제후 본인이 적들에 의해 십자가에 달리는 일이 없도록 조심하라고 넌지시 전했다. 자신의 군주인 선제후는 현명하고 신중해져야 하며 소요 사태에 낙담해서는 안 되었다. "벌써부터 용기를 잃으시면 안 됩니다. 사탄이 원하는 상황이 아직 모두 끝난 것이 아니기 때문입니다."

짧게 쓴 편지의 말미에서 루터는 하고 싶은 말의 요점, 즉 자신의 귀환이 임박했다는 사실을 언급했다. "작업을 마무리하는 데 무척이나 서두르고 있어서 펜이 전속력으로 달리고 있답니다. 더는 시간을 낼 수 없을 지경입니다. 하나님의 뜻이라면 제가 곧 그곳에 가게 될 것입니다. 그러나 전하께서는 저를 책임지겠다고 하시면 안 됩니다." 마지막 문장은 세심히 공들여 쓸 필요가 있었지만 루터는 당장은 아무것도 제시하지 않았다.

이제 번역도 막바지에 이르러 조금만 더 시간을 들이면 되었으므로 정말로 루터의 펜은 미친 듯이 달리고 있었다. 신약의 마지막 뒷부분 몇 장만을 남겨두고 있었는데, 사실 이 부분은 언제나 좀 뒤떨어지는 책들로 생각하고 있던 야고보서·유다서·히브리서, 가장 의문의 여지가 많은 요한계시록이었다. 루터는 이런 의구심이 들었다. 이 책들이 정말로 성서라고 할 수 있을까? 신약을 적절하게 다시 재편성해야 할 필요가 있어 보였다. 루터의 해결책은 부록을 다는 일이었다.

루터는 외쳤다. "야고보서는 분량이 얼마 되지 않으니까 여기서 빼야만 해. 그리스도에 대해서는 일언반구도 없어."

게다가 야고보 사도가 자기 이름이 담긴 이 서간문을 정말로 썼는지도 의심스러웠다. 루터 생각으로는 이 서간문이 성경을 망쳐놓는 것 같았다. 그리스도의 수난이나 부활, 또는 영에 대해 아무런 언급이 없다. 요한복음 15장에서 그리스도는 사도들에게 이렇게 말씀하신다. "너희는 나를 증언할 것이다." 복음서 이후에 나오는 진짜 성서들은 이 증언을 드러내고 있는데, 그것이 바로 성서의 신빙성을 입증해주는 진정한 척도였다. 루터는 그리스도에 대해 가르치지 않는 책은 무엇이든 사도적이지 않다고 결론 내렸다. 야고보서의 저자는 아마도 오랫동안 사도 바울을 따라 다닌 신자였을 것이다. 그러나 성령보다는 너무 율법에 치우처 같은 소리를 반복하고 있다. 그리고 사도들을 추종하는 자들에게서 몇 마디 전해 듣고 그것을 급하게 옮겨 적음으로써 완전히 '뒤죽박죽'이 되어버렸다.

그래서 루터는 결정했다. "내 성경에는 야고보서를 진짜 중요한 책으로 넣지는 않을 것이다." 물론 좋은 말들이 담겨 있다는 점은 인정할 만하지만 거룩하지는 않았다. 에라스무스와 성 히에로니무스조차 이 서간문의 진위를 의심했으므로, 루터 역시 그 의미를 평가절하하며 확실한 토대를 근거로 진짜가 아니라고 생각했다.

유다서를 처리하는 것은 쉬웠다. 상당히 많은 단어들이 겹치는 것으로 보아 베드로전서를 요약한 책이 분명했다. 그리스도가 돌아가신 후 사도 유다는 동쪽의 페르시아로 갔다가 시리아로 건너가 그곳에서 순교했다. 그랬는데 그가 어떻게 그리스어로 편지를 쓸 수 있단 말인가? 유다서를 제외시키는 과정은 옛 교부들의 사례를 따른 것인데, 교부들 역시 루터와 생각이 같았다. 그러므로 자신이 새롭게 정비한 독일어 성경에서는 장황하고 불필요한 유다서를 쉽사리 뒤로 보낼 수 있었다.

히브리서에 대한 의심은 성격이 좀 달랐다. "구약을 훌륭하게 해석하고" 성서를 "제대로" 다룬 "매우 뛰어난 서간문"이라고 마지못해 인정하긴 했지만 이것을 쓴 저자는 바울이나 다른 사도가 아니라 이름이 밝혀지지 않은 이후의 인물이 분명했다. 2장(2:3)을 보면 확연히 드러난다. 이 부분에서 저자는 하나님이 하신 말씀에 대해 적으며 "그것을 들은 사람들이 우리에게 확증해준 것입니다"라고 밝히고 있다. 루터는 그 저자가 누군지 알 수 없을 거라고 결론 내렸지만 상관없었다. 그래봐야 달라질 것은 없었다. 이 서간문 역시 뒤쪽으로 보냈다.

루터가 가장 근본적으로 반대한 것은 바로 신약의 마지막 책인 요한계시록이었다. 거기에서는 도대체 사도들에 대한 것은 물론이고 성령이 존재한다는 증거를 어디서도 찾아볼 수 없었다. 사도들은 신앙의 기초와 예수님의 삶에 대해서 가르쳤는데 반해, 이 책은 그리스도에 대해서는 일언반구도 없으며 오히려 사도적이지도 예언자적이지도 않은 이해하기 어려운 환시 같은 이미지와 계시만을 다루고 있다. 전해주는 교훈과 경고를 마음속 깊이 새기지 않는 사람들은 누구나 멸망할 것이라고 위협하고 있지만 루터 자신을 비롯해 그 누구도 이 책의 환각과도 같은 가르침을 어떻게 따라야 할지 알 수 없다고 했다.

이 지점에서 루터는 심지어 자신의 정신적 스승이자 성서를 라틴어로 처음 번역한 장본인과는 생각이 달랐다. 루터는 성 히에로니무스가 요한계시록의 신비에 대해 언급했지만 그 심오함을 입증하지는 못했고 찬사가 너무 과분하다는 반응을 보였다.

일단 구성과 관련된 중요한 사안들을 결정하고 나자 루터는 다시 실질적인 문제로 돌아설 수 있었다.

2월 22일 루터는 프리드리히 선제후에게 곧 비텐베르크로 돌아갈 계획이라는 편지를 보냈다. 그리고 며칠 뒤 지인들의 간곡한 요청까지 받게 되자 더는 모른 체 할 수 없었다. 루터가 담당하고 있던 비텐베르크 교회와 크라나흐·멜란히톤·암스도르프를 비롯한 사목위원들이 돌아오라고 공식적으로 급히 요청해온 것이다. 그 일을 주도한 사람은 멜란히톤이었지만 가장 절박한 사람은 암스도르프였다.

"어서 돌아오게, 안 그러면 우리 모두 끝이라네."

"알겠네, 돌아가겠네. 하나님께서 나를 부르고 계시군. 그분의 음성이 들리네. 예수 그리스도 안에서 내가 돌봐야 할 사람들이 그곳에 있네. 내가 그들을 구하러 가지 않는다면 그 피에 대한 죄는 내가 지게 될 걸세. 그들을 위해서라면 나는 무엇이든, 설령 죽음이라도 감내할 준비가 되어 있네. 내가 없는 틈을 타서 사탄이 내 양떼 안에 혼란을 일으켰네. 그들은 내 사람이므로 사탄에게서 도로 찾아오고야 말겠네. 이곳에서는 내 글이 아무짝에도 쓸모가 없군."

2월 22일자 편지를 읽고 나서 루터가 바르트부르크를 떠날 준비를 하고 있다는 사실을 분명히 알게 된 프리드리히 선제후는 루터의 움직임에 심각한 우려를 보이지 않을 수 없었다. 불확실한 상황에서 황제의 대리인은 물론 비텐베르크의 과격분자들로부터 루터를 제대로 지킬 수 있을지 확신할 수 없었다. 루터를 잡아들이라는 황제의 정식 요청이 있을 경우 정치적인 이유로 거부하려면 상당한 압박을 받게 될 터였다. 그 명령을 거부하게 되면 자신의 권위가 손상될 것이었다.

그래서 프리드리히 선제후는 아이제나흐의 장원 관리인에게 바르트부르크 성채로 찾아가 루터가 성을 떠나지 않도록 하거나 그게 여의치 않으면 적어도 출발을 무기한 연기하도록 최대한 설득하라고 명령했다. 별로 달가워하지 않는 루터를 상대로 선제후가 보낸 관리인은 다음과 같은 주장을 폈다. 비텐베르크의 현재 상황은 몹시 혼란스럽고 불안하며 위험하다. 그러니 지금 공개적으로 모습을 드러내는 것은 현명하지 못한 처사다. 선제후가 마냥 보호해줄 수도 없다. 그리고 비텐베르크에 나타나면 오히려 폭력사태가 더 심해질 수 있다. 그 외에도 루터가 바르트부르크를 떠나면 안 되는 여러 상황을 열거했다.

그 만남은 만족할 만한 성과를 내지 못했다. 루터가 그 다음날 성에서 떠나버리고 만 것이다.

루터가 아이제나흐에서 비텐베르크까지 280여 킬로미터의 거리를 가는 데는 8일이 걸렸다. 게오르크 공작의 영지인 위험한 작센 주는 가급적 피하고 튀링겐의 동쪽 끝자락으로 가는 남쪽 우회로를 택해 혼자서 길을 나섰다. 사람들의 시선을 피할 만한 평범한 복장을 선택하는 대신 눈에 확 띄는 편력기사 차림새로 변장했다. 즉, 쥠쇠가 달린 칼을 차고, 몸에 꼭 끼는 더블릿,* 무릎까지 내려오는 꽉 끼는 반바지, 말쑥한 붉은 베레모를 걸친 것이다. 예나에 있는 '검은 곰' 여관의 주점('호텔 슈바르처 베어'라는 이름으로 이어져 오고 있다)에 자리 잡고 앉아 히브리어로 된 시편을 무릎에 놓고 훑어보고 있었다.

주점에 앉아 있던 루터는 얼마 지나지 않아 종교에 대해 좀더 공부하고 위대한 인물 마르틴 루터도 만날 수 있기를 희망하며 비텐베르크로 가던 스위스 신학부 학생 몇 사람과 대화를 나누게 되었다. 그들은 예술가들과 인습타파주의자들의 중심지로 유명한 장크트갈렌 출신이었다. 가짜 편력기사 융커 외르크는 학생들에게 이것저것 충고해주며 성서를 제대로 이해하고 싶다면 그리스어와 히브리어를 공부하라고 격려해주었다. 대화를 나누는 동안 루터는 라틴어 문장까지 섞어가며 말을 했으므로 학생들은 이 기사가 매우 비범하다고 생각했다. 그의 눈에는 무엇인가가 있었다. 그중에 한 학생은 당시 루터의 모습을 이렇게 회고했다. "그의 눈은 검고도 깊었다. 마치 별처럼 반짝이며 빛나는 쉽사리 볼 수 없는 그런 눈이었다."

편력기사는 학생들에게 물었다. "스위스 사람들은 루터에 대해 어떻게 생각하고 있나?" 학생들은 각양각색이라고 대답했다. 그를 높이 평가하는 사람이 있는가 하면, 위험한 이단자로 보는 사람도 있다고 했다. 후한 기사가 학생들의 술값을 내주며 만남은 유쾌하게 끝이 났다. 부연하자면, 학생들은 미사를 그렇게 바꾼 비텐베르크의 위대한 인물을 만나보고 싶다고 털어놓았다. 마르틴 루터가 그 당시 비텐베르크에 있는지

* 르네상스 시기에 유럽의 남자들이 많이 입던 윗옷. 허리가 잘록하며 몸에 꽉 끼는 것이 특징이다.

예나에서 스위스 학생들과 담소를 나누고 있는 루터(파울 투만, 1873).
기사의 모습으로 변장한 루터는 비텐베르크로 가는 길이었고, 학생들은 루터에 대한 소문을 듣고 배움을 청하러 가던 중이었다.

혹시 알고 있느냐고 물어보기도 했다.

"내가 확실히 아는 바로는 그는 지금 거기에 없다네. 하지만 곧 나타날 걸세."

게오르크 공작의 가장 위험한 가톨릭 영지로 들어서게 되면서부터는 한 걸음 내딛을 때마다 체포될 위험이 있었다. 결국 기사 두 사람을 호위대로 받아들여 라이프치히에 있는 게오르크 공작의 거주지 남쪽에 있는 보르나 시로 향했다. 겨우 두 명에 불과한 지금의 호위대는 예전에 보호받았던 호위대에 비하면 턱없이 초라했다. 보름스 국회가 끝난 후 루터를 군사적으로 강력히 지원해주었던 프란츠 폰 지킹겐은 멀리 떨어진 라인란트에서 로마 교회의 대주교들에 맞서 일으킨 기사들의 반란에서 병력을 모으느라 여념이 없었다. (일 년 후에는 전투 중 사망하게 된다.) 루터의 또 다른 지원세력이었던 질베스터 폰 샤움베르크도 그와 비슷하게 프랑켄 남쪽 어딘가에서 그 지역 기사들을 소집하는 데 집중하고 있었다. 위험에도 불구하고 루터는 자신을 참형시킬 가능성이 있는 게오르크 공작을 경멸하며, 이 '드레스덴의 돼지'를 위해 한 번 이상 울며 기도했다고 시인했다. 이 막강한 적이 교화되어 분노를 가라앉히길 바라는 마음에서였다. 하지만 그 일에 그다지 애쓸 생각은 없었다. 동시에 게오르크 공작의 수중에 떨어지고 싶은 생각도 없었다.

루터는 보르나에서 자리를 잡고 프리드리히 선제후에게 다시 편지를 썼다. 어쩌면 순교로 이어질지도 모르는 길을 가는 상황에서 선제후의 명령에 불복한 이유를 설명하고 혹시라도 도중에 체포된다면 선제후가 자신을 보호해주었다는 책임이나 죄를 뒤집어쓰지 않도록 꼭 그렇게 해야만 할 것 같았다. 프리드리히 선제후에게 보내는 3월 5일자 편지는 루터가 이제껏 쓴 편지 중에서 가장 유명하다. 그는 보통 장례식에 쓰듯 비장한 말로 서두를 꺼냈다. 이 세상의 그 어떤 군주나 통치자보다도 선제후를 사랑하고 존경한다고 썼다. 그러나 비텐베르크에 닥친 참화에 몹시 놀랐고 고통스러웠노라고 했다. 제멋대로 혁신을 시도하다가는 복음에 커다란 화만 불러일으키기 때문이었다. "저희가 순수한 복음(최근에 제가 예수 그리스도에게서 직접 받은 복음)을 갖고 있다고 확신할 수 없었다면 저는 아마도 저희의 개혁운동을 단념하고 말았을 것입니다." 자기가 '너무 복종하느라' 이제껏 바르트부르크에 피신해 있었으며 선제후를 만족시키기 위해 거의 1년 가까이 숨어 지냄으로써 그의 명령에 충실히 따랐다고 할 수 있었다.

"이 개혁운동을 하는 과정에서 전에 제가 당한 모든 해악은 그저 조롱거리일 뿐 아무것도 아닌 일이 돼버렸습니다. 할 수만 있다면 그것을 되돌리려고 기꺼이 목숨이라도 바쳤을 것입니다. 하나님 앞에서도 세상 앞에서도 지금껏 저지른 모든 것을 정당화할 수는 없기 때문입니다."

그러나 루터는 자기가 너무 오래 떠나 있던 것이 실책이었음을 깨달았다. 이제는 행동해야 할 때였다. 루터는 훨씬 더 높은 권한을 가진 분의 비호를 받으며 비텐베르크로 오고 있다는 사실을 선제후가 알았으면 했다. 그래서 단호하게 말했다. "선제후 예하의 보호를 요청할 의향은 전혀 없습니다. 사실, 저는 예하께서 저를 보호하실 수 있는 것 이상으로 예하를 보호할 것입니다. 만일 예하께서 저를 보호할 수 있고 또 보호하실 거라고 생각했다면 저는 오지 않았을 것입니다. 이와 같은 일은 무력으로 도울 수 있는 사안이 아닙니다. 인간의 협력 없이 오로지 하나님만이 하셔야 할 일입니다. 예하께서는 아직 믿음이 약하다고 느껴지므로 예하께 저를 보호하고 구해달라고 의탁할 생각이 없습니다."

선제후의 명령에 복종하지 않음으로써 (그리고 지금은 그의 신앙이 약하다고 질책하고 있었으므로) 루터는 혹시 체포되어 사형을 당하더라도 자신의 행위에 대한 책임은 모두 자기가 지고 프리드리히 선제후에게는 도덕적 비난이 가해지지 못하게 하려는 심산이었다. 만약 카를 5세가 루터를 체포하려는 움직임을 보인다면 선제후는 거기에 저항할 수 없게 된다. "명령을 내린 사람 말고는 아무도 그 권위에 저항하거나 뒤집어서는 안 됩니다. 그랬다가는 하나님께 반역을 저지르고 선전포고를 하는 격이 되고 맙니다." 그리고 만일 교황 세력이나 황제 세력이 자기를 잡아들이게 되더라도 선제후에게는 불똥이 튀지 않게 해야 했다.

선제후에게는 자기가 그럴 수밖에 없는 이유를 편지로 설명하고 루터는 어떤 운명이 오더라도 맞이할 태세를 하고 비텐베르크로의 여정을 계속했다.

드디어 비텐베르크 외곽에 도착하자 루터는 수도사의 검은 평상복으로 갈아입은 후 이제는 거의 텅 비어버린 아우구스티노 수도원으로 향했다.

루터가 바르트부르크에서 비텐베르크로 돌아간 사건은 그 후로 10년 동안 무수한 전설을 낳는다. 화가들은 루터의 위험한 여정을 영웅적 색채로 그려냈다. 구원의 상징이요 프리드리히 선제후의 인장 문양이기도 한 날개 달린 뱀의 비호를 받으며 가는 루터의 모습이 그려진 목판화도 있다. 이 이미지는 요한복음 3장 14~15절에서 따온 듯하다. "모세가 광야에서 뱀을 든 것과 같이, 인자도 들려야 한다. 그것은 그를 믿는 사람마다 영원한 생명을 얻게 하려고 하는 것이다." 루카스 크라나흐는 전사의 복장으로 비텐베르크에 입성하는 루터의 모습을 그렸다. 그림의 테두리 하단에는 다음과 같은 루터의 말이 적혀 있다.

> 그 얼마나 자주 괴롭힘을 받았던가,
> 그 얼마나 자주 공격을 당하였던가, 너 로마로부터.
> 하지만 보라, 나 루터는 그리스도를 통해 아직도 건재하다!

현재 루터에게 위협적인 존재는 로마가 아니라 세속 권력을 쥔 카를 5세였다. 황제가 예전처럼 입으로만 떠드는 것이 아니라 결국 보름스 칙령의 실행을 주장하며 요구를 관철하기 위해 제국의 병사들을 비텐베르크로 급파하기라도 한다면?

자신의 비텐베르크 성에 있던 프리드리히 선제후는 루터가 도시에 들어온 직후 그의 도착 사실을 알았다. 그때까지도 가톨릭 신자로 자처하던 선제후는 이단자가 공개적으로 자기 영지에 있게 할 수는 없었다. 그의 영지는 황제에게 종속되어 있었으므로 입장이 곤란해졌다. 선제후는 루터의 체류를 묵인하며 가능한 한 은밀히 보호할 준비를 하고 있었다. 그러나 가뜩이나 불안한 비텐베르크 정세를 루터가 선동적인 언사로 악화시키는 일만은 막고 싶었다.

루터가 도착했다는 말을 듣자, 선제후는 뉘른베르크의 황제섭정 의회를 진정시켜 군사 행동을 막을 수 있게 당장 편지를 쓰라고 요구했다. 그 편지는 프리드리히 선제후 앞으로 보내는 것이지만 의회에 제출하기 위해 작성되었고 "우리의 명예를 지키는 것"이 목적이었다. 편지에 루터가 선제후의 허가 없이 비텐베르크로 황급히 돌아온 이유와 동기를 설명하라고 했다. 루터가 "우리의 명예를 지키기 위하여" 자제심을 발휘할 의지가 있으며 어떠한 소요 사태도 선동하기를 원치 않는다고 편지에 쓰라고 요구했다.

루터는 그 요구에 즉시 따랐다. 자신이 돌아옴으로써 선제후에게 부담을 안겨주었다는 데 공감했고 교황법과 제국법 양쪽으로부터 모든 활동을 금지당했고 죄인으로 낙인찍혔음을 인정했다. 그러므로 언제라도 죽음을 각오하고 있었다. 하지만 "하나님께서 나를 부르시기 때문에 가만히 있을 수 없습니다"라고 선언했다. 루터는 프리드리히 선제후나 황제를 무시하는 언사는 쓰지 않았고 교황에 대해서도 언급하지 않았다.

"인간의 권위에 반드시 복종해야만 하는 것은 아닙니다. 특히 하나님의 명령에 어긋날 때는 더욱 그렇습니다. 그렇다고 해서 무시해서도 안 되며 늘 존중해야 합니다." 이승에서 재산과 사람들의 주인은 프리드리히 선제후이지만 영혼의 주인은 그리스도라고 썼다. "바로 이 영혼들을 위해 그리스도께서 저를 파견하셨습니다."

프리드리히 선제후에게 보내는 이 편지에서 루터는 선제후의 바람을 무시하고 돌아온 이유로 세 가지를 꼽았다. 첫째로 자기 관할인 비텐베르크 교회의 신도들이 급박하게 불렀고, 자신은 그들을 섬기는 종이므로 교구민들의 요청은 그리스도의 사랑에 어긋나지 않는 한 거부할 수 없었다. 교회 내에서 벌어지고 있는 소요 사태로 보아 자신의 개혁운동이 완전히 무너지기를 바라면서 그 혼란을 조장하고 있는 누군가가 있는 것으로 확신하고 있었다. 그러나 "제가 시작한 일들은 제게서 비롯된 것이 아니라 하나님에게서 비롯된 것입니다." 그 일을 결코 무너지게 놔둘 수 없는 것이었다.

둘째로, 사탄이 교묘하게 비텐베르크 신도들의 환심을 샀다고 했다. 오로지 루터 자신이 악마의 앞잡이들을 직접 대면하여 처리해야만 한다. "양심상 포기하거나 더는 미루지 않을 것입니다." 만일 편지를 쓰는 것만으로 사탄의 침입을 처리할 수 있었다면 설령 비텐베르크에 영영 돌아오지 못하는 한이 있더라도 기꺼이 그렇게 했을 것이다. 그러나 편지는 이제 아무 효력을 발휘하지 못했다.

셋째로, 독일에서 반란이 일어날까 두려웠다고 했다. 사악한 땅에는 하나님의 처벌이 따를 것이었다. 사람들의 마음에 적개심을 불러일으키고 불안을 자극하는 사람들이 있다. 자신과 선제후는 "사람들을 보호하기 위한 장벽"을 세우기 위해 공조할 필요가 있다. 그래서 루터는 공공질서 회복을 도울 수 있는 중재자를 자처하고 나섰다.

편지 말미에 루터는 프리드리히 선제후와 결국에는 황제섭정 의회를 향하여 부디 자제심을 발휘하여 자기가 비텐베르크에 있는 것이 그들 뜻에 반하는 일로 생각하지 말아달라고 간청했다. "복음의 대의가 위험에 처해 있습니다"라고 밝혔다.

루터가 작성한 편지를 받은 프리드리히 선제후는 슈팔라틴으로 하여금 과격한 문구는 손보게 했다. 루터는 의회에 대해 이렇게 썼다. "하늘이 내린 결정은 뉘른베르크의 결정과는 전혀 다릅니다. 불행하게도 복음을 게걸스럽게 먹어치우고 있는 탐욕스러운 자들은 아직 그 짓거리를 시작조차 안 했습니다." 슈팔라틴은 불필요한 도발이 될 이 마지막 문장은 지워버리고 선제후의 제안에 따라 '뉘른베르크'라는 말 대신 '세상'을 집어넣었다. 며칠 후 프리드리히 선제후는 부드럽게 고친 편지를 뉘른베르크의 황제섭정 의회에 전달했다.

한동안은 위기국면이 완화되었으므로 루터는 마침내 비텐베르크로 불려온 가장 중요한 소명에 전념할 수 있었다. 바로 자신의 양떼들을 가르치고 그들 가운데 있는 마귀들을 몰아내는 일이었다.

제16장

통합

비텐베르크에 도착하고 사흘이 지나 루터는 귀향 후 첫 강론을 하게 되어 있었다. 그날은 사순절 첫째 주일로서 가톨릭 교회력에서는 인보카비트 주일로 부르는데, 그날 전례의 입당송의 시작 어구인 라틴어 Invocavit에서 따온 용어다.* 이제 위대한 개혁가 루터가 비텐베르크 교회에 도착하여 성 마태와 성 요한의 모습이 소박하게 조각된 강론대에 오르자 사람들의 기대는 한껏 부풀었다. 거대한 군중이 운집했고 물어보나마나 안드레아스 카를슈타트가 사람들 사이 어딘가에, 아마도 어느 기둥 뒤에 숨어서 엿보고 있었을 것이다.

루터가 보름스에서 돌아오는 도중 사라진 이후 처음 모습을 드러낸 그

* Invocavit는 라틴어로 '간구하다'라는 뜻이며, 시편 91편 15절에서 따온 입당송의 시작 어구는 이렇다. "나를 부르면 나 그에게 대답하고 그를 해방시켜 영예롭게 하리라."

순간은 말할 수 없이 중요했다. 가을의 소요 사태와 겨울의 폭동을 겪고 난 뒤여서 비텐베르크 교회는 만신창이가 되어 있었다. 카를슈타트의 개혁에는 혼란만이 만연했다. 도시는 과격주의자들의 파괴행위로 유린당했다. 이제 장엄한 사순절이 왔고 도시는 어느 정도 안정을 되찾았다.

무슨 일이 있어도 루터는 위태위태한 개혁운동이 걷잡을 수 없는 방종과 부정적인 방향으로 흘러 군사적 간섭을 불러오는 일이 없도록 통솔력을 되찾아야 했다. 황제가 내린 명령 때문에 비텐베르크의 모든 사람들은 언제라도 황제의 군대가 들이닥치지 않을까 노심초사했다. 당장이라도 평온과 단결과 치안을 회복하는 일이 급선무였다. 그에 못지않게 시급한 일은 루터가 자신의 개혁운동의 본질을 재정의하거나 그의 표현대로 "그리스도인과 관련된 중요한 것을 알고 그것으로 무장하는 것"이었다.

루터는 미사를 어떻게 집전할 생각일까? 개혁의 거친 물살을 더욱 휘저으려고 할까, 아니면 차분히 가라앉히려고 할까? 유배와 같았던 바르트부르크 체류, 성상 파괴, 사제들의 결혼이나 독신생활, 자신이 없는 동안에 허용되었던 모든 급진적 실험 등에 대해 뭐라고 말해야 할 것인가? 위대한 지도자이자 정신적 스승인 루터가 여전히 극도의 위험에 처해 있다는 사실을 모르는 사람은 아무도 없었다. 루터가 강론대 계단으로 올라가자마자 황제의 앞잡이가 바로 뒤쫓아 와 그에게 족쇄를 채워 끌고 가지는 않을까? 한마디로, 루터의 운명은 물론 저항운동의 운명 역시 바람 앞의 등불 같았다.

미사는 처음부터 뭔가 달랐다. 아우구스티노 수도회의 검은 수도복을 입고 나타난 루터는 늘 하던 대로 신자들을 축복했지만 성모 마리아께 청원기도를 드리지 않았다. 그리고 앞부분의 예식을 생략하고 바로 강론으로 넘어갔다. 평소와 달리 손에는 강론 내용이 적힌 종이를 들고 있었는데, 이것으로 보아 루터가 이 자리를 얼마나 철저히 준비했는지, 그리고 정확히 말하는 것이 얼마나 중요했는지 알 수 있었다. 당면한 여러 가지 어려움으로 보건대 그것은 고도의 기교를 발휘한 강론이 되어야 했다. 루터의 입에서 나온 첫 마디는 그가 지금 신자들뿐 아니라 자신을 향해서도 하는 말이라는 점이 분명했다.

"누구도 죽음을 피할 수 없고, 다른 사람을 위해 대신 죽을 수 없습니다. 모든 사람이 자신의 죽음에 맞서 홀로 싸워야 합니다. 사람은 스스로 죽음의 때를 준비해야 합니다. 죽음이 찾아오면 저는 여러분과 함께하지 못하며, 여러분도 저와 함께하지 못하기 때문입니다."

이후로 강론은 일주일 동안 이어졌다. 루터는 단호하고 지혜롭게 위트와 유머를 섞어가며 외줄 타듯 절묘하게 영감을 고취하고, 그러면서도 부드러운 말투로 질책하는 것을 잊지 않았다. 루터는 강론하면서 사람들의 얼굴을 살폈는데, 이는 신자들이 요지를 제대로 이해하는지 알아보기 위해서였다.

루터의 강론은 구체적이고 생생하며 감성적인 언어로 전달되었다. 뿔뿔이 흩어진 비텐베르크 신자들을 다독여 공동체성과 결속감을 회복시키는 일이 최우선이었고, 자신의 지도력을 되찾는 것은 그다음 일이었다. 신자들을 개혁 신앙으로 결속시킴으로써 비텐베르크 신자들을 세상에 통합된 주체로 드러내며 일종의 귀감이 되도록 회복시켜 나가야 할 것이었다. 그들은 지금 진리와 용서와 구원을 공동체적으로 찾아나서는 여정에 함께 섰다고 역설했고, 입에서는 '우리는', '우리에게', '우리의' 등 온통 1인칭 복수형의 말이 넘쳐흘렀다. 에베소서 2장 3절에 나오는 "육신의 정욕대로 사는" 죄인들을 떠올리게 하는 표현을 사용하여 자신을 비롯해 인간은 모두 "분노에 사로잡히기 쉬운 존재"이기 때문이라고 설명했다. 루터가 그들에게 의탁하고 있듯이("내 영혼을 사랑하는 것처럼 여러분을 사랑합니다") 그들도 루터와 그의 메시지에 의탁하기를 바란다고 했다. 신자들과의 결속을 강화하기 위해 루터는 신자들을 자주 "친구들"이라고 불렀다. 특히 비판하거나 모진 말을 한 뒤에 더 그랬다.

초장부터 루터는 종교적 믿음과 윤리적 행위의 기초를 닦았다. 그들은 "중요한 것" 즉 믿음·사랑·인내를 기억해야 했다. 신자들이 각자 자신의 이웃을 어떻게 대하느냐가 루터가 제안한 윤리체계의 핵심이었다. 하나님이 그들을 대하듯이 이웃을 대해야 하고, 가난한 이들에게 베풀고, 사회의 주변부로 몰려난 사람들, 특히 어려움에 처한 이들에게 든든한 울타리가 되어주어야 한다. "친구들이여, 우리가 형제들을 어떻게 돕고 이롭게 할 수 있는지 각자 알아봐야 합니다. 허물이 있는 형제들과도 함께 어우러져 잘 지내야 하며 인내심을 갖고 대하고, 모질게 을러대지 말고 부드러운 말로 가르치며 친절하고 다정하게 대해야 합니다."

그러다 불쑥불쑥 질책하는 말이 튀어나와 앞으로 나올 더 신랄한 비난을 위한 토대를 쌓기라도 하듯 격한 말투를 쏟아냈다. "그런데 나의 친구들이여, 여러분은 슬프게도 그러지 못하지 않았습니까? 여러분에게서는 사랑의 징후가 보이지 않습니다." 개인 미사를 폐지하는 잘못을 저지른 사람들은 폐지한 행위 자체가 나쁜 일이어서가 아니라 제대로 된 방식으로 행하지 않았기 때문에 잘못을 저지른 것이었다. 그 행위는 적절한 절차를 무시하고, 또한 이웃을 세심하게 살피지 않은 채 제멋대로 성급하게 저질러진 일이었다. 그것은 "사랑 없이 자유만을 휘두른 행위"였다. 다시 루터는 예수님, 특히 순교를 앞두고 계셨던 예수님과 자신을 동일시한다는 것을 분명히 드러냈다. "친애하는 형제들이여, 저는 결코 무엇을 파괴한 적이 없습니다. 저는 하나님께서 당신 일을 하도록 부르신 사람입니다. 저는 도망치지 않을 것이며 하나님께서 허락하시는 한 남아 있을 것입니다. 저는 또한 하나님의 말씀을 여러분에게 전하라고 처음으로 계시 받은 사람이기도 합니다. 이제 여러분이 순수한 하나님의 말씀을 들었다고 확신합니다."

루터는 신자들에게 비텐베르크가 가버나움이 되지 않도록 조심해야 한다고 말했다. 그곳은 예수님께서 산상수훈을 하셨고 병자들을 치료하신 현장으로 명성이 드높은 고장이었고, 비텐베르크가 작센 주에서 루터 사목의 중심지였던 것처럼 갈릴리에서 예수님이 활동하신 중심지이기도 했다. 그런데 가버나움 사람들은 회개하지 않았으므로 예수님께서는 그들을 저주하셨다. "가버나움아, 네가 하늘에까지 치솟을 셈이냐? 지옥에까지 떨어질 것이다"(마태복음 11:23). 가버나움이 그랬던 것처럼 비텐베르크도 지옥에 떨어지게 놔둘 수는 없었다.

왜 새로운 일에 대해 자신에게 묻지 않았단 말인가? 멀리 떨어져 있던 것도 아니니 편지를 보낼 수도 있었는데 루터에게는 아무런 연락이 오지 않았다. "그러니 제가 더 이상 머물러 있을 수 없었고 이렇게 직접 와서 여러분에게 이 말을 하지 않을 수 없었던 것입니다."

두 번째 강론에서는 새로운 일을 벌인 데 대한 비판은 더 날카로워졌지만 스스럼없는 태도로 좀더 격의 없이 말했다.

루터를 맹목적으로 추종하는 사람들은 두려움에 사로잡혀 잠잠히 그를 바라보기만 했다. 사람들이 그 사안들을 아주 확실히 이해할 수 있게 만든 것은 강경한 어조가 아니었다. 사람들은 루터의 목소리에 주목했다. 그의 음성은 감미롭고 낭랑했으며 최면을 거는 듯했다. 그리고 친절하고 상냥하며 쾌활한 성품도 한몫했다. 츠비카우에서 온 예언자들에게 마음이 쏠렸던 사람들은 이 '천사'의 말을 듣자마자 그들에 대한 지지를 조용히 철회했다. 루터가 비텐베르크로 오는 도중 예나에서 만났던 스위스 학생들 가운데 한 사람은 루터의 그 남다른 눈빛에 다시 깊은 인상을 받았고 그 느낌을 이렇게 표현했다. "움푹 들어간 그의 검은 눈은 별처럼 반짝이며 광채가 났으므로 감히 마주 보기가 어려웠다." 그 자리에 있던 또 다른 사람은 루터의 강렬한 눈빛을 다르게 표현했다. "그의 눈은 어딘지 모르게 섬뜩하게 빛났다. 마치 악마에 사로잡힌 사람들에게서 볼 수 있는 그런 눈빛이었다."

두 번째 강론은 시작부터 강요의 폐단을 집중적으로 다루었다. "아무리 몽둥이질을 한다고 해도 스스로 원하지 않는 사람을 강제로 천국에 밀어넣을 수는 없습니다." 루터를 따르는 사람들은 꼭 해야 할 것과 해도 그만 안 해도 그만인 것을 식별하거나, 루터식 표현으로 말하자면 '의무'와 '자유'의 차이를 알 필요가 있었다. 그들의 복음주의를 누구에게도 강요해서는 안 된다. 교리를 강요하면 그들은 스스로 위선자가 되며 자신들이 전하려는 메시지를 웃음거리로 만들게 될 뿐이다. 힘이 아니라 설득으로 사람들의 마음을 먼저 얻어야 한다. "저는 누군가에게 강제로 신앙을 갖게 할 수도 없거니와 그래서도 안 됩니다." 그 일은 하나님의 소관이며 그 결실은 하나님의 기쁨을 위해 남겨져야 한다. 루터는 외쳤다. "제가 한 일을 보십시오! 저는 칼 한 번 휘두르지 않고 오로지 세 치 혀만 가지고 교황과 주교들, 사제들과 수도자들에게 모든 황제나 왕들이 온 힘을 다해 애쓴 것보다도 더 큰 피해를 주지 않았습니까?"

그리고 이제 사람들을 즐겁게 해줄 차례였다. "저는 자거나 비텐베르크의 술집에서 필리프와 암스도르프와 맥주를 마시는 동안 모든 군주들과 황제가 합세한 것 이상으로 교황에게 해를 끼쳤습니다." 그 말에 웃음과 환호성이 성당 가득히 울려 퍼졌다. 그러나 다음에 이어진 호통에 장내는 쥐죽은 듯 잠잠해졌다. "만일 제가 소동을 일삼길 좋아했다면 유럽에서 얼마나 많은 피를 흘리게 했겠습니까? 제가 순순히 물러나지 않았다면 황제가 보름스에서 무사할 수 있었을까요? 사람들을 선동했더라면 결과가 어떠했을까요? 몸과 마음을 모두 타락시키는 광기가 판쳤을 것입니다. 저는 아무것도 하지 않고 하나님의 말씀이 일하시게 했습니다."

그 후로 닷새 동안 루터는 되찾은 강론대에서 신자들을 상대로 강론을 계속했다. 일곱 번째 강론에서는 사랑의 주제를 다시 다루었다. 사람들에게 전하길 믿음과 사랑은 서로 불가분의 관계에 있다고 했다. 어느 한쪽이 없으면 다른 쪽도 공허해진다. 사랑 없는 믿음은 가짜 믿음이다. 사실은 믿음도 아니다. 그것은 거울에 비친 얼굴과도 같다. 진짜 얼굴이 아니라 얼굴의 허상에 불과할 뿐이다. 고린도전서 13장 12~13절에 나온 바울의 말에서 사랑과 믿음에 대한 이러한 이미지를 떠올렸다. "지금은 우리가 거울 속에서 영상을 보듯이 희미하게 보지만, …… 그러므로 믿음·소망·사랑, 이 세 가지는 항상 있을 것인데, 그 가운데서 으뜸은 사랑입니다." 루터는 자신의 주장을 정당화하기 위해서 끊임없이 성서의 말씀을 인용했다.

루터는 사랑이 성사의 결실이라고 말했다. "저희는 하나님으로부터 사랑과 은총만을 받았습니다. 하나님께서는 인간이 헤아릴 수 없을 정도로, 천사가 짐작할 수 없을 정도로 당신의 모든 보물을 저희에게 쏟아부어주셨습니다. 하나님께서는 사랑의 용광로이시기 때문입니다." 그러므로 신자들은 하나님께 받은 그 사랑을 혼자 간직하고 있을 것이 아니라 다른 사람과 나누어야 한다. 이제 루터는 준엄하게 훈계했다. "여러분이 서로 사랑하지 않는다면 하나님께서 천벌을 내리실 것입니다. 하나님께서는 당신의 말씀이 반드시 이루어지게 하시는 분이므로 여러분은 이 경고의 말씀을 깊이 새기십시오."

종합하면 인보카비트 강론이라 불리는 이 여덟 번의 연속된 강론은 루터가 자신의 독특한 저항을 확립하고 지켜냈다는 점에서 보름스 국회의 훌륭한 연설 못지않게 중요하다. 비텐베르크에서 발생한 가을의 소요 사태와 겨울의 폭력 사태로 이제 루터는 자신의 교리를 간단명료하고 강력하게 재정의할 수밖에 없게 된 것이다.

여드레 동안 강론을 하면서 루터는 미사의 형태, 사제의 독신생활과 수도서원, 교회 안에 성상의 존속 여부, 단식, 영성체, 고해성사 등 문제가 됐던 쟁점들을 하나하나 짚어나갔다. 그렇다, 카를슈타트가 주장한 것처럼 미사를 희생제사의 일환으로 지낸다면 악하고 하나님께서 언짢아하실 일이므로 폐지되어야 마땅했다. 미사는 복음을 전하기 위한 것일 때에만 합당했다. 겸손한 강론을 통해 말씀을 거저 받을 수 있게 해야지 율법처럼 강요해서는 안 된다. 그렇다 하더라도 그것을 폐지하는 것이 "질서 있게" 이루어지지 않았다. 그렇다, 평신도들도 미사 중에 빵은 물론 포도주까지 먹을 수 있게 하는 것이 맞지만 그것을 신자들에게 강요해서는 안 된다. 그리고 정말로, 사제가 순결서약이 편치 않다면 결혼을 하는 것이 맞고, 수도사가 복종·순결·청빈 서약을 지키는 데 어려움을 겪는다면 결단코 옷을 벗는 것이 맞다. "그 이유는 하나님의 명령에 반대되는 것은 어떤 것이든 맹세할 수 없기 때문입니다." 그러나 카를슈타트가 주장했던 것처럼 사제들의 결혼이 의무사항이 되어서는 안 되었다. 루터의 견해는 좀더 세심했다. 세 번째 강론에서 루터는 밝혔다. "너무 나약하여 순결을 지키기 어려운 수도사는 양심적으로 자신을 살펴보아야 합니다. 만일 그의 마음과 양심이 허락한다면 그가 아내를 맞아들여 혼인할 수 있게 하십시오."

성화와 성상을 비판하는 데 있어서도 단호했다. "하나님께 황금 모상을 바치는 것보다 가난한 이에게 금전 한 닢을 주는 것이 훨씬 잘하는 일입니다." 루터는 조각된 성상들을 좋아하지 않았으므로 자기 교회에

인보카비트 강론을 하고 있는 루터(알렉잔드레 슈트루이스, 1882).
루터는 사람들에게 자신의 개혁 신앙의 본질을 다시 정의하고 일깨웠다.
사랑이 넘치면서도 준엄한 가르침으로 강요가 아니라 설득을 했다.

는 두고 싶어하지 않았다. 그러나 성상들에 대한 미신이 너무 오랫동안 뿌리박혀 있었으므로 "그것을 폭력에 의거해 뒤엎으면 안 됩니다. 악마가 그렇게 하라고 아무리 간청했더라도 저는 그 말을 못들은 체했을 것입니다. 그러나 여러분은 난입하여 소란을 일으키고 제대를 뜯어냈으며 성상들을 파괴했습니다. 그런 식으로 없앨 수 있다고 정말로 생각한 것입니까? 아닙니다, 그런 식으로는 더욱 견고하게 쌓아올릴 뿐입니다." 루터는 바울이 아테네에서 교회로 들어가 성상들을 우상숭배라고 저주했던 사실을 신자들에게 상기시켰다. 바울은 그것들을 파괴하지 않고 시장에서 그에 반대하는 설교를 했을 뿐이다. 성상들이 쓸모없다는 사실을 사람들이 알게 된다면 저절로 사라지게 될 것이다.

믿음이 약하고 케케묵은 관례에만 마음을 쏟는 사람들이 많았다. 그런 사람들이 새롭게 신앙을 회복할 수 있게 설득을 해야지 강요를 해서는 안 된다. 인내와 사랑이 루터의 표어였다. 루터는 고린도전서 13장 1~2절을 직접 번역해 들려주었다. "내가 사람의 방언과 천사의 방언으로 말을 할지라도, 내게 사랑이 없으면, 울리는 징이나 요란한 꽹과리가 될 뿐입니다. 내가 …… 산을 옮길 만한 모든 믿음을 가지고 있을지라도, 내게 사랑이 없으면, 아무것도 아닙니다."

빵과 포도주 문제에 대해서는 영성체가 오로지 먹고 마시는 문제이기만 하다면 생쥐라도 훌륭한 그리스도인이 될 수 있을 것이라고 했다. "진정한 영접은 신앙 안에서 일어나며 내적인 것입니다. 그렇지 않다면 속임수이자 겉치레에 불과합니다." 성체는 자신의 죄와 싸우고 있는 "열망과 갈망이 있는" 사람들만을 위한 것이었다. 주님의 식탁에 나아가고 싶은 열망을 느끼지 않는 사람은 나아가는 것을 삼가야 한다. 그러나 빵과 포도주를 억지로 먹도록 강요해서는 안 된다. 루터는 다섯 번째 강론에서 그렇게 강요하는 사람들에게 이렇게 말했다. "나를 따르지 않겠다는 사람들에게는 더는 말하지 않겠습니다. 그리고 이 자리에서 단 한번 강론한 것조차 후회할 것입니다."

신자들을 향한 이렇게 온유하고 사랑이 넘치면서도 준엄한 가르침은 루터의 공식적 입장을 보여주었다. 여덟 번째 강론을 끝낼 때조차도 자기가 없는 동안에 벌어졌던 일들과 폭력사태에 여전히 화가 가라앉지 않았다. 강론이 끝난 다음 날인 3월 17일에 루터는 츠비카우에 있는 한 친한 복음주의자에게 편지를 썼다. "당신의 도시에서 온 자칭 '예언자'라는 자들은 속에 괴물이 잔뜩 들어 있는 사람들입니다. 이들을 그냥 놔둔다면 작은 말썽을 일으키는 데 그치지 않을 것입니다. 그들의 마음에는 거짓이 가득하고 겉만 번지르르하답니다." 그러고 나서 루터는 그 개혁가들의 위선에 분통을 터뜨렸다. "하나님의 말씀과 믿음과 사랑을 저버린 이곳의 군중이 자신들을 그리스도인이라 자랑하기만 할 뿐 단식일에 바로 가난한 자들의 눈앞에서 고기와 달걀과 우유를 먹을 수 있고, 단식도 기도도 하지 않은 채 주님의 만찬상을 받을 수 있다고 자랑하는 것만큼 구역질나는 일은 없습니다."

인보카비트 강론은 뛰어난 언변과 정치력을 발휘하고 신자들이 모범적으로 하나가 되도록 격려한 덕분에 거둔 웅변의 승리라 하겠다. 그 강론으로 루터는 적수들과 사칭자들을 몰아내는 성과를 거둘 수 있었다. 이미 강론이 금지되어 있던 카를슈타트는 대학 징계위원회에 회부되어 문책당한 후 도시에서 쫓겨났다. 결국 인근의 오를라뮌데(Orlamünde) 교구의 목회자가 되었고, 그곳에서 교수복이 아닌 농민복 차림으로 일반인들에게 지식을 가르쳤다. 가브리엘 츠빌링은 좀더 회개하는 태도로 자신의 죄를 고백했고, 다시는 학생복장과 깃털 꽂은 모자를 쓰고 나타나 성찬을 모독하지 않기로 동의했다. 그러고 나서 튀링겐의 알텐부르크 시에서 작은 소임을 맡아 파견되었다. 그리고 학생들은 모두 교실로 돌아갔다.

경쟁자들을 제거한 것은 약간 아이러니한 감이 없잖아 있다. 사실 그들이 주장한 신학의 미세한 논점에서 보면 많은 부분이 루터와 그의 경쟁자들, 특히 카를슈타트 사이에 별 차이가 없기 때문이다. 루터와 마찬가지로 그 역시 평신도에게 빵과 포도주를 주는 양형 영성체를 옹호했지만 루터는 억지로 강요해서는 안 된다고 했다. 카를슈타트는 고해성사가 불필요하다고 보았지만 루터는 그 관습을 폐지하기보다는 자율적인 것으로 만들었다. 카를슈타트와 마찬가지로 루터도 미사가 희생제사로 봉헌되는 것을 비판했지만 카를슈타트가 미사를 바꾼 방식이 루터에게는 난폭한 행위로 비쳐졌다. 두 사람 모두 독신생활을 비판했지만 루터는 그것을 일반적인 법규로 정하는 데 반대하고 선택할 수 있게 하자고 했다. 그리고 사제의 양심을 구제하기 위해 필요하다면 결혼할 수 있게 하자고 했다. 카를슈타트는 교회의 성화와 성상들을 거칠게 파괴했다. 루터는 단지 그것들을 평화적으로 없애길 원했다.

결국 둘 사이의 투쟁은 개혁운동의 방향 못지않게 개혁의 속도, 인품과 카리스마, 통제력에 관한 것이었다. 차이점은 개혁운동의 본질이 아닌 방법상의 차이였고, 그들이 추구하는 개혁을 일구어내는 데 강요와 설득 가운데 어느 것이 더 효과적인가의 문제였다. 이 점에 대해 루터는 마지막 결론을 내렸다. "그리스도께서는 결코 불과 칼로 인간을 개종시키려 하지 않으셨습니다."

그렇게 여드레에 걸친 강론으로 마르틴 루터는 중요한 권력투쟁에서 승리를 거두고 개혁운동도 구해냈다. 만일 이전의 그의 명성이 민중 선동가 정도에 그쳤다면, 이제 루터는 사랑하는 비텐베르크의 불안한 물결을 잠재우며 중재자이자 사회질서의 화신으로서 진면목을 보여주었다.

제17장

루터의 성서 세상에 나오다

비텐베르크의 주요 설교가이자 유럽 대륙으로 급속히 퍼지고 있던 종교개혁의 지도자라는 본래 역할을 되찾고 나자 루터는 바르트부르크에서 시작한 역작을 마무리하는 일에 마음을 쏟았다. 바르트부르크에서 돌아올 당시 번역한 수백 장의 육필 원고를 가져왔다. (첫 작업분은 3월 1일에 우편으로 보냈다.) 이 단계에서는 각종 줄이 교차하고 다시 고쳐 쓴 부분도 있고 화살표가 이리저리 나 있고, 얼룩덜룩해지거나 연필로 검게 지운 부분도 있어서 제대로 알아보기가 힘들었다. 이러한 원고들은 판독을 거친 후 정리해 최종적으로 출간할 인쇄업자가 알아볼 수 있게 다듬어야 했다. 그리고 도움을 받을 수 있는 친구들과 동료들 품으로 이제야 돌아오게 되었다.

주요 협력자인 게오르크 슈팔라틴과 필리프 멜란히톤과 함께 루터는 봄 내내 원고를 수정하고 편집하고 다듬고 교정하는 일에 매달렸다. 새로 확인해야 할 사실들이 무척 많았다. 예를 들면 신약의 마지막에서 두 번째 장인 요한계시록 21장에는 새로운 하늘과 새로운 땅이 언급되어 있고 하나님이 자신을 알파와 오메가로 선포하시며, 새로운 예루살렘 성벽의 초석들이 온갖 값진 보석으로 꾸며져 있다고 나오는데 이 부분에서 그리스어 본문과 히브리어 본문이 완전히 일치하지 않았다. 그래서 루터는 루카스 크라나흐의 주선으로 프리드리히 선제후의 금고에 있는 보석들을 보고 벽옥·사파이어·옥수·비취옥·홍마노·홍옥수·황보석·녹주석·황옥·녹옥수·청옥·자수정의 이름과 색이 정확히 맞는지 확인해봐야 한다고 요청했다.

문장 자체의 교정 말고도 루터는 신약성경 전체에 대한 소개와 아울러 각 책에 대한 자체 소개가 있어야 한다고 결정했다. 더구나 이 번역성경은 대중을 위한 선물이 될 것이므로 독자들이 본문의 좀더 미묘한 점들을 이해할 수 있도록 어렵거나 뜻이 불분명하거나 특별히 중요한 구절의 옆 여백에 짤막한 주석을 넣고 싶어했다.

루카스 크라나흐도 당장 제작 과정에 참여하게 되었다. 프리드리히 선제후의 궁정화가인 크라나흐는 그림을 그리는 일 외에도 급속히 발전하고 있던 부동산 사업을 비롯한 거대산업과 이탈리아산 달콤한 포도주·잉크·종이·펜대·인쇄염료·소금·후추 등의 무역을 관장하고 제약을 총괄하는 소임까지 맡고 있었다. 크라나흐는 전방위적으로 사업 수완을 발휘했다. 루터를 반가톨릭 선전가로만 보지는 않았기 때문에 루터의 적수인 마인츠의 알브레히트 대주교가 주문한 아름다운 성모상이나 돈 많은 난봉꾼들을 위해 매혹적인 비너스를 그려주기도 했다.

이제 크라나흐는 요한계시록에 나오는 장면들을 목판화 연작으로 제작하는 데 동의했다. 크라나흐 이전에 이미 알브레히트 뒤러가 같은 주제로 걸작을 남겼는데, 1498년에 종말을 표현한 환상적인 목판화 연작에는 「묵시록의 네 기사」, 「대탕녀 바빌론」이 포함되어 있다. 지난 4년 동안 크라나흐는 자신보다 유명한 경쟁자인 뉘른베르크의 화가 뒤러의 그림자에서 벗어나려고 무던히 애를 썼다. 심지어 자신의 대공이던 프리드리히 선제후의 애정을 얻는데도 뒤러와 경쟁해야 했다. 선제후는 이미 전부터 크라나흐와는 별도로 뒤러에게 많은 작품들을 지속적으로 의뢰해왔기 때문이다.

한편 멀리 떨어져 있던 뒤러 역시 루터를 열렬히 숭배했다. 당시 유명 화가였던 뒤러는 1520년 선제후를 대신해 슈팔라틴이 보내준 루터의 저작물 견본을 받고는 이렇게 답신을 보냈다. "만일 하나님께서 도우시어 마르틴 루터를 만날 수 있다면 그분을 영원히 기념하는 의미에서 열심히 그림으로 남기고 동전에도 새겨 넣겠습니다. 그분은 제가 큰 두려움을 극복하는 데 도움이 되어주신 분입니다." 이 마지막 말은 뒤러 자신이 이 무렵 겪고 있던 양심의 위기와 영적 회의를 의미한다. 비록 개혁은 교회 내에서 진행되어야 한다고 꾸준히 생각하고 있었지만 참된 종교적 진리를 갈구하고 있던 뒤러는 루터의 개혁운동에서 위안을 받을 방법을 찾았다. 뒤러가 보기에 종교예술이 처한 여러 문제들은 신앙 문제와 관련이 있었다.

1521년 안트베르펜에 체류하며 복식 연구에 전념하고 있던 뒤러는 보름스에서 떠들썩하게 진행된 루터의 청문회에 대해 듣게 되었다. 그러고 나서 보름스 국회가 끝난 후 루터가 길에서 납치되어 살해되었다는 잘못된 소문을 듣고는 몹시 충격을 받았다.

뒤러는 당시 그 심정을 기록으로 남겼다. "그가 살았는지, 또는 살해당했는지 알 수 없다. 그러나 그는 그리스도의 진리를 위해 수난당한 것이다. 아, 하늘에 계신 하나님! 저희를 불쌍히 여기소서. 주 예수 그리스도여 저희를 위하여 빌어주소서. 저희가 죽을 때에 저희를 구하소서.

알브레히트 뒤러(자화상, 1498). 루터를 열렬히 칭송한 뒤러는 자신의 영적 위기를 극복하고자 그의 개혁운동에 관심을 가졌다.

…… 루터가 죽었다면 그 누가 우리에게 거룩한 복음을 그토록 분명하게 설명해준단 말인가? 그가 2, 30년 동안 글로 남겨주지 않았더라면 어찌 되었을까! 오, 모든 진정한 그리스도인이여! 하나님에게 영감을 받은 이 사람을 열심히 애도하고 또 다른 현명한 이를 우리에게 보내주십사 하나님께 기도할 수 있게 도와주십시오!" 1521년 7월에 뒤러가 안트베르펜을 떠난 직후 루터의 저작물들은 보름스 칙령에 따라 보름스 국회에서 루터를 맹비난한 지롤라모 알레안데르 추기경의 감시 아래 공개적으로 불태워졌다.

결국 뒤러는 루터를 그릴 기회를 얻지 못했는데, 사실 뒤러 말고도 루터를 그리기를 간절히 원한 화가가 또 있었다. 1522년 스위스의 바젤에서 독일 화가 한스 홀바인 2세는 가톨릭교회라는 거대한 기둥을 무너뜨리고 있는 헤라클레스로 묘사한 루터의 초상화를 작업 중이었다. 1년 후 홀바인은 루터의 신약성경 스위스 판의 표지를 멋지게 디자인했다.

그러나 비텐베르크에서 첫 신약성경을 제작하는 초기에 크라나흐에게는 혼자 해결해야 할 고민이 있었다. 루터의 성서에 넣을 계시록 목판화를 제작하는 과정에서 뒤러의 1498년 연작과는 달리 어떻게 자신만의 독특한 스타일을 찾는가가 관건이었다.

한편 크라나흐의 작업장에는 멜키오르 로터라는 라이프치히 출신의 출판인도 있었는데, 그는 5년 전에 루터의 95개조 논제를 인쇄한 유명한 출판인의 아들이기도 했다. 1520년 크라나흐의 작업장에 인쇄기를 설치하고 난 후 로터의 첫 출판물은 논란이 되었던 루터의 세 저작 『독일의 그리스도인 귀족들에게 고함』 『교회의 바빌론 유수』 『그리스도인의 자유에 관하여』였다.

한편 번역물이 제작되는 동안 그 사실은 철저히 비밀에 부쳐졌다. 오로지 멜란히톤, 슈팔라틴, 프리드리히 선제후, 크라나흐, 현재 비텐베르크 대학의 총장인 니콜라스 폰 암스도르프만이 그 과업에 대해 알고 있었다. 출판업자가 기대하며 기다리고 있는 와중에 비밀을 지켜야 할 이유가 또 있었는데, 그것은 바로 마케팅 때문이었다. 그 이유는 문필 절도 행위를 막기 위한 보호수단으로 저작권이 인정되기 훨씬 이전이었으므로 번역 중이라는 소문이 조금이라도 새어나갔다가는 다른 출판업자가 원고를 가로채 로터보다 먼저 작품을 내놓을 가능성이 높았기 때문이다. 로터는 모든 작품을 한번에 기습적으로 시장에 발표하고, 9월 말 북적대는 라이프치히 박람회에서 멋지게 선보이고 싶어했다. 이제 그들은 주의력을 집중해 적어도 9월 말까지는 모든 작업을 마쳐야 했다. 독일인들 대개가 문맹이었으므로 로터는 크라나흐의 삽화를 곁들이면 판매량이 증가할 것으로 확신했다.

헤라클레스의 과업에 견줄 만한 루터의 역작이 세상에 나오기까지는 새롭게 근대화되고 전문화된 유럽의 출판 산업이 큰 공헌을 했다. 1440년 요하네스 구텐베르크가 인쇄술을 발명하기 전에는 수백 년 동안 대부분 수도사들이었던 필사가들이 세상에서 유일무이한 성경을 만들어냈다. 그렇게 한 권을 필사하는 데에만 10년 이상이 걸렸으며, 필사하는 과정에서 많은 실수가 뒤따랐다. (아이러니하게도 구텐베르크는 초기에 가톨릭교회를 위한 면벌부를 대량 생산함으로써 막대한 돈을 벌었다.)

67년 전 구텐베르크가 최초로 성경 인쇄본을 출판한 이후로 제조인화법은 유럽에서 폭발적으로 확대되었다. 그사이 포도주와 올리브유 압착기에서 아이디어를 얻은 가동활자가 장착된 원시형태의 스크루 프레스가 비약적으로 발전해왔다. 1467년 삽화를 곁들인 시편으로 최초의 컬러 인쇄가 선보였고 1476년에는 삽화를 찍어내는데 목판과 함께 동판도 등장했다. 16세기로 넘어갈 무렵에는 수백 개의 유럽 도시들에서 인쇄업이 급속히 발전 중이었고 루터의 시대 무렵에는 1,500만 종의 인쇄본 책자가 있었던 것으로 생각된다. 95개조 논제를 발표한 이후 그의 소책자와 책들을 재빨리 세상에 소개할 수 있었던 인쇄업자들 덕분에 루터와 그의 종교개혁운동은 대단히 유리한 고지를 차지할 수 있었다. 그러나 이번에는 경우가 달랐다. 루터의 성경은 예술작품이었다. 그리고 시장에서도 대단한 베스트셀러가 될 것이 분명했다.

1522년 봄 성경 출간 작업은 재빨리 진행되었다. 본문 디자인은 이전의 성경들에 썼던 2단 대신 1단을 채택함으로써 루터의 난외주석을 넣을 수 있는 여백을 주었다. 각 장이 시작되는 곳의 첫머리 글자는 정교하게 장식한 대문자를 그려 넣었다. 처음에는 오로지 한 대의 인쇄기만을 썼지만, 결국에는 대량판매가 확실시되었으므로 제2, 제3의 인쇄기를 투입했다. 5월 10일 최초의 2절판 책이 로터의 인쇄기에서 떨어져 나왔다. 초여름 무렵에는 마태·마가·누가의 복음서와 함께 로마서·고린도서 등이 완성되었다. 책이 낱장으로 인쇄되어 제본되는 동안 루터는 서문을 작업했다.

서문에는 루터가 바르트부르크에서 얻게 된 통찰력과 과격주의자들과 투쟁하면서 배운 교훈들이 드러난다. 그러나 루터가 다수의 독자를 상대로 제일 먼저 말하고 있는 부분은 바로 책 자체의 성격에 관해서다. 신약은 일종의 선물이며, 복음은 독자가 진리라고 믿는다면 그 기쁜 소식에 웃고 환호하며 노래를 부르게 만들 훌륭한 말씀이었다. 루터는 독자들을 향해 이렇게 썼다. "그리스도를 제2의 모세로 만들거나 복음을 율법과 교리서로 만들어서는 안 됩니다." 이 복음서들에서 그리스도는 강요하거나 명령하지 않으시고 초대하고 간절히 바라고 계시며 사도들은 권하고 간청할 뿐 율법으로 명하지는 않기 때문이라고 루터는 설명했다. 신약의 유일한 명령은 사랑하라는 것이다.

결국 루터 서문의 핵심은 오직 믿음만으로 의롭게 된다는 교리였다. "신자는 진정한 믿음이 있다면 가만히 있을 수 없습니다. 당장 선행을 하려 들 것입니다. 그의 삶과 행위의 모든 목적은 이웃의 이익을 위해 맞추어지게 됩니다."

그렇다면 신약은 어떻게 읽어야 할까? 이 부분에서 루터는 놀랄 만큼 탁월함을 보였다. 요한복음, 바울 서간(특히 로마서), 베드로서가 "모든 책들의 진정한 핵심이요 골수"라고 했다. 특히 요한복음이야말로 다른 세 복음서보다도 훨씬 뛰어난 최고의 복음이라고 주장했다. 다른 세 복음서에는 예수님의 행적이 많이 나오고 가르침은 적게 나오는 반면 요한복음은 예수님의 행적에 관해서는 별로 말이 없고 오히려 가르침에 대해서 많이 알려주기 때문이다. 루터는 가르침을 더 선호했는데 "예수님의 기적들은 나에게 도움이 되지 않지만 그분의 말씀은 생명을 주기 때문이다." 바르트부르크에서 이미 결론을 내렸듯이 야고보서는 쓸모가 없었다. 독자들은 그것을 무시하는 것이 좋다.

흥미롭게도 루터가 신약 가운데 제일 의구심을 품었던 책에만 유일하게 크라나흐의 삽화를 곁들이도록 선정되었다. 크라나흐가 자신의 작업장에서 목판을 조각하고 있을 동안 루터는 요한계시록에 대한 마뜩잖은 서문을 썼다. 요한계시록 어디에서도 그것이 성령으로 씌었다는 증거를 찾을 수가 없었다. 또한 어디에도 그리스도가 언급되어 있지 않다. 그러므로 전혀 사도적이지도 않다. 그리스도를 증거하는 것이 바로 사도들의 임무였기 때문이다. 그렇다고 예언적이지도 않다. "나는 내 생각을 이 책에 적응시킬 수가 없다. 그러므로 그리스도에 대해 순수하고 명확하게 알려주는 책들에 충실하려고 한다." 루터는 책에 대해 어떻게 판단할지는 독자들의 몫으로 남겨두었다.

결정적 한방을 날린 것은 바로 그림이었다. 크라나흐의 목판화가 전하는 메시지는 거의 확실했다. 21점의 삽화 가운데 가장 유명한 작품은 요한계시록의 다루기 힘든 성서적 환상을 반교황적이고 반로마적인 선전으로 바꾸어놓았다. 땅의 임금들과 불륜을 저지른다고 전해지며 머리가 일곱이고 뿔이 열 개가 달린 괴물을 타고 지하에서 올라오는 바빌론의 대탕녀(요한계시록 17:1~8)에 관한 거친 이야기를 표현하려 했다. 크라나흐는 "자기가 저지른 불륜의 그 역겹고 더러운 것이 가득 담긴 금잔"을 들고 살짝 취한 모습으로 요염하게 곁눈질하고 있는 여인을 만들어낸 것이다. 여인의 머리 위에는 약간 비스듬하게 교황의 왕관이 씌워져 있다.

요한계시록 14장 8절을 표현한 그림에서도 크라나흐는 반교황적 관점을 강조했다. 성서의 이 구절은 바빌론의 몰락을 알린다. 한때 위대했던 도시가 마귀들의 거처가 되고 "온갖 더러운 영들"의 소굴, "온갖 더러운 새들"의 소굴이 되고 말았는데(18:2), 그 이유는 루터의 번역대로 옮기면, 그 여인이 온 땅의 사람들을 자신의 불륜의 술에 취하게 만들었기 때문이다. 당연히 루터의 승인을 받아 크라나흐는 로마를 바빌론처럼 표현했다. 크라나흐의 목판화에 등장하는 총안이 뚫린 부서진 성탑과 궁전의 모습은 여지없이 로마라는 인상을 풍기고 있다.

새로운 예루살렘이 출현하기 전 최후의 날들에 대한 크라나흐의 묘사는 잔인하고 무서우며 매혹적이다. 머리가 여럿 달린 용들과 사람의 얼굴을 한 벌레들, 끝을 알 수 없는 구덩이에 움츠리고 있는 인간, 분노의 약병을 쏟아 붓고 있는 무시무시한 천사들, 나팔소리와 떨어지는 별들과 함께 선포되는 일곱 번째 봉인이 열리며 시작되는 대재앙의 이미지로 가득 차 있다. 루터가 환상적인 장면의 의미를 이해하려고 하는 데 관심이 없었던 것은 전혀 놀랄 일이 아니다. 그러나 크라나흐는 그 장면이 가진 힘을 되살려내 수수께끼 같은 이야기들을 상업적으로도 구미가 당기는 흥미롭고 무시무시한 이야기로 바꾸어놓았다.

발간된 월을 따라 『9월 성서』로 불리게 된 루터의 최초 번역본은 일반 대중을 상대로 계획된 것이었다. 천조각으로 수작업하여 만든 종이에 인쇄한 444쪽의 책은 부피가 가로 15.5센티미터, 세로 29.2센티미터, 두께 5센티미터였고 집 안에서 가족 모두가 읽을 수 있는 용도로 기획되었다. (일 년 뒤에는 가로 10.2센티미터, 세로 15.2센티미터의 소형 판이 출간되었다.) 대상 독자층의 상당수가 문맹이었으므로 크라나흐의 목판화는 우연히 보게 된 독자들이 첫눈에 끌리게 만들었다. 성서의 장면을 확실히 떠올리게 만드는 시각적 효과로 크라나흐의 삽화들은 루터가 가톨릭교회와 투쟁을 벌이는 데 매우 유효한 선전 수단이 되었다.

루터야말로 희화(戱畵)를 정치적 무기로 활용한 최초의 인물이며, 크라나흐의 그림들이야말로 번역서의 다른 어떤 부분보다도 가톨릭 주해자들에게 심한 불쾌감을 안겨주었다고 전해진다. 그들은 크라나흐의 '만화'에 매우 속이 쓰렸을 것이다. 그 그림들이 사람의 마음을 잡아끄는 강력한 힘과 효과가 있음은 두말할 여지가 없었다. 전통주의자들은 그 그림들이 교회를 조롱함으로써 혐오감과 경멸을 불러일으킬 의도로 제작된 저속하고 상스러운 불쾌한 모욕으로 간주했다.

그 신랄함은 4백 년이 흐른 후에도 전혀 줄어들지 않았다. 20세기 초 예수회 출신 문필가 프랜시스 베턴은 그 그림을 보면 누구나 감정이 상할 수 있다고 분석했다. "적수를 조롱하는 것이 곧 진리를 고수하는 거라고 생각될 수도 있겠지만 그렇더라도 아주 제한된 의미에서만 그럴 뿐이다. 그것이 철저히 진실의 왜곡·사칭·거짓을 기반으로 하고 있다면, 게다가 품위는커녕 최소한의 기본마저 지키지 못한다면 배우지 못한 사람들과 지각없는 사람들을 잘못으로 이끌 가능성이 많으면 많을수록 그만큼 죄도 커진다. 이는 대체로 올바른 사고, 사랑, 문명에 대한 맹공이라고 개탄하지 않을 수 없다."

라이프치히 무역박람회 시작일인 9월 29일이 가까워오자 로터와 루터와 그들의 팀들은 제때에 인쇄를 끝마치기 위해 미친 듯이 작업에 몰두했다. 9월 20일 루터는 로마서에 붙이는 서문을 제외하고 거의 끝냈다고 슈팔라틴에게 편지를 썼다. 이 마지막 원고도 그날 밤에 완성해 다음날 인쇄업자에게 보냈다.

마침내 책이 나왔다. 처음으로 받아본 사람은 프리드리히 선제후로서 그에게는 세 부가 주어졌다. 그러나 루터는 가장 신세를 진 장본인에게도 예의를 표하고 싶었으므로 그동안 잘 돌보아주었던 바르트부르크의 성주 한스 폰 베를렙쉬에게도 감사와 애정의 표시로 한 부를 보내주었다. 마음씨 좋은 로터는 루터도 한 부 소장할 수 있게 해주었고 루터는

교황의 왕관을 쓴 바빌론의 대탕녀(루카스 크라나흐, 1522).
성서의 장면을 표현한 크라나흐의 삽화는 문맹률이 높았던 그 시대
시각적 효과가 컸다. 반교황적이고 반로마적인 강력한 선전 도구였다.

자기 작품에 대한 보수를 받지 않았다. 로터가 초판 3천 부 가운데 얼마나 많은 양을 라이프치히로 가져갔는지는 알려져 있지 않다. 제본되지 않은 낱장들은 통에 실려 운송되었다. 당시 대부분의 책이 그러했듯이 제본은 독자들의 몫이었다.

무역박람회는 중부 유럽의 교차로라고 할 수 있는 라이프치히에서 열렸다. 그곳은 동쪽의 러시아에서 가죽과 모피가 대량으로 들어오고, 남쪽의 뉘른베르크와 아우크스부르크로 가져가는 북해의 생선이 거쳐가는 곳이었다. 무역박람회는 350년의 역사를 자랑했고 독일 전역을 통틀어 최고의 상업전시회였다. 카를 5세의 전임 황제인 막시밀리안 1세가 불과 15년 전에 이 전시회에 거국적 지위를 부여함으로써 할레·에르푸르트·마그데부르크와 같은 주변 도시들에서 열리는 더 작은 규모의 무역박람회는 상대적으로 중요성이 줄어들었다. 일주일 동안 개최되는 박람회에 참가하려고 주변 지역 곳곳의 상인들이 모두 라이프치히로 모여들었다. 그곳에서는 도서뿐 아니라 그림도 거래되고 주문 의뢰가 들어왔다. 크라나흐도 정기적으로 박람회에 참석했다.

당시 라이프치히는 대략 8천 명의 인구를 갖춘 더럽고 악취 나는 도시였다. 길에는 자갈 보도가 깔려 있고 도시 내부는 잘 지어진 3층짜리 석조 가옥들로 구성되어 있었던 반면, 상업지구는 13세기에 지어진 웅장한 플라이센부르크 성 옆의 시장 광장을 중심으로 형성되어 있었다. 박람회는 대체로 그것을 지원하는 기반시설이 잘 갖추어진 덕분에 성공할 수 있었다. 참가하는 상인들과 그 조수들이 묵을 숙소, 가져온 상품을 보관할 널찍한 공간 등이 마련되어 있었다. 도시 밖의 풍기 문란한 교외에는 매음굴이 성행했다. 한 곳마다 대략 12명의 창녀들이 있었는데, 이들은 모두 라이프치히 출신이 아니라 훨씬 벽촌에서 온 것 같다.

라이프치히는 출판의 중심지였다. 1500년부터 1540년까지 40여 년

루터의 『9월 성서』 표지
(루카스 크라나흐, 1524).
라이프치히 출신의 출판인 멜키오르
로터가 펴냈다. 마케팅 전략상
제작과정이 비밀에 부쳐졌고
9월 라이프치히 박람회에 맞춰
출간되었다.

동안 법률에서 철학, 종교에서 언어학에 이르기까지 다양한 분야를 다룬 1,800종의 책들이 출간되었다. 비텐베르크에서 루터의 성경을 출판한 로터의 아버지 멜키오르 로터 1세는 라이프치히의 유명한 인쇄업자 가운데 한 사람이었다. 1520년까지 그는 루터의 소책자들을 무려 47종이나 출간했고, 1519년 루터가 플라이센부르크 성 교회에서 처음으로 복음주의 강론을 하러 방문했을 당시 그의 집에 머물렀었다. 이제 아버지와 나란히 1522년의 박람회에 참가한 로터 2세도 부스를 설치하고 직물·청어·후추·포도주 조달업자들과 경쟁했다. 로터는 루터가 번역한 성서를 1.5굴덴에 판매했는데, 이는 버터 4.5킬로그램의 값어치 또는 숙련된 목수의 일주일치 임금에 해당했다. 이렇게 상당히 비싼 가격에도 『9월 성서』의 초판본은 금방 매진되었다.

박람회의 부산스러운 분위기 속에서 작센의 게오르크 공작은 자신의 강력한 가톨릭 영지에 이 위험한 서적이 도착한 사실을 거의 눈치 채지 못했다. 그러나 결국 소문을 듣게 되자 값이 얼마가 되든 전부 사들이겠다는 말을 전했고, 그렇게 사들인 책들은 모두 불살라버렸다.

그러나 루터의 개혁운동과 그와 관련된 모든 저작물들은 이제 너무 멀리 퍼져 나가 작센 공작 한 사람이 통제하기에는 역부족이었다.

루터의 새로운 신약 본들을 접한 로마에서는 성서 본문을 고친 것에 대해 즉각 적의에 찬 반응을 보였다. 특히 로마서 3장 23~24절을 번역한 부분에 매우 불쾌해했다. 가톨릭 신학자들은 바울이 쓴 여러 서간문에서 '믿음'이라는 단어를 200번이 넘게 썼지만 그 어디에서도 '오직'이라는 말과 함께 쓴 경우는 없다고 지적했다. 가톨릭에서는 고해성사가 의화 관점의 핵심이었지만 루터는 당연히 고해성사를 성사로 인정하지 않았다. 얼마 후 '오직'이라는 말에 로마에서 크게 격노했다는 소식을 전해들은 루터는 가볍게 일축했다. "나는 어떤 가톨릭 학자가 나와서 바울 서간 중에 하나라도 루터의 독일어를 사용하지 않은 채 독일어로 번역하는 것을 보았으면 좋겠군." 자신을 비방하는 가톨릭 학자들은 보채는 얼간이, 멍청이, 졸작가, 뻔뻔한 바보였다. 그들은 "새로운 길 앞에서 당황한 소"처럼 오-직(오직 믿음만으로)이라는 글자를 바라보았다.

루터가 죽어 고향 마을인 아이슬레벤에 묻힌 25년 후에는 격렬한 정치적 반대도 끝이 나고 그의 의화 교리는 트리엔트 공의회에서 주요 주제가 되었다. 가톨릭의 고위 성직자들은 수개월 동안 그 문제를 두고 격론을 벌인 뒤 결국 다음과 같은 선언문으로 합의를 이끌어내었다. "믿는 사람은 하나님의 은총과 예수 그리스도의 공덕으로 말미암아 자신이 행한 선행에 의해 의롭게 된다." 다시 말해서 선행이 믿음을 정화시키고 완전하게 해주므로 두 가지가 결합되어야 구원으로 이르게 된다는 말이다. 더욱 준엄하게 공의회는 불손한 죄인이 오직 믿음만으로 의롭게 된다고 주장하는 자는 누구나 교회에서 파문했다. 그리고 성 히에로니무스의 불가타 성서를 공인된 성경으로 재확인했다.

자신들의 주장을 뒷받침하기 위해 트리엔트 공의회 참가자들은 야고보서의 구절을 인용했다. "믿음에 행함이 따르지 않으면, 그 자체만으로는 죽은 것입니다. …… 사람이 행함으로 의롭게 되는 것이고, 믿음으로만 의롭게 되는 것이 아닙니다"(2:17, 24). 물론 널리 알려졌지만 전에 루터는 야고보서를 '가짜 서간문'이라고 선포해버린 적이 있다. 루터는 바울 서간과 야고보 서간 사이에는 근본적인 모순이 있다고 생각했고, 이 두 서간을 조화시킬 수 있는 신학자가 있다면 자신의 박사모를 내주겠다고 말하기까지 했다.

루터의 신약 번역 작업은 1522년 가을에 초판이 출판된 것으로 끝나지 않았다. 초판이 매우 신속히 매진되었으므로 멜키오르 로터 2세가 라이프치히 무역박람회로 떠난 지 몇 일 되지 않아서 재판 인쇄가 진행되었다. 루터와 멜란히톤은 즉시 수정 작업에 착수했다. 그해 12월에 발간된 재판은 574군데나 수정되었다. 이른바 '12월 성서'라고 불린 재판에서는 카바레의 무희처럼 교황의 왕관을 머리에 쓴 바빌론의 대탕녀의 거북스러운 모습을 수정한 것이 가장 두드러진 변화였다. 목판화가 사람들로부터 맹렬한 반대를 불러일으키자 루터와 크라나흐는 한풀 수그러져 교황의 왕관을 별스러운 모양의 왕관으로 바꾸었다. 그러나 그 정도 양보로는 게오르크 공작의 분노를 가라앉힐 수 없었었다.

초판이 나오고 2년 안에 무려 14쇄가 더 출간되었고, 해적판은 66판이나 되었다. 루터와 멜란히톤, 출판사는 이제 좀더 오래 걸리고 복잡할 구약의 번역에 온 힘을 집중했고, 구할 수 있는 가장 오래된 히브리 원고를 주요 원전으로 삼았다. 이는 훨씬 더 어렵고 지난한 작업이었다. 멜란히톤은 꼼꼼하기로 따지면 따라올 사람이 없을 정도로 깐깐했다. 나중에 멜란히톤이 남긴 기록에 따르면 "때로는 한 문장을 수정하는 데 2주가 걸리기도 했다."

인쇄 과정도 순탄치는 못했다. 멜키오르 로터 2세가 자신의 조수 가운데 한 사람을 제본 바늘로 고문한 후에 당국과 마찰을 빚고는 도시에서 추방된 것이다. 로터의 후임으로 한스 루프트라는 출판업자가 일을 맡았다. 그러나 난봉꾼인 그는 비텐베르크의 양가집 여인들을 "범했다"는 이유로 당국과 복잡하게 얽히는 바람에 55굴덴이나 되는 고액의 벌금을 물어야 했다.

구약성경은 번역이 끝나자 인쇄되어 일종의 연속물로 발간되었다. 구약의 첫 다섯 권인 모세오경은 1523년에 발표되었다. 여호수아에서 에스더까지 다룬 두 번째 부분은 1년 후에 발간되었다. 욥기·시편·잠언·전도서·아가 등 시가서들로 이루어진 세 번째 부분은 1524년에 발간되었다. 1526년에서 1530년 사이에는 예언서 다섯 권이 각각 발표되었다. 이전처럼 크라나흐의 삽화가 책의 판매고를 최고로 끌어올렸다. 1533년 무렵에는 독일 가정 열 가구 가운데 하나는 루터의 성경을 소장하고 있는 것으로 추산되었다.

한편 신·구약이 한데 합쳐진 성경은 마침내 1534년에 출간이 되었고 모두 62점에 달하는 크라나흐의 삽화가 수록되었다. 루터는 신약처럼 구약에서도 성경이라는 이름을 붙일 만한 책들과 그렇게 높은 영예를 받을 자격이 안 되는 뒤떨어지는 책들 사이에 확실한 구분을 두었다. 유딧서, 지혜서, 마카베오 1·2서 같은 이른바 제2경전들은 격하시켜서 구약과 신약 사이에 외경으로 넣었다. ('외경'이라는 말은 영감을 받은 저작으로서 그 진위가 인정되지 않아 성경의 정식 경전의 부분으로 간주되지 않는 책들을 모아놓은 것을 의미한다.)

성경에 담긴 루터의 신선한 생각과 마찬가지로 성경에 쓰인 루터의 언어도 그 영향력이 지속되었다. 시간이 흐르자 루터의 번역 가운데 아예 표준 독일어로 정착된 어구와 시적 구문도 있었다. "Seine Hände in Unschuld waschen"(책임이 없다는 듯 손을 씻다)는 구문은 죄를 부인하고 모르는 척하는 뜻으로 발전하게 되었다. "Ein Herz und eine Seele sein"(한 마음과 한 영혼이 되다)는 매우 강한 우정이나 애정 관계를 형성하는 것을 의미하게 되었다. 그리고 "Jemandem sein Herz ausschütten"(마음을 다른 사람에게 쏟아 붓다)는 걱정을 나눈다는 의미다. "Sein Licht nicht unter den Scheffel stellen"(등불을 됫박 아래에 두지 마라)는 너무 겸손해하지 마라는 의미로 쓰이게 되었다. "Morgenland"(아침의 나라)는 동방을, "Fallstrick"(포획 밧줄)은 덫·올가미·함정을, "Machtwort"(권위 있는 말)는 거리낌 없이 받아들여져야 할 권위 있는 사람의 결정을 의미하게 되었다.

최종적으로 집계된 루터의 성경본 수는 가히 경이적이라고 할 수 있었고, 그의 번역과 전달하는 메시지에 담긴 힘을 여실히 보여주었다. 1546년 루터가 사망할 무렵 그의 성경은 350판본이나 있었다. 그는 당시까지 세계에서 가장 막강한 판매부수를 자랑하는 작가가 되었다.

독일 지역에 국한되지 않고 유럽으로 퍼져나간 이 많은 판본과 파생물 가운데 가장 중요한 것은 윌리엄 틴들의 영역본이었다. 옥스퍼드와 케임브리지 대학에서 수학한 그는 영국의 가톨릭 사제로서 루터가 바르트부르크에서 돌아오고 나서 얼마 안 되었을 때 우상인 루터의 선례를 본받아 자기도 "영국의 시골청년"이 성경을 읽을 수 있도록 하겠다고 결심했다. 이런 노력을 상급자들이 못마땅하게 여기자 틴들은 작업을 계속하기 위해 유럽으로 도망쳤다. 1524년에 비텐베르크에 있는 루터를 찾아와 만나본 뒤 쾰른에 정착했다. 그곳에서도 교회의 감시조직이 그의 불순한 의도를 알아내고 지역 당국에 인쇄를 금지하도록 손을 썼다. 그뿐만이 아니었다. 틴들의 성경이 영국으로 반입되지 못하게 항구를 잘 감시하라고 헨리 8세와 울지 추기경에게 전갈을 보냈다. 틴들은 보름스로 몰래 빠져나갔고 그곳에서 그의 최초 영역 성경전서가 1526년에 인쇄되었고, 그렇게 인쇄된 책들은 영국으로 밀수되었다.

루터의 경우와 마찬가지로 틴들의 문체 또한 명료하고 강렬한 것으로 유명한데, 세월이 흐르면서 점차 인정을 받고 좋은 평가를 받게 된다. 루터와 마찬가지로 틴들은 자신의 모국어인 영어에 수많은 시적 구문들을 불어넣었다. "내가 아이였을 때에는 아이처럼 말하고 아이처럼 생각하고 아이처럼 헤아렸습니다. 그러나 어른이 되어서는 아이 적의 것들을 그만두었습니다."(고린도전서 13:11) "먹고 마시며 즐겨라."(누가복음 12:19) "하늘에 계신 우리 아버지 이름을 거룩히 드러내시며 ……."(마태복음 6:9~13)

그러나 그는 이내 쫓기는 신세가 되었다. 1536년 안트베르펜에서 밀고당해 재판을 받고 교살당한 후 화형대의 불길로 사라졌다. 그러나 루터의 영향을 받은 그의 번역 성경은 살아남아 점점 명성을 얻었다. 그리고 17세기 초 킹제임스 성경을 작업한 왕실 번역자들이 참고하는 주요 원전이 되었다. 킹제임스 본 신약성경 가운데 무려 94퍼센트는 루터의 번역 방식을 따랐던 틴들의 영역본을 베낀 것이었다.

맺음말

바르트부르크에서 걸작을 만들어냈을 당시 마르틴 루터는 37세였다. 그에게는 아직 살아갈 날이 24년이나 남아 있었다. 그사이 더 많은 위기를 겪을 것이고, 가톨릭의 관점에서 보면 세상에 더 많은 물의를 일으킬 터였다. 95개조 논제, 교황청과의 갈등, 최고 신학자들과의 논쟁, 교황청에 의한 파문, 보름스 국회에서의 추방령, 바르트부르크 성에서의 은둔, 사순절 강론을 통한 개혁운동의 결속 등 지난 4년의 세월 동안 온갖 풍상을 겪었다. 그럼에도 루터의 명성은 유럽 대륙 전체로 퍼져나갔고, 교리가 확립되었으며 개혁운동은 제대로 뿌리를 내릴 수 있었다. 다시 말해 이 시기에 보름스·바르트부르크·비텐베르크에서 시련을 겪으면서 그의 유산이 만들어졌던 것이다.

뒤이어 개혁을 요구한 사건들 가운데 하나는 1524년부터 1525년까지 이어진 농민전쟁 또는 농민반란으로 알려진 폭력 사태였다. 루터가 성경을 번역해 읽히고 싶어했던 대상인 민중은 루터의 발언을 잊지 않고 있었다. 루터는 카를 5세 황제를 폭군으로, 그의 주변 인물들을 "구더기 자루"로 불렀다. 또 독일의 제후들을 "미치고 어리석고, 몰상식하고, 불같이 화를 내며, 제정신이 아니며 광적"이라고 헐뜯었다. 그리고 그들로부터 독일 민족을 구해달라고 하나님께 기도를 올리기도 했다. "제후들은 사람들의 고혈을 짜내고 수탈하며 온갖 세금을 부과하고 세율을 올리는 일 외에는 아는 것이 없다. 여기서는 곰을, 저기서는 늑대를 보낸다. 그들에게서는 정의나 충절, 진리를 전혀 찾아볼 수 없다. 그들은 강도나 깡패들이나 하는 짓거리를 한다. 거의 모든 제후가 바보나 멍청이다. 결국 사람들은 그들의 폭정과 전횡을 견딜 수 없을 것이며 더는 참지도 않을 것이다. 여러분이 짐승과도 같은 그런 작자들을 몰아내고 쫓아냈으니 지금 세상은 예전과 완전히 다르다."

농부들은 루터의 이런 말들을 귀가 따갑게 들었으므로 독일과 오스트리아 전역에서 분연히 들고 일어났다. 그들이 경제적·종교적 평등을 더욱 확대할 것을 주장하며 내건 슬로건은 그들의 신발을 지칭하는 "분트슈! 분트슈!"였는데, 이는 성과 속의 권위를 납작하게 짓밟아주자는 의미였다. 무장도 시원찮고 제대로 된 지휘관도 갖추지 못한 그들은 한 곳에서 무자비하게 진압되고 나면 다른 곳에서 압제자들만큼 폭력적인 봉기를 일으켰다가 또다시 진압되는 등 악순환이 이어졌다.

루터는 자신이 반란의 중심에 있음을 알았다. 루터는 지금 농민들이 맞서 싸우고 있는 귀족들을 경멸했지만 사회질서 또한 중요하게 생각했다. 처음에는 폭력적 진압을 멈추고 농민들을 선처해줄 것을 귀족들에게 간청했다. 그리고 농민들에게는 그들이 일으킨 반란이 주님의 이름을 헛되이 하는 일이라고 만류했다. 튀링겐 한 곳에서만 수도원 70개가 불탔고, 프랑켄에서는 성이 293채나 전소되는 등 살육과 방화가 이어지자 루터는 반란에 공감하던 마음을 완전히 거두고 압제자들 편으로 급격히 돌아섰다.

루터는 성직자, 특히나 제일 먼저 나서서 반란을 조장하는 데 일조한 사람에게는 어울리지 않을 무자비한 언어로 반대의사를 표명했다. 그가 퍼붓는 비난은 점점 종말론적으로 변했다. "반란은 돌이킬 수 없으며 세상의 멸망은 어느 때라도 일어날 수 있음을 기억하라." 루터는 "강탈하고 살인을 저지르는 농민들"을 악마 자체와 동일시했다. 그들은 온갖 죄를 범하고 있으며 "하나님의 법이라는 구실로 자신들의 죄를 숨기고 있다. 귀족들은 하나님의 진노를 행사하는 대리자로서 무장하라. 할 수만 있다면 찌르고 베고 없애라. 그러다 죽는다면 잘된 일이다. 그보다 더 행복한 죽음은 맞이할 수 없을 테니. 그렇게 마음껏 처벌하다 죽는 사람은 행복한 죽음을 맞이할 테고 처벌의 몽둥이를 들지 않는 사람은 자신이 막지 못한 모든 학살에 대한 책임을 떠맡게 된다. 그러니 자비는 잊으라. 지금은 자비를 베풀 때가 아니라 진노할 시간이다."

반란자 스스로가 반란이라고 선포하는 것만큼 불쾌한 일도 없을 텐데, 아무도 그러한 아이러니에 주목했던 것 같지는 않다. 루터는 목소리를 높였다. "만일 여러분이 폭도를 죽인다면 그것은 미친개를 때려잡는 거나 마찬가지입니다. 죽이지 않는다면 그 폭도가 여러분을 죽이고, 여러분과 함께 온 나라를 집어삼킬 것입니다."

바르트부르크에서 돌아오자마자 중재자로 자임하고 나섰던 사람치고는 놀랍게도 루터는 농민들이 흘리는 피는 자신이 책임지겠다고 인정했다. "하지만 그것을 모두 우리 주 하나님께 돌립니다. 그분께서 제게 명령하셨기 때문입니다."

농민반란을 진압하는 과정에서 수만 명이나 되는 사람들이 억울하게 죽어나갔다. 그들은 루터의 '복음주의적 자유'에 고무되었다가 그의 배신에 농락당했다. 죽은 사람들 가운데에는 루터를 따르던 성직자도 수십 명이나 되었다. 그들은 오스트리아의 대공이자 카를 5세의 동생인 페르디난트 1세의 승인으로 오스트리아에서 교수형에 처해졌다. 양심적인 사람으로 유명한 루터가 이번에는 양심의 가책을 받기는커녕 자신이 위험에 처했다고 상상으로 꾸며내며 이기적으로 떠벌렸다. "교황을 통해 나를 죽일 수 없었던 악마가, 여러분 가운데 있는 피에 굶주린 예언자들과 영들을 통해 나를 파괴하고 먹어치우려 애쓴다는 사실을 분명히 알겠습니다. 그렇다면 악마가 나를 먹어치우라고 하지요. 그렇다면 아마 그 배가 점점 좁아질 테니."

농민전쟁에서 죽은 사망자들 가운데에는 츠비카우의 예언자 토마스 뮌처도 있었다. 1525년 5월 프랑켄하우젠 전투에서 그는 오합지졸 추종자들에게 하나님께서 500년 전 산티아고 데 콤포스텔라에서 하셨던 방식으로 자신들을 위하여 틀림없이 개입하시리라 확신시키며 8천 명의 농민을 이끌고 전투에 참가했다. 그러나 뮌처 도당은 패주했다. 재세례파의 영웅 뮌처는 생포되어 투옥되었다가 고문을 받았다. 가혹한 심문을 받는 동안 그는 하나님의 계시를 받았다는 주장을 철회하고, 튀링겐 지역인 뮐하우젠에서 참수당했다. 그 소식을 접한 루터는 뮌처가 천벌을 받은 것이라고 주장했다.

결국 농민운동은 저절로 사그라졌다. 농부들은 언제 반란을 일으켰냐는 듯 농사를 지으러 돌아갔고, 옛 질서는 더욱 가혹하게 강요되었다. 그때는 루터의 인기도 식어버렸고 그는 제후들에게 아첨이나 하는 자로 널리 비난받았다. 그러나 모순된 행위와 배반에도 불구하고 자신만의 예배 방식을 확립하려는 루터의 열정은 식지 않았다. 루터의 저항은 자생력을 갖추고 많은 사람들에게 퍼져나갔는데, 창시자인 루터가 아무리 호령하고 반대해도 아무런 영향을 받지 않게 되었다.

바르트부르크에서 돌아온 후 1522년 말, 루터는 '많이 낳고 번성하여라'라는 주제로 창세기 1장 28절에 대해 강론하던 중 자신의 결혼 소식을 직접 알렸다. "하나님이 그들에게 말씀하시기를 '생육하고 번성하여 땅에 충만하여라…….'" 루터는 비텐베르크의 신자들에게 말했다. "우리가 먹고 마시지 않고는 아무것도 할 수 없듯이 여성들을 피하기란 불가능합니다. 그 이유는 바로 우리가 여인의 몸에서 잉태되어 그 안에서 자랐기 때문입니다. 우리는 여인들에게서 태어났고 세상에 나왔습니다. 그러므로 우리의 살은 대부분 여인의 살이며, 그것을 멀리하기는 불가능합니다. 우리에게는 순결을 지킬 수 있는 힘이 없습니다. 독신을 지키겠다고 결심하는 사람에게는 인간이라고 부르지 맙시다. 자신이 천사이거나 영이라는 것을 입증해보라고 하십시다." 순결에 대한 이러한 생각이 그다지 놀랄 만한 일이 아니라는 듯 루터는 가장 기억될 만한 구절을 입밖에 내어 말했다. 부부관계와 이혼을 주제로 다음과 같이 말한 것이다.

"만일 아내가 잠자리를 거부한다면 하녀라도 들이십시오."

1523년 초 성금요일에 대부분 귀족 가문 출신인 시토 수녀회 소속 수녀 12명이 청어 통에 숨어서 엄격한 님브센 수녀원을 탈출하는 사건이 발생했다. 그 가운데 9명이 집으로 돌아가지 않고 비텐베르크로 왔고, 루터와 동료들은 그들을 보호해주었다. 그들은 루터의 책을 읽고 한껏 고무되어 수녀원에서 탈출을 감행했고, 결국에는 루터 자신이 그들의 탈출을 계획한 것으로 밝혀졌다. 그 직후인 1523년 루터는 『왜 동정 수녀들은 하나님의 허락을 받고 수녀원을 떠나도 좋은가』라는 소책자를 출간했다. 그들 가운데 카타리나 폰 보라라는 수녀가 있었는데, 그녀는 지주계급 가문 출신이었다.

1525년 6월 13일 루터는 비텐베르크에서 가까운 친지만 불러서 루카스 크라나흐를 증인으로 세워 카타리나와 결혼했다. 높은 지명도로 보면 그의 결혼은 몹시 도발적인 행위였다. 처음부터 사랑에서 우러난 결혼이었다기보다는 내적 완성의 표현이자 수도자로서 느끼는 성적 유혹의 죄의식에서 벗어나기 위한 수단이자 이제껏 품어왔던 생각의 자연스러운 결과라고 볼 수 있었다.

그의 결혼은 대단한 반향을 불러일으켰다. 가톨릭 신자들은 그 결혼이 몸으로 저지른 신성모독이자 이단이라고 생각했다. 그뿐만이 아니었다. 로마 교회가 생각하기에 루터와 카타리나는 각기 그리스도와 혼인한 수도사와 수녀로서 형제자매나 마찬가지이므로 근친상간을 한 셈이 되었다. 한 반대자는 이렇게 비난했다. "만일 수도사가 결혼한다면 온 세상과 악마가 비웃을 테고, 그 장본인은 이제껏 자신이 해왔던 모든 것을 무너뜨리게 된다."

루터는 그와 같은 비난에 특유의 기질대로 응수했다. 그의 결혼식 노래는 고린도전서 7장에서 따왔다. "그러나 음란에 빠질 유혹 때문에, 남자는 저마다 자기 아내를 두고, 여자도 저마다 자기 남편을 두도록 하십시오."(7:2) 이제 루터에게 결혼은 성욕 해소 이상의 의미가 있었다. 그것은 구원에 이르는 길이었다. 루터는 당당히 말하길, 만일 세상이 자신의 결혼에 분개하지 않았다면 자신의 그 행위가 거룩하다고 확신하지 못했을 거라고 했다. 그것은 마치 자신이 예수님과 다시 연결되고 있는 것 같았다. "그리스도께서는 자신이 서 계신 자리에서 언제나 세상의 흐름을 거스르십니다." 루터 역시 자신이 있는 자리에서 세상을 거스르는 것 같았다. 그는 카타리나 폰 보라와의 사이에 여섯 자녀를 두게 되며 예전에 비텐베르크의 아우구스티노 수도원이었던 검은 수도원(Black Monastery)을 가족의 안식처로 하사받게 된다.

바르트부르크에서 돌아온 이후로 종교개혁운동의 성공은 그 창시자

루터의 결혼식(빌렘 린니히, 1880).
1525년 6월 13일 루터는 비텐베르크에서 가까운 친지만 불러서 루카스 크라나흐를 증인으로 세워 카타리나와 결혼했다.

인 루터의 비분강개한 언사나 재치 있는 농담에 더 이상 좌우되지 않았다. 루터가 시작한 개혁운동은 루터의 가르침에 힘입어 온 유럽을 휩쓸고 있었다. 그의 개혁운동이 사람들로부터 인기를 얻게 된 비결은 로마 가톨릭의 겉치레와는 대조적으로 그리스도인의 내적인 삶을 강조한 데 있었다. 고해성사, 자선, 봉헌, 단식, 교회 지배층에 대한 복종 등과 같은 책임을 폐지한 것 못지않게 영혼의 자유와 완전한 사랑에 대한 강조가 상당히 매력적으로 느껴졌다. 성화나 장식 없는 간소한 교회도 사람들의 마음을 끌었다. 무엇보다도 오직 믿음에 의한 의화가 대중의 마음을 사로잡았는데, 이로써 선행을 강조하던 것이 약화되고, 신자의 내적인 영성 생활을 강조하는 쪽으로 바뀌었다.

급진주의자들과는 대조적으로 루터는 추종자들에게 충격을 주지 않기 위해 미사와 전례에서의 변화가 점진적이며 거의 감지하지 못할 정도로 서서히 진행되도록 권유했다. 강론할 때에도 여전히 아우구스티노 수도사의 고깔 달린 검은 수도복을 입다가 1524년이 되어서야 벗어버리고 대신 중산층 시민의 외투를 입었다. "이 무리들로부터 누가 우리를 구할 수 있단 말인가?"라는 말에 수많은 사제들이 가톨릭 신앙을 버리고 비텐베르크로 와서 루터의 사목자가 되었다.

그사이 바르트부르크 체류 이후 유럽의 정치적 상황은 루터의 종교개혁에 매우 유리하게 돌아가고 있었다. 카를 5세는 보름스 국회가 끝난 직후 이탈리아로 급히 떠났고, 북부 이탈리아에서 프랑수아 1세의 프랑스와 벌인 전쟁에 발이 묶여 7년의 세월을 보내게 된다. 한편 교황은 양측에 끼어 교황령이 끊임없이 위협받고 있었으므로 이쪽에 붙었다 저쪽에 붙었다 오락가락했다. 죽기 전 레오 10세가 구사한 외교정책은 양동작전이었다.

가련한 교황 하드리아누스 6세는 본의 아니게 레오 교황의 전례를 따를 수밖에 없었고, 그 결과 루터의 종교개혁이 잘 정착할 수 있는 시간을 벌어주게 되었다. 1522년 1월 하드리아누스가 교황으로 선출된 후 스페인으로 가서 교황 성하를 로마로 호위해 올 공식 사절단이 꾸려지는 데만도 몇 주가 흘렀다. 일단 사절단이 조직되자 새 교황은 독일에서 이단을 뿌리 뽑는 데 온 힘을 다해야 한다는 요청서를 가져갔다. 그러나 이는 실효성이 없는 요청이 되어버리고 만다.

호위대가 마침내 토르토사에 도착했지만 교황이 로마로 가는 여정이 또다시 지체될 수밖에 없는 이유가 생겼다. 어떤 방법으로 로마로 가야 한단 말인가? 프랑스를 통과해 육로로 가는 것은 (비록 새로 선출된 교황이 반프랑스 동맹의 일원이 되지 않겠다는 의사를 이미 밝혔음에도 불구하고) 정치적인 이유로 불가능해보였다. 그렇다고 배편을 이용해 해로를 택하는 것은 리구리아 해와 티레니아 해에 출몰하는 투르크 해적 때문에 매우 위험했다. 결국 해로로 결정되었지만, 안전을 위해서는 50여 척의 소함대가 필요하리라 추산되었다. 그 정도의 함대를 동원하는 데는 시간이 걸릴 터였다. 이렇게 교황이 공석으로 있는 시간이 길어지는 동안 바티칸 안팎에서는 각 분파들이 정쟁을 계속했다. 프랑스와 신성로마제국 추기경들 사이의 불화는 조금도 가라앉지 않았다. 거기에 새로운 교황이 이미 죽었다는 소문이 로마에 파다하게 퍼지며 혼란을 가중시켰다.

마침내 1522년 8월말 '야만족 출신의' 교황이 영원한 도성에 도착하자 로마 시민들은 새로운 시대가 왔음을 즉시 알았다. 하드리아누스 교황은 비대하고 유쾌한 레오 10세와는 외모가 전혀 딴판이었다. 새로운 교황의 얼굴은 갸름하고 창백했으며, 몸집은 야위었고 표정은 경건하고 진지했다. 교황은 바티칸 성벽 밖의 거지들에게 선포했다. "나는 가난을 사랑합니다. 내가 여러분을 위해 무엇을 할 수 있는지 두고보면 알 겁니다."

하드리아누스 교황은 이탈리아어는 전혀 못했고 모든 집무는 라틴어로 처리했다. 레오 교황의 측근이었던 추기경들을 무시하며 호화스러운 바티칸의 처소에서 모두 쫓아냈다. 또 수염을 모두 밀어버리고 권세가보다는 사제처럼 행동하라고 명령했다. 레오 교황이 상주시키던 음악가들과 시인들도 모두 짐을 꾸려 내보냈고 라파엘로의 문하생들도 마찬가지였다. 르네상스 예술가들이 주제로 삼았던 것들이 새로운 교황에게는 이교도의 관습과 유사하게 보였다. 하드리아누스 교황은 라파엘로의 걸작으로 장식된 호사스러운 교황 처소가 아니라 바티칸 정원에 있는 작은 집에 거주하겠다고 선포했고, 수많은 수행원의 시중을 받던 전임 교황과 달리 소박한 식사를 준비해줄 나이 든 플랑드르 여인을 포함해 4명의 단출한 수행원이 시중을 들게 했다.

바티칸 당국이 독일 문제에 관심을 집중하지 못하게 한 또 다른 요인은 다시 찾아온 흑사병의 창궐이었다. 새로운 교황이 스페인에서 막 도착한 한여름 로마에 흑사병이 돌기 시작한 것이다. 로마의 관리들과 더불어 지체 높은 사람들이 떼를 지어 시골로 피신하는 바람에 도시의 행정업무는 거의 마비되어버렸다. 사람들은 하드리아누스 교황도 어서 피신해야 한다고 강력히 촉구했다. 그러나 길거리마다 시체들이 즐비하게 쌓여 가는데도 교황은 남아 있겠다고 선포했다. “나 자신을 위해서는 전혀 두렵지 않습니다. 하나님께 모든 것을 의탁합니다.” 늦가을까지도 흑사병이 기승을 부리자 발다사레 카스틸리오네는 이러한 기록을 남겼다. “일단 병균에 노출된 사람 열 명 가운데 여덟 명은 전염되었다. 오로지 극소수의 사람들만 살아남았다. 나는 하나님께서 이 도시의 주민들을 모두 진멸하시기로 작정한 게 아닌지 두렵기만 하다. 무덤 파는 사람들과 사제들, 의사들이 가장 많이 희생되었다. 친척 없이 죽은 자들은 장례조차 치르기 힘들었다.” 교황은 죽은 사람들의 소유물을 팔지 못하게 하는 칙령을 발표했다.

12월이 되어 날씨가 서늘해지면서 마침내 흑사병이 잦아들자 이제 하드리아누스 교황을 가장 압박하는 문제는 전쟁이 되었다. 북부 이탈리아, 동유럽의 전선에서는 여전히 전투가 한창이었다. 가장 긴박한 전쟁터는 로도스 섬이었는데, 그곳에서는 용감한 성 요한 기사들이 오토만 제국의 술탄 술레이만 대제가 이끄는 압도적인 군대의 침공에 대비하고 있었다. 그 바람에 루터의 종교개혁이 퍼져나가는 문제는 뒷전으로 밀려나 있었다. 하드리아누스 교황은 레오 10세가 죽고 나서 13개월이나 흐른 뒤인 1523년 1월이 되어서야 마침내 루터 문제에 제대로 마음을 쏟게 되었다. 보름스 칙령을 시행할 것을 요구하며, "한때 그렇게 강건했던 우리 독일 민족에게" 찾아든 분열을 통탄했다.

"수년 동안 그렇게 열심히 가톨릭 신앙을 설파해온 일개 수도사가 변절하여, 구원자 예수와 사도들이 길을 닦고, 수많은 순교자들의 피로 굳히고, 수많은 현자들과 성인들이 다져온 길에서 벗어나라고 유혹하고 있습니다. 그런데도 그토록 경건한 독일 민족이 가만히 보고만 있다니 도저히 믿기지가 않습니다." 교황은 훌륭한 그리스도인들에게 할 수 있는 온갖 방법을 동원해 이러한 불길을 끄고 루터를 '올바른 길'로 되돌려놓도록 촉구했다. 그러나 만일 루터가 말을 듣지 않는다면, '무서운 회초리'를 들지 않을 수 없었다. "악이 너무 속속들이 스며들어 부드러운 치유책이 전혀 먹히지 않는다면 이 질병에 아직 물들지 않은 일원들을 보호하기 위해서라도 우리는 호된 방법을 쓰지 않을 수 없습니다."

설령 교황, 특히 전임 스페인 종교재판소장의 선언문에 위협과 위험이 분명히 드러나 있기는 해도 그것이 루터의 종교개혁을 확산하는 데 큰 영향을 미치기에는 너무 늦은 감이 있었다. 레오 교황의 죽음, 난항을 겪었던 후임자 선출, 비주류 출신의 교황에 대한 반감과 심지어 경멸감,

하드리아누스 교황의 오랜 로마 입성 지연, 흑사병, 로도스 섬의 위기 등 일련의 사건들 덕분에 루터는 큰 압박을 받지 않았고 개혁운동을 강화하기 위해 한숨 돌릴 여유를 얻었다. 1523년 1월 교황의 선언문이 나올 무렵에는 이미 바르트부르크를 떠나 비텐베르크로 돌아와 있었고, 모든 일이 한결 안전하고 순조롭게 풀려가고 있었다.

그러나 이 모든 요인들보다 훨씬 더 중요한 어떤 일이 들끓고 있었다. 하드리아누스 6세는 교회의 악폐 문제에 착수해 교황청을 개혁하기로 결심하고 로마에 왔던 것이다. 취임하고 처음 몇 주 동안에는 자격이 되지도 않는 사람들에게 터무니없는 값을 받고 파는 성직매매를 척결하고, 추기경들의 호사스러운 생활을 금지시켰으며, 비대해진 교황청 조직을 축소하는 수순을 밟아나갔다. 교황은 교황청의 성직매매·족벌주의·겸직 등의 행태를 비난했다. 죄인들 스스로 자신이 저지른 죄의 악취를 더는 견딜 수 없을 정도로 도처에 만연한 죄악에 대해 말한 성 베르나르두스를 인용해 말했다. 가장 중요한 것으로 교황은 면벌부를 무차별적으로 남용하지 못하게 막을 준비를 했다. 면벌부가 오히려 죄를 부추겼다. 하드리아누스 교황이 교회의 내적인 악폐에 집중했음은 로마 가톨릭에 대한 루터의 저항이 타당하다는 것을 은연중에 인정한 셈이나 마찬가지였다.

더구나 루터 세력을 엄격히 조치해야 할 시기가 지났다는 분위기가 점점 확산되고 있었다. 어쩌면 교황청의 악폐에 비중을 두며 루터의 대사면까지도 준비할 수 있었다. 거룩한 불에 루터를 태워야 한다는 이야기는 중단되어야 했다. 참된 형제적 화해의 마음으로 반란 세력에 다가가는 일이 더 나은 방책이었다. 독일에서의 민중 봉기야말로 무슨 일이 있어도 꼭 피해야 할 악몽이라는 인식이 팽배해 있었다. 루터를 체포하고 그의 개혁운동을 탄압하려고 계속 시도하다보면 그런 끔찍한 결과가 빚어질 게 분명했다. 심지어 로테르담의 에라스무스마저 루터 세력과 화해하라고 조언하고 있었다. 그리고 보름스 국회에서 루터를 심문한 장본인인 알레안데르 추기경은 교황청의 부패와 루터의 혁명을 서로 관련지었다.

추기경은 다음과 같이 주장했다. "교황과 교황청이 하나님과 인간이 보기에 똑같이 거슬릴 잘못들을 없애도록 합시다. 다시 한 번 성직자들이 규율을 지키게 합시다. 만일 독일인들이 이러한 일이 실행되는 사실을 안다면 더는 루터에 대해 떠들지 않을 것입니다. 악의 뿌리와 그것을 치유할 수 있는 힘은 우리 자신에게 있습니다."

그래도 교황의 개혁 노력에 경악하는 부류도 생겨났다. 로마의 도시 분위기는 새로운 교황에 대한 기대감에서 반감으로 급격히 바뀌어갔고, 교황의 강경하고 서투른 방식에 저항감이 일었다. 가을이 다가오면서 하드리아누스 교황은 은둔적이며 레오 교황만큼 우유부단한 사람으로 드러났다. 베네치아의 한 대사는 이렇게 기록했다. "교황은 누구든 만나기는 한다. 하지만 말이 거의 없고 마음을 정하지 못한다. 크든 작든 어떠한 요구에 상관없이 교황의 대답은 한결같다. '두고 봅시다.'"

취임 초기 하드리아누스 교황이 스스로 설정했던 목표들은 급격히 무색해지고 말았다. 1522년 성탄절에 로도스 요새는 결국 술레이만 대제의 무슬림 세력에 함락되고 말았다. 그 소식을 들은 교황은 이교도에 맞서 하나로 단결할 수 없었던 그리스도교 국가들의 혼란에 눈물을 흘렸다. 그리고 포르투갈의 왕에게 편지를 썼다. "제후들이 하나님께서 주신 통치권을 잘 발휘하지 않고 서로 골육상쟁이나 벌이는 데 쓰고 있으니 통탄할 노릇입니다." 그리고 독일에서는 이단이 만연하며 급증하고 있었다. 로도스가 함락된 바로 그날 교황이 막 기도하려고 들어가려는데 교황의 예배당 문 위에 있던 대리석 몰딩 조각이 떨어져 근위대원이 죽었다는 소문이 퍼졌다. 이것은 참된 종교를 보호하지 못하는 교황의 무능함에 하나님이 진노하여 내린 표징이라고 해석하는 사람들이 많았다.

비록 재임기간은 짧았고 오로지 실패한 것으로만 유명했는데도 하드리아누스 6세는 교회의 악폐와 부패를 인정한 최초의 교황이었다. 교황은 그와 함께 커다란 변혁을 요구했다. "고위 성직자와 일반 사제들에 이르기까지 우리 모두는 올바른 길에서 벗어나 길을 잃고 헤매왔습니다. 오랫동안 선을 행한 자가 없습니다. 단 한 사람도 말입니다." 쉽게 변하지 않는 성직자들은 교황이 가톨릭의 집단적 죄를 이렇게 인정했어도 가차 없이 거부했다. 그러한 생각은 오히려 루터와 대치하고 있는 교회의 상황을 악화시킬 뿐이라고 비웃었다. 그러나 하드리아누스 교황도 물러서지 않았다. "온갖 죄에 물든 예루살렘 도성을 정화하시길 원하셨을 때 구원자께서는 사제들의 죄를 벌하기 위해 제일 먼저 성전으로 달려가셨습니다. 수년 동안 끔찍하다고 여길 만한 일들이 교황을 중심으로 자행되었다는 사실을 우리는 잘 알고 있습니다. 성유물이 남용되어 왔고, 여러 규정들이 위반되었습니다. 그러므로 우리는 교황청을 개혁하는 데 심혈을 기울이겠다고 약속해야만 합니다."

이는 루터가 환영해마지 않았을 말이다.

루터의 세력이 급부상한 데에는 교황청에도 그 책임이 있다는 하드리아누스 교황의 솔직한 인정은 반종교개혁을 향한 최초의 작은 발걸음이라고 할 수 있다. 프로테스탄트 종교개혁에 자극을 받은 로마 가톨릭의 회복 노력은 루터가 사망할 무렵인 23년 후에 트리엔트 공의회에서 시작되어 다시 1백 년이 지속된다.

20개월에 걸친 하드리아누스 교황의 재임이 실망스럽게 끝나고, 1523년 11월 레오 10세의 조카인 줄리오 데 메디치 추기경이 새로운 교황이 되어 클레멘스 7세가 되었다. 신임 교황은 그때까지 전혀 시행되지 않고 있던 보름스 칙령을 "가능한 한" 강화할 것이라고 미온적인 태도로 발표했다. 독일 제후들이 반 루터 동맹을 결성하게 만들려고 애썼지만 모두 수포로 돌아갔다. 1527년 클레멘스 교황은 로마가 침략당하는 것을 속수무책으로 지켜볼 수밖에 없는 뼈아픈 경험을 하게 된다. 이 사건은 주로 독일의 프로테스탄트들이 일으킨 사건으로서 르네상스 시대를 끝낸 계기가 되었다고 회자된다.

한편, 그리스도교 세계에 대한 외부로부터의 위협 또한 급속히 커지고 있었다. 명목상으로는 오스트리아의 페르디난트 1세가 작센 지방을 다스리고 있었지만 혈기왕성한 젊은 술탄 술레이만 대제의 신흥 오스만 제국이 수십만 대군을 이끌고 빈을 침공하겠다고 위협했다. 술레이만은 발칸 반도를 지나 점차 북쪽으로 잠식해 들어오고 있었고, 라인 강으로 가는 길목을 따라 유럽을 이슬람의 영토로 만들겠다는 의지를 천명함으로써 유럽의 심장부를 위험에 빠뜨렸다. 1529년과 1532년 두 차례나 강력한 투르크 대군이 빈의 성문 앞까지 진격했으나 함락에 성공하지는 못하고 물러났다.

루터의 종교개혁 발상지에 더 가까이 있었던 수염공 게오르크 공작은 프로테스탄트 반란에 가장 첨예하게 반대하는 선봉장이 되었다. 그는 1523년 성경을 비롯해 루터의 모든 저작물의 유통을 금지시켰고, 1525년에는 루터의 저작물을 유포시켰다는 이유로 두 사람을 교수형에 처했다. 그러나 공작은 경제적으로 궁핍해진데다, 종교개혁을 지지하는 인쇄업자들이 라이프치히에서 다른 곳으로 인쇄기를 간단히 옮겨버렸으므로 그들을 탄압하려는 노력은 별 실효를 거두지 못했다. 게오르크 공작은 1539년까지 통치했고, 그 이후로는 비난의 강도가 수그러들었다.

한편 현공 프리드리히 선제후는 1525년 5월 5일에 사망했다. 임종 시에 자신이 마침내 루터파 신자가 되었다는 증표로서 빵과 함께 포도주까지 먹는 양형 영성체를 받게 해달라고 요청했다. 루터는 황급히 선제후 곁으로 달려갔지만 너무 늦게 도착했다. 사람들이 온갖 처치를 다했음에도 루터의 가장 든든한 우군이 되어준 은인은 루터를 기다리지 못하고 눈을 감았다.

바르트부르크에서의 체험 이후로 가장 중요한 메시지를 강조하고 세심하게 다듬게 되면서 루터는 어마어마한 양의 저작물을 쏟아냈다. 루터가 점차 안정을 되찾고 몸도 오늘날 독자들이 알고 있는 제일 친숙한 모습으로 살집이 붙은 것을 보면, 거의 밤마다 주점을 찾아 측근들과 한잔 들이키며 담소를 나누고는 했을 것이다. 아내도 자주 동반한 그런 자리에서 루터는 친구들에게 다음과 같이 곧잘 이야기했다. "술을 많이 마시면 숙면할 수 있다네. 숙면하는 사람은 죄 지을 일이 없지. 그리고 죄를 짓지 않는 사람은 천국에 간다네."

가끔은 이야기가 격해지기도 했지만, 그보다는 익살맞고 교훈적일 때가 훨씬 많았다. 때로는 흥분한 사람들이 불같이 화를 낼 때면 중재자 루터가 나서서 다음과 같은 말로 진정시키고는 했다. "정신은 싸우되, 주먹은 내려놓고 합시다." 제자들이 기록한 이 '탁상담화'는 수권의 책으로 엮여 수세기 동안 전해 내려오고 있다. 루터의 말년 무렵 그 담화에 참가했던 한 사람이 남긴 기록이 있다. "우리 박사님은 흔히 무겁고 심오한 사상들을 풀어놓고 때로는 식사시간 내내 수도원에서처럼 침묵을 지키기도 했지만 이따금 매우 유쾌하게 말씀하시곤 했다. 우리는 그분의 말씀을 양념이라고 부르곤 했는데, 그 어떤 향신료와 맛있는 음식보다도 더 좋았기 때문이다."

바르트부르크에서 돌아온 해에 루터는 글과 강론을 쓰던 것과 똑같은 열정으로 음악을 작곡하기 시작했다. 음악은 인생 초기부터 루터에게 무척이나 중요했는데 음악과의 인연은 아이제나흐에서의 소년합창단 시절까지 거슬러 올라간다. 산수·기하·천문학과 더불어 음악은 그 당시 모든 소년들이 공부해야 하는 네 가지 필수과목의 하나였다. 10대에 사고로 다리에 자상을 입자 류트 연주를 배운 루터는 평생 악기를 손에서 놓지 않았다. 나중에 말했듯이 힘차게 노래를 부르면 영혼이 즐거워지고 유혹과 우울함에서 벗어날 수 있었다. 루터는 사람들의 마음을 움직이고, 자신의 신앙을 선전하며 글을 읽지 못하는 신자들에게 복음을 전파할 수 있는 음악의 진가를 일찍이 알아보았다.

음악가가 곡을 쓰면 루터 자신이 힘 있는 가사를 붙이기도 했다. 그가 작곡한 첫 성탄곡 「찬송하리로다 예수 그리스도」(Gelobet seist du, Jesu Christ)는 1460년대부터 내려오는 오래된 교회곡의 멜로디를 이용했다. 루터가 처음으로 작곡한 찬송가 「기뻐하라, 친애하는 주의 성도들이여」(Nun freut euch, lieben Christen g'mein)의 멜로디는 오래된 권주가의 반주를 활용해 1523년에 완성했다. 권주가를 활용했다는 데 사람들이 눈살을 찌푸렸지만 루터는 당당하게 반문했다. "그렇게 안 하면 사람들이 이 노래를 어찌 기억할 수 있단 말인가?"

루터의 찬송가 중에는 가사에 짙은 정치색이 묻어나는 곡들도 있었다. 벨기에에서 처형당한 루터 지지자 두 사람을 주제로 작곡한 찬송가가 있다. 겉으로는 아이들에게 말하듯이 쓰인 또 다른 찬송가는 교황에서 이교도인 투르크인들에게 이르기까지 모든 주요 적들에게 맞서기 위한 곡이었다. 그러나 사람들의 뇌리에 가장 각인된 곡은 "깨어 일어나라, 깨어 일어나라 독일이여. 하나님께서 네게 주신 것을 생각하라, 주께서 너를 만드셨으니"라는 가사가 붙은 종교개혁을 주장하는 도전적인 저항가와 가장 강력하면서도 힘을 불어넣는 「내 주는 강한 성이요」이다. 이 곡은 1524년에 발간된 최초의 프로테스탄트 찬송가책에 다른 23곡

루터의 찬송가 「내 주는 강한 성이요」의 악보.
바르트부르크에서의 강렬한 체험이 이 영웅적 찬송가의 가사에
특별한 의미를 부여했을 것이다.

의 찬송가와 함께 실려 있다.* 바르트부르크에서의 강렬한 체험이 이 영웅적 찬송가의 가사에 특별한 의미를 부여했으리라. 이 곡은 시편 46편의 구절에서 영감을 얻은 것으로, 루터 자신이 직접 번역한 대로 옮겨보면 다음과 같다. "내 주는 강한 성이요 방패와 병기되시니 큰 환난에서 우리를 구하여 내시리로다." 나중에는 요한 제바스티안 바흐가 자신의 합창곡에서 잘 다듬어진 화성 구조를 집어넣어 이 찬송가를 여러 번 편곡하게 된다. 그 강력한 음률과 매번 감탄표로 끝나는 대담하고도 남성적인 선율은 헨델·바그너·드뷔시 같은 작곡가들이 다양하게 차용했다. 멘델스존은 이 곡을 종교개혁 교향곡이라고 알려져 있는 자신의 교향곡 5번 4악장에서 주요 모티프로 썼다.

바르트부르크는 루터에게 강한 성채였고, 자신의 두려움과 유혹, 자기회의에 맞서게 지켜주었던 보루였으리라. 고독과 침묵 속에서 루터는 어둠의 악마와 직면했고, 내적인 힘을 통해 악마를 두려워하지 않는 법을 배웠다. 세상은 그의 개혁운동을 무너뜨리겠다고 위협했지만 그는 결국 승리를 거두었다. 이 찬송가의 마지막 구절은 수세대에 걸쳐 울려 퍼지며 오늘날까지 루터의 신앙을 살아 있게 만드는 정신을 알려준다.

> 친척과 재물과 명예와 생명을 다 빼앗긴대도
> 진리는 살아서 그 나라 영원하리라

---

* 루터의 친구인 음악가 요한 발터가 1524년에 펴낸 찬송가집으로서 흔히 『비텐베르크 찬송가』로 불리는 『*Geistliches Gesangbüchlein*』를 가리킨다.

저자 후기

나는 2008년에 발표한 『신앙의 수호자들』에서 이 책을 쓸 영감을 얻었는데, 앞선 작품은 1520년에서 1536년까지에 해당하는 유럽 역사를 다룬 것이다. 내로라하는 고위 성직자들과 군주들이 활약한 그 시대의 역사에 루터가 미친 영향은 그들 모두를 뛰어넘고도 남는다.

『신앙의 수호자들』을 쓰면서 나는 위대한 종교개혁가 루터에게 완전히 사로잡히고 말았다. 그의 인품, 용기, 저항, 한 편의 드라마 같은 일생, 열정, 정직함, 우아한 면과 거친 면, 재치와 유머, 결점 등 모든 면에서 말이다. 그리고 그의 이야기가 오늘날에도 들어맞는다는 사실에 놀랐다. 자신의 성적 욕망을 부단히 돌아봄으로써 사제의 독신을 거부하기에 이르렀고 아우구스티노 수도회 수도사로서 서원한 것에 도전했다. 이는 가톨릭교회가 현재 겪고 있는 문제에 시사하는 바가 크다. 바르트부르크에 유폐되어 있는 동안, 루터는 자신보다 존재감은 덜하지만 더 과격한 사람들의 도전에 맞서 개혁운동을 결속하는 데 어려움을 겪었다. 그 과정을 살펴보면서는 현대의 취약한 정치운동들이 기억났다. 당시의 지배적인 교리 아래서 자신이 믿는 바와 거부할 바를 명확히 하려는 루터의 노력은 나 자신의 영적 탐구 자세와도 비슷한 면이 있었다.

루터의 이야기는 나의 과거 작품과 또 다른 연관이 있다. 1994년에 발표한 갈릴레오의 일대기에서 나는 갈릴레오가 망원경이라는 증거로 역동적으로 움직이는 우주를 입증함으로써 인간사의 행로를 영원히 바꾸었으며 고대와 현대의 역사를 가르는 분기점이 되었다고 주장했다. 루터의 저항에 대해서도 똑같이 말할 수 있을 것이다. (흥미롭게도 갈릴레오와 루터는 비슷한 인성을 갖고 있었다. 둘 다 용감했고 독설가였고 기성 권위를 경멸하며 거부할 줄 아는 훌륭한 인물이었다.) 진짜 프로테스탄티즘은 헨리 8세가 아닌 루터로부터 시작되었다. 헨리 8세가 로마와 결별한 것은 자신의 왕위 계승과 관련된 일종의 허영심과 욕망에서 비롯된 반면 루터의 저항은 근본적이며 교회의 악폐와 신조에 기본적으로 동의하지 않는 데서 생겨났기 때문이다. 루터의 저항은 그리스도인들이 영구적으로 새로운 방식에 따라 예배를 드리는 것으로 발전했다.

이야기꾼의 기질이 있는 나로서는 루터가 바르트부르크 성에 고립되어 있던 상황은 커다란 선물이 아닐 수 없었다. 그 시기는 놀라운 그의 인생에서 가장 창조적이면서도 격동적이었다고 할 수 있기 때문이다. 그가 번역한 신약성경은 오늘날까지도 고급 독일어의 표준을 확립한 걸작이었다. 루터는 고립되어 홀로 지낸 덕분에 자신의 새로운 교리를 굳건히 세우고 통합하고 완전히 다듬을 수 있었다. 특히, 오직 믿음에 의한 의화(칭의)라는 가장 기본적이고도 결정적인 개념을 도출할 수 있었다. 비텐베르크로 돌아오자마자 행한 사순절 강론은 그의 일생과 작품에서 전환점이 되어준 결정적인 순간이었다.

『신앙의 수호자들』을 출판하게 된 계기는 2009년 『워싱턴포스트』에 글을 기고하기 시작한 일이었다. 기고를 위해 그해 여름 바르트부르크 성을 방문하면서 나는 그곳을 둘러싼 루터의 파란만장한 이야기에 관심을 가지게 되었다. 마침 그곳을 방문했을 때 루터의 성경 번역본이 전시되고 있었는데, 그것은 커다란 행운이 아닐 수 없었다. 2014년 봄에 좀더 깊이 조사해보려고 바르트부르크 성을 다시 방문한 나는 유타 크라우스 박사와 오래 이야기를 나눌 기회가 있었다. 박사는 바르트부르크 재단을 위해 역사 연구를 책임지고 있으며, 2017년 바르트부르크를 찾을 것으로 추산되는 수십만 명의 순례객을 위한 프로젝트를 총괄하는 막중한 업무를 맡고 있었으므로 그와의 대화는 많은 도움이 되었다. 2009년과 달리 2014년에는 루터의 방 벽에 있던 잉크 자국이 지워져 있는 것을 보고 조금 실망스러운 마음을 금할 수 없었다. 루터가 악마를 향해 잉크병을 던졌다는 전설이 확실한 것 같지 않다는 점을 반영한 조치로 보였다. 그런데 크라우스 박사는 여기에 대해 제대로 된 진실을 들려주었다. 사실 잉크병 신화는 17세기가 되어서 처음 나돌기 시작했다고 한다.

2014년 여행에서는 비텐베르크에 있는 루터하우스에서 며칠을 보냈다. 그곳은 루터 관련 자료들과 유물이 보관되어 있는 최고의 보고이며, 2017년 프로젝트가 진행될 중심지이기도 하다. 루터가 수도사였을 당시 아우구스티노 수도원이었으며 그가 바르트부르크에서 돌아온 후에 카타리나 폰 보라와 결혼해 살기 시작한 루터 가족의 안식처였는데, 현재 유네스코 세계문화유산으로 등재되어 있다. 그곳의 관장인 스테판 라인 박사, 수석 큐레이터 미르코 구트야르 박사, 2017년 10월에 개최될 루터 종교개혁 500주년 기념축제 연방정부 주정부 합동조직위원장인 아스트리트 뮐만 박사와 폭넓은 이야기를 나누었다.

나는 라인 박사에게 먼저 말을 꺼냈다. "2017년에는 전 세계 사람들이 비텐베르크로 몰려오겠군요."

"예, 그러기를 바라고 있죠. 동시에 두렵기도 합니다."

공산주의 동독의 어두운 시절, 비텐베르크는 온통 잿빛으로 더러워진 심각한 오염지역이었다. 그러나 1990년 독일 통일 이후 우중충한 집들은 묵은 때를 벗겨낸 후 파스텔 색조로 페인트칠을 새로 하고, 조약돌이 깔린 옛 거리도 보수했으며, 루터의 95개조 논제가 나붙었던 유명한 철제 성문과 함께 비텐베르크 성 교회도 관광객을 맞이할 준비를 했다. 2014년 봄에 가보니 도시 전체가 하나의 거대한 건축지구가 되어 있었다. 교회는 폐쇄되었고 그곳의 쌍둥이 망루는 건설현장의 비계로 둘러 가려져 있었다. 프리드리히 선제후의 13세기 성은 마치 그리스도가 그 안에 계시기라도 하듯 비닐로 완전히 감싸여 있었다. 외관 벽면은 회반죽을 새로 바르기 전에 말리면서 담수를 제거하는 중이었다. 비텐베르크 도시를 새롭게 단장하는 비용은 대략 10억 유로가 넘을 것으로 추산되었다. 도시가 가장 융성했던 때인 프로이센 공국 시대의 1892년 모습을 재현하는 것이 복구의 목표라고 한다.

바르트부르크 성 아래 있는 두 도시 비텐베르크와 아이제나흐에서는 루터 신학이 나치와 연관성이 있었던 사실을 기억에서 지울 수 없다. 루터 종교개혁 500주년 기념축제 조직위원들은 이 민감한 주제를 회피하기는커녕 오히려 루터의 어두운 면들을 열심히 밝히려는 것 같았다. 히틀러와 나치가 루터의 반유대주의 저작물을 이용했다는 것은 부인할 수 없는 사실이다. 히틀러는 자신의 저서 『나의 투쟁』(*Mein Kampf*)과 1923년 뉘른베르크 나치전당대회 연설에서 루터를 언급했다. 히틀러가 정권을 잡은 후에는 루터파 개신교 관료들이 히틀러와 국가사회당을 지지했다. 1933년 루터파 교회는 유대인과 친척관계에 있는 사람은 교회에서 일하는 것을 금지시키는 아리아인 우대조항을 적용하기 시작했다. 1933년 비텐베르크 성 교회 서까래에 나치 깃발이 걸려 있는 모습을 찍은 사진은 루터하우스 상설전시관에 전시되어 있다.

그리고 루터가 1522년 3월 성공적인 인보카비트 강론을 포함해 거의 2천 번의 강론을 행한 비텐베르크 시립 교회의 남서쪽 모서리 높은 곳에는 유대 돼지를 묘사하는 14세기의 충격적인 조각이 있다. 조각은 돼지의 젖을 빨고 있는 유대인과 돼지의 엉덩이 냄새를 맡고 있는 랍비의 모습을 묘사하고 있다. 옛날에는 유대인이 그 도시에 정착하는 것을 막을 의도에서 이렇게 오싹한 조각을 새겼다. 유대인에 대한 그러한 비방은 비텐베르크에만 국한된 것이 아니라 독일 전역은 물론 오스트리아·프랑스·벨기에·스위스 등지에서도 교회와 공공건물에 여전히 존재하고 있다. 모욕적인 민중예술의 이러한 상징은 나치 시대에 되살아나 '유대인 돼지'라는 욕을 만들어냈다.

바르트부르크에서 돌아온 그 해에 루터는 유대인에게 동정적인 태도를 보였다. 소논문 「예수 그리스도께서는 유대인으로 나셨다」에서는 유대인을 옹호했고, 유대인을 "마치 개처럼 취급하는" 그리스도인들을 비난했다. 루터가 유대인들에게 유대교를 버리고 새로운 그리스도교를 믿으라고 설득하고자 했다는 증거가 있다. 그러나 자기 뜻대로 되지 않자 실망했고, 얼마 안 있어 유대교에 대한 견해가 냉소적으로 바뀐다.

말년 무렵 루터는 강경한 입장으로 돌아서서 극도로 반유대주의적인 소책자 『유대인과 그들의 거짓말에 관하여』와 『셈 하메포라시*로부터』(*Vom Schem Hampohras*) 두 권을 펴냈다. 앞의 작품에서는 유대인이

* 히브리어로 '거룩한 이름'을 의미한다. 유대인들이 거룩하신 하나님의 이름을 부를 수 없어 '엘로힘'(하나님을 뜻하는 일반 명사)과 '아도나이'(나의 주님)와 더불어 하나님을 대신 지칭한 말.

"비열하고 우상을 숭배하는 민족으로서 전혀 하나님의 백성이 아니다"라고 썼다. "그들이 혈통·할례·율법을 자랑하는 것은 상스러운 일로 간주되어야 한다." 그들은 "악마의 배설물로 가득 찼고, …… 돼지처럼 그 안에서 뒹군다." 유대인 회당인 시나고그는 "순결하지 못한 신부이며, 구제불능의 창녀요 사악한 매춘부"라고 불렀다. 그리고 그들의 회당과 학교를 불태우고 기도서들을 파괴하고 랍비의 설교를 막아야 하고 집들을 파괴하고 재산도 몰수해야 한다고 주장했다.

나치가 유대인을 본격적으로 몰살하기 시작한 '수정의 밤'(Kristall-nacht)* 50주년이 되는 1988년 비텐베르크 시의회는 교회의 남서쪽 모퉁이 주춧돌 유대인 조각 바로 아래에 과거사를 참회하는 의미가 담긴 현대적인 조각상을 세우기로 결정했다. 조각상은 그리스도의 십자가를 완전히 감싸는 정사각형의 금속판 4개로 이루어져 있는데, 이 십자가의 표시 아래에 무려 6백만 명의 유대인들이 학살당했다는 사실이 적혀 있다. 헌정사에는 과거의 잘못을 인정하고 관람객들에게 역사를 잊지 말라고 경고하고 있다. 게다가 비텐베르크와 아이제나흐는 물론 독일 전역의 대도시와 소도시에서는 희생자들을 위한 기념관을 건립하고, 그들이 강제 이송된 날짜와 갇힌 수용소, 학살된 날짜 등이 적힌 작은 네모 도금 브로치로 사람들의 뇌리에서 잊히지 않게 하려는 노력들이 시행되고 있다.

바르트부르크 성의 영향권에 있었던 아이제나흐 역시 뼈아픈 역사를 간직하고 있다. 나치 집권기 동안 그곳은 특히 루터파 프로테스탄트 주

---

* 1938년 11월 9~10일 17세 독일계 유대인 청년 헤르셸 그린스판이 파리 주재 독일 대사관 3등 서기관이었던 에른스트 폼 라트를 암살한 데 대해 유대인들을 겨냥하여 나치가 부추긴 과격시위 사건. 수많은 건물의 유리창이 깨졌고 점포 815개소, 주택 171동, 유대인 예배당 193개소가 불에 타거나 파괴되었고 수많은 유대인이 체포되었다.

교인 마르틴 자세(Martin Sasse) 담당 교구였는데, 그는 광장에 있는 교회에서 정기적으로 유대인들에 반대하는 설교를 했다. 수정의 밤이 일어난 직후 이 복음주의 성직자는 『유대인에 대한 마르틴 루터의 견해: 그들을 쫓아버려라!』라는 제목으로 루터의 작품집을 출간했다. 그는 서문에 이렇게 적었다. "1938년 루터의 생일인 11월 10일에 독일에 있는 유대인 회당들이 불탔다." 독일 민족은 "당대에 가장 위대한 반유대주의자"였던 마르틴 루터의 이 말에 주의해야 했다. 자세 주교는 아이제나흐에 있는 '교회의 삶에 미친 유대인의 영향 조사 및 제거 연구소'라는 이름이 붙은 한 단체의 준회원이기도 했는데, 그들이 하는 연구에는 성경에서 유대인 관련 언급을 모두 삭제하는 끔찍한 과제도 포함되어 있었다. 루터가 만든 찬송가의 가사에서 시온과 관련된 구절들을 삭제하도록 개사되었고, 새롭게 발행된 성경의 표지에는 사랑을 고취시키는 저 유명한 루터의 장미 문양*을 빼고 대신 나치를 상징하는 철십자가 문양을 집어넣었다.

루터하우스에서 라인 박사와 이야기를 나누던 중 나는 2000년대 밀레니엄 시대로 접어들 무렵 로마 가톨릭교회가 일종의 영적 정화로서 자신들의 역사 가운데 어두웠던 시대를 되돌아보겠다고 약속한 '역사 정화' 과정을 발표했다고 알려주었다. 그 과정은 갈릴레오 사례부터 시작해 이단으로 몰렸던 얀 후스 처리 문제로 옮겨갔다가 그 다음은 스페인 종교재판소를 다루기로 되어 있었다. 그러나 갈릴레오를 재고하는 문제에서부터 난항에 빠져 더 어두운 구석으로는 깊이 나아가지 못하고 있다. 13년에 걸친 재고 끝에 교회는 갈릴레오 사례에서 "실수가 있

* 루터가 '내 신학의 상징'이라고 부른 문장. 가운데 하트 모양 안에 십자가가 있고 그 주위를 흰 장미꽃잎이 둘러싸고 있다. 둘레에는 그리스도교 신앙의 처음이자 마지막 확신이 담긴 'Vivit'(그가 사신다)'라는 글자가 새겨져 있다.

었다"는 한 가지만 인정할 뿐 더는 인정하기를 주저하고 있는데 그나마 도 누가 실수를 저질렀는지 구체적으로 밝히지는 않았다. 역사 정화라는 고귀한 과정은 얀 후스의 사례나 악명 높은 스페인 종교재판소의 문제로까지 나아가지 못했다.

루터파의 정화에도 같은 일이 반복되지 않을까? 나는 질문을 던졌다.

라인 박사는, 루터가 중요한 많은 일에서는 옳았지만 모든 일에서 옳았던 것은 아니라고 대답했다. 루터주의에는 가톨릭과 달리 무류성이라는 개념이 없다. 개혁은 늘 계속되는 것이며 역동적이고 끝이 없는 과정이기 때문이다. 그는 내 메모장에 라틴어로 된 루터파 교회의 주문을 휘갈겨 적어주었다. Ecclesia semper reformanda. 번역하자면 "교회는 언제나 쇄신 중"이라는 뜻이다.

박사는 빈정거리는 투로 덧붙였다. "우리 프로테스탄트들은 가톨릭보다는 자신의 실수를 훨씬 쉽게 인정하는 편입니다."

비텐베르크가 2017년 루터 기념축제의 중심지로 선정되었다면, 보름스는 루터의 종교개혁운동이 교회의 문제에서 정치적인 문제로 바뀌게 된 장소로 영원히 기억될 것이다. 제2차 세계대전으로 도시의 80퍼센트가 파괴되었고 1950년대에 급하게 재건했지만 그곳에는 여전히 중세 시대의 유적들이 남아 있다. 오래된 중세의 해자가 있던 자리에는 세계에서 가장 큰 종교개혁 기념비가 서 있다. 에른스트 리프쉘의 설계로 1868년에 건립된 루터의 멋진 동상은 한쪽 발을 앞으로 내민 결연한 모습으로 표현되어 있는데, 그 아래에는 종교재판소에 의해 화형 당한 두 희생자 얀 후스와 사보나롤라의 모습도 보인다. 보름스에서는 그 동상과 관련하여 루터가 한 발만 더 내딛었더라면 아마 두 사람과 마찬가지로 화형대의 장작더미로 굴러 떨어졌을 것이라는 농담이 떠돈다.

다른 궤도에 있는 행성들처럼 1110년에 봉헌된 신성로마제국의 베드로 대성당이 소박한 개혁교회 맞은편에 서 있다. (도시의 신자들은 대략 구교와 신교로 양분되어 있다.) 재건된 복음주의 교회의 뒷담에는 카를 5세 앞에서 차렷 자세로 서 있는 루터를 표현한 현대식 프리즈가 새겨져 있다. 나는 교회의 오래된 담임목사에게 95개조 논제의 500주년 기념행사를 어떻게 생각하고 있는지 물어보았다. 그는 그 행사를 통해 루터 삶의 어두운 면들이 냉철하고도 정직하게 드러나야 한다고 대답했다. 특히 1524년에서 1525년까지의 농민전쟁에서 농민들을 학살하라고 선동한 일은 물론 투르크인들과 메노나이트*들에 대한 부정적인 태도와 유대인에 대한 신랄한 비판 등을 재조명해야 한다고 했다. 목사는 그런 부분들을 외면한다면 "일종의 우상숭배가 될 것"이라고 했다. 그래도 목사는 로마 가톨릭교회가 루터와 "그를 따르는 모든 사람들"을 파문한 일이 아직도 유효하다는 사실에 불편해했다.

나는 거리 건너편에 있는 보름스 성당 주임사제에게 이 문제를 물어보았다. 500년이나 흘렀으니 교회일치를 위해 루터 파문과 개혁교회에 대한 금지령을 거둘 때가 되지 않았는가?

"아직은 금지령을 거둘 때가 되지 않았습니다. 시기상조입니다." 사제의 대답이었다.

---

* 종교개혁 시기에 등장한 개신교 종파로 재세례파에 속한다. 메노나이트라는 말은 네덜란드의 사제 메노 시몬스(Menno Simons)의 이름에서 비롯되었다. 16세기 종교개혁 당시에 성경의 가르침에 근거해 보다 근본적 개혁을 요청했던 이들은 유아세례는 성경이 증언하는 참 의미에서의 세례라고 할 수 없다고 선언하고, 이미 유아세례를 받은 성인 그리스도인으로서 진지한 신앙고백과 함께 신자의 세례(Believer's baptism)를 서로에게 주었으므로 아나뱁티스트(재세례파)라고 불리게 되었다.

참고문헌

1차 문헌

Luther, Martin. *D. Martin Luthers Werke: Kritische Gesamtausgabe*. 4vols. Weimar: H. Böhlau, 1883.

———. *Luther's Works*. 54vols. General editors, Jaroslav Pelikan(Vols 1-30) and Helmut T. Lehman(Vols. 31-54). St. Louis: Concordia; Philadelphia: Fortress, 1955-1976.

———. *Martin Luther's Christmas Book*, Edited by Roland H. Bainton. Minneapolis: Augsburg, 1948.

2차 문헌

Atkinson, James. *The Trial of Luther*. New York: Stein and Day, 1971.

Audin, M. *The History of the Life, Writings, and Doctrines of Luther*. London: Dolman, 1854.

Bainton, Roland H. *Here I Stand: The Life of Martin Luther*. Nashville, TN: Abingdon, 1950.

Beard, Charles. *Martin Luther and the reformation in Germany Until the Close of the Diet of Worms*. London: K. Paul, Trench, 1889.

Bender, Harold S. "The Zwichau Prophets, Thomas Müntzer, and the Anabaptists." *Mennonite Quarterly Review* 27(1953).

Betten, Francis S., S. J. "The Cartoon in Luther's Warfare Against the Church." *Catholic Historical Review* 11(1925. 6.)

Brandi, Karl. *The Emperor Charles V: The Growth and Destiny of a Man and of a World Empire*. Translated by C. V. Wedgwood. Atlantic Highlands,

NJ : Humanities, 1980.

Brecht, Martin. *Martin Luther: Shaping and Defining the Reformation*. Philadelphia : Fortress, 1985.

Bluhm, Heinz. *Martin Luther: Creative Translator*. St. Louis, MO : Concordia, 1965.

Burckhardt, Jacob. *The Civilization of the Renaissance in Italy*. New York : Harper, 1958.

Camerarius, Joachim. *De Vita Phillippi Melanchthonis*. 1777.

Catholic Encyclopedia. Vol. 9. New York : The Encyclopedia Press, 1917.

Christensen, Carl C. "Luther and the Woodcuts to the 1534 Bible." *Lutheran Quarterly*(2005).

Clair, Colin. *A History of European Printing*. London : Academic press, 1976.

Coignet, Clarisse. *Francis the First and His Times*. New York : Scribner and Welford, 1889.

Creighton, M. A. *History of the Papacy from the Great Schism to the Sack of Rome*. Vol. 6. New York : Longmans, Green, 1897.

Defoe, Daniel. *The Political History of the Devil*. London : T. Warner, 1726.

Dickens, A. G. *The German Nation and Martin Luther*. New York : Harper & Row, 1974.

Dies Buch in aller Junge, Hand und Herzen. 2009. Catalogue for the exhibition on Luther's translation work at the Wartburg Castle.

Doernberg, Edwin. *Henry VIII and Luther: an account of their personal relations*. London : Barrie and Rockliff, 1961.

Eisenstein, Elizabeth L. *The Printing Revolution in Early Modern Europe*. New York : Cambridge University Press, 2005.

Erikson, Erik H. *Young Man Luther*. New York : W. W. Norton, 1958.

Friedenthal, Richard. *Luther: His Life and Times*. Translated by John Nowell.

New York : Harcourt, Brace, Jovanovich, 1970.

Fudge, Thomas A. "Incest and Lust in Luther's Marriage : Theology and Morality in Reformation Polemics", Sixteenth Century Journal 34, no. 2(Summer 2003) : 319~345.

Gregorovius, Ferdinand. *History of the City of Rome in the Middle Ages*. Vol. 8. London : G. Bell & Sons, 1912.

Grimm, Harold. *Martin Luther as Preacher*. Columbus, OH : Lutheran Book Concern, 1929.

Grisar, Hartmann, S. J., *Martin Luther: His Life and Work*. St. Louis, MO : B. Herder, 1930.

Gritsch, Eric W. *The Wit of Martin Luther*. Minneapolis, MN : Fortress, 2006.

Guicciardini, Francesco. *The History of Italy*. New York : Macmillan, 1969.

Hempsall, David. "On Martin Luther and the Sorbonnne, 1519~21." *Bulletin of the Institute of Historical Research*, 46, no. 113(May 1973).

Hendrix, Scott H. *Luther and the Papacy: stages in a reformation conflict*. Philadelphia : Fortress, 1981.

Henry VIII. *Assertio Septem Sacramentorum or Defence of the Seven Sacraments*. New York : Benziger Brothers, 1908.

Hibbert, Christopher. *The House of Medici*. New York : William Morrow, 1975.

Kuhr, Olaf. "The Zwickau Prophets, the Wittenberg Disturbances, and Polemical Hisoriography." *Mennonite Quarterly Review*(April 1996).

Luther, Martin. *Luther's Christmas Sermons*. Translated by John Nicholas Lenker. Minneapolis, MN : Luther Press, 1908.

Mackinnon, James. *Luther and the Reformation*. London : Longmans, Green, 1929.

Manschreck, Clyde. *Melanchthon, Quiet Reformer*. Westport, CT : Greenwood, 1958.

Metzger, Bruce M. *The Bible in Translation*. Grand Rapids, MI : Baker Academic, 2001.

Mittmann, Roland. "Deutsche Sprachgeschichte," Institut für Linguistik, Universität Frankfurt, 2010.

More, Sir Thomas. *Responsio ad Lutherum*. Edited by John M. Headley. Translated by Sister Scholastica. *The Complete Works of St. Thomas More*, Vol. 5. New Haven : Yale University Press, 1969.

Mullet, Michael A. *Martin Luther*. London : Routledge, 2004.

Nello splendore mediceo Papa Leone X e Firenze Edited by Nicoletta Baldini and Monica Bietti. Florence : Sillabe, 2013.

Neues Leipzigisches Geschicht Buch. Leipzig : Fachbuchverlag, 1990.

Nicolson, Adam. *God's Secretaries: The Making of the King James Bible*. New York : Harper Perennial, 2004.

Norlie, O. M., ed. *The Translated Bible, 1534~1934*. Philadelphia : United Lutheran, 1934.

Oberman, Heiko A. *Luther: Man between God and the Devil*: New Haven, CT : Yale University Press, 1989.

Ozment, Steven. *The Serpent and the Lamb: Cranach. Luther, and the Making of the Reformation*. New Haven, CT : Yale University Press, 2011.

Pastor, Ludwig Freiherr von. *The History of the Popes: From the Close of the Middle Ages*. Vol. 8, edited by R. F. Kerr. St. Louis, MO : Herder, 1923~1969.

Pelikan, Jaroslav. *Luther the Expositor*. Philadelphia : Fortress, 1959.

Probst, Christopher J. *Demonizing the Jews: Luther and the Protestant Church in Nazi Germany*. Bloomington : Indiana University Press, 2012.

Robertson, William. *The History of the Reign of the Emperor Charles V*. London : Lippincott, 1904.

Roscoe, William. *The Life and Pontificate of Leo X*. 4 vols. London : Henry G.

Bohn, 1853.

Rupp, E. Gordon, "Andreas Karlstadt and Reformation Puritanism." *Journal of Theological Studies* n.s. 10(1959) : 308~326.

Schaeffer, William B. "Luther's Invocavit Sermons of March 1522 : A Pastoral Approach to Change and Controversy." Thesis. Lutheran Theological Seminary, Gettysburg, PA.

Schaff, Philip. *History of the Christian Church*. Peabody, MA : Hendrickson, 1996.

Smith, Preserved. "Luther's Development of the Doctrine of Justification by Faith Only." *Harvard Theological Review*(October 1913).

Strathern, Paul. *The Medici : Godfathers of the Renaissance*. London : Pimlico, 2005.

Strieder, Peter. *Albrecht Dürer : paintings, prints, drawings*. New York : Abaris Books, 1989.

Stupperich, Robert. *Melanchthon*. London : Lutterworth, 1966.

Trinterud, L. J. "A Reappraisal of William Tyndale's Debt to Martin Luther." *Church History*(March 1962).

Vaughan, Herbert M. *The Medici Popes*. Port Washington, NY : Kennikat, 1971.

Verres, J. Luther, an *Historical Portrait.* London : Burns & Oates, 1884.

Waetzoldt, Wilhelm. *Dürer and His Times*. London : Phaidon Press, 1955.

Wylie, James. *The History of Protestantism*. London : Cassell, 1874.

루터의 모든 책을 불사를 수는 없었다

황대현 | 목원대 교수 · 역사학

2017년은 종교개혁 500주년이 되는 해다. 이를 계기로 국내에서도 루터의 생애나 종교개혁의 역사에 대한 일반인들의 관심이 높아지면서 학술서와 교양서를 막론하고 다양한 관련 서적들이 속속 출판되고 있다. 독일이나 유럽, 미국과 비교하면 그렇게 밀접하게 관련이 있다고 보기 어려운 우리가, 왜 500년 전에 먼 나라에서 일어난 일을 굳이 기억하고 기념하려는 것일까? 루터의 종교개혁은 전 세계에서 9억여 명, 우리나라도 전체 인구의 5분의 1 가량이 신자로 있는 프로테스탄트 교회를 탄생시킨 출발점이기에 개신교 신앙의 뿌리로서 한 번쯤 되돌아볼 만한 가치는 충분하다. 하지만 단지 신학이나 교회사의 측면에서만 중요하다면, 아무리 500주년을 맞이하는 때라고 해도 전 세계 수많은 사람들이 이토록 진지하게 그 사건의 현재적 의미에 관심을 기울일 까닭은 없으리라.

이런 즈음에 출간되는 제임스 레스턴의 『루터의 밧모섬』은 격동의 시대를 살아간 한 종교개혁가의 삶과 고뇌, 결단을 마치 눈앞에서 보는 것처럼 생생하게 묘사하고 있다는 점에서 루터와 종교개혁, 더 나아가 서양사에 관심이 있는 독자들에게 참으로 반가운 책이 아닐 수 없다. 저자는 『갈릴레오의 생애』 『최후의 계시』 『신앙의 수호자』 『신의 전사들』 등 여러 저술들을 통해 이미 대중의 눈높이에서 역사를 참신한 시각과 흥미로운 이야기로 풀어내는 뛰어난 필력을 선보인 바 있다. 이 책 역시 그런 저자의 글 솜씨가 오롯이 담긴 또 하나의 성과라 할 수 있다.

이 책은 루터의 목숨이 위태로웠던 가장 극적인 순간이자 그의 유려한 문필력이 절정에 달했던 1521~22년의 시기를 중점적으로 조망하고 있다. 그런 점에서, 이 위대한 독일 종교개혁가의 생애 전반을 포괄적으로 다루고 있는 기존의 많은 루터 전기들과는 뚜렷한 차별성을 갖는다. 이 기간은 루터의 생애에서 절체절명의 순간이었다. 그가 신성로마제국의 황제 카를 5세가 소집한 보름스 국회에서 신앙과 양심에 의거해 끝까지 소신을 굽히지 않은 결과 당국에 의해 모든 법적인 보호를 박탈당함으로써 언제든 범법자로 처형되거나 불시에 살해당할 수 있는 위기에 내몰렸기 때문이다. 동시에 루터는 자신의 후견인이자 주군인 작센 선제후 프리드리히의 배려로 바르트부르크 성에 숨어 지내면서 여러 열악한 상황 아래서도 신약성경을 독일어로 번역하는 초인적인 과업을 수행해냈다. 이로써 성경이 더는 예전처럼 소수 엘리트 계층의 독점물이 아니라 일반 평신도들도 가까이 할 수 있는 책이 되었다. 장기적으로는 성경 읽기를 매개로 한 문자 해독률의 증가와 신앙생활의 내면화를 촉진하는 결과를 낳았다.

루터가 1517년 교황청의 면벌부 판매를 비판하는 95개조 논제를 발표하면서 시작된 종교개혁은 독일을 포함한 서구세계 전반에 큰 충격파를 가하며 다양한 측면에서 상당한 변화를 몰고 왔다. 다시 말해서, 종교개혁은 개신교 프로테스탄티즘의 탄생이라는 차원에만 국한된 사건이 아니었다. 이 글에서는 근대 초기 독일사를 전공하는 필자가 판단하기에, 주로 교회사적인 관점에서만 접근할 경우 놓치기 쉬운 종교개혁의 역사적 의의를 두 가지 측면, 즉 인쇄술과의 상호작용이라는 소통 기술적 측면과 근대국가 형성이라는 정치적 측면에서 살펴봄으로써 종교개혁을 좀더 입체적으로 파악하는 데 조금이나마 도움을 주고자 한다.

1

인쇄술과 종교개혁, 그리고 팸플릿 전쟁

1999년 미국의 시사주간지 『라이프』가 15세기 중엽 구텐베르크에 의해 개발된 활판인쇄술을 지난 1천 년간 인류가 이룩해낸 가장 위대한 업적으로 선정한 적이 있다. 서양에서는 서구사회를 근본적으로 변화시킨 주요 요인으로 인쇄술이라는 기술적 혁신을 꼽는 데 주저하지 않는다. 그런데 근대 초기 유럽의 '인쇄혁명'에 대해 집중적으로 연구한 역사가 엘리자베스 아이젠스타인에 따르면, 인쇄기의 출현은 종교개혁의 중요한 전제조건이자 이후 종교개혁을 성공으로 이끈 촉진 조건이었다. 다소 지나친 표현이긴 하지만 "(인쇄) 서적 없이는 종교개혁도 없다"는 교회사가 베른트 묄러의 명제 역시 인쇄술이 종교개혁에 미친 핵심적인 영향을 강조한 말이었다. 무엇보다도 루터 스스로가 인쇄술에 대해 '하나님에게서 받은 최후의 선물이자 가장 위대한 은총'이라는 인식을 갖고 있었다. 원래 유럽의 변방지역에 위치한 비텐베르크 대학의 잘 알려지지 않은 신학교수가 교황의 막강한 권력에 맞선 그리스도교 세계의 유명 스타이자 '자신의 이름을 내걸고 책을 팔 수 있었던 최초의 작가'가 될 수 있었던 것도 인쇄술이 없었다면 애초에 불가능한 일이었다.

1521년 보름스 국회가 루터의 '이단적인' 저서들을 모두 불태우라는 칙령을 공표했을 때 그 결정은 별 실효를 거두지 못했는데, 왜냐하면 당시 루터의 책들은 이미 50만 부 가까이나 팔려나간 상태였기 때문이다. 100년 전인 15세기 초에 보헤미아의 개혁가 얀 후스를 화형에 처했던 것처럼 설사 교황청과 세속 당국이 루터를 제거하는 데 성공했다 하더라도 그가 쓴 엄청난 양의 인쇄물을 모두 불사를 수는 없었다. 루터의 종교개혁은 인쇄술이라는 무기가 없었던 후스의 개혁운동이 실패로 끝났던 전철을 밟지 않았던 것이다.

그렇다고 해서 인쇄술이 종교개혁에 일방통행식 영향만 미쳤던 것은 아니다. 서양에서 발명된 지 70년도 채 되지 않은 '신기술'이었던 인쇄술 역시 종교개혁을 거치면서 그야말로 비약적인 발전을 이루었다. 초기 자본주의 사업가의 전형이었던 인쇄업자와 출판업자들은 루터라는 베스트셀러 작가의 작품을 출간함으로써 경제적으로 큰 수익을 거둘 수 있었다. 루터의 공개서한 『독일의 그리스도인 귀족들에게 고함』은 초판 4천 부가 금세 다 팔려나가 인쇄업자가 일주일 만에 2쇄를 찍어야 할 정도였고, 1522년 출간된 이른바 『9월 성경』 초판은 당시 숙련된 목수의 일주일치 임금에 해당하는 적지 않은 가격에 시판되었음에도 불구하고 신·구약 완역 성경이 출간된 1534년까지 80~85쇄라는 기록적인 증쇄를 거듭했다.

흔히 서양 역사에서 종교개혁은 기성체제에 반대하는 선전·선동에 인쇄술을 활용한 최초의 운동으로 평가받곤 한다. 특히 종교개혁 초기에 루터를 비롯한 개혁가들의 사상을 널리 알리고 우호적인 여론을 조성하려는 목적으로 정식 제본되지 않은 가철본 형태의 얇고 저렴한 소책자(Flugschrift)가 독일어로 제작되어 대량 유포된 사실에 주목할 필요가 있다. (역사가들은 종교개혁 시대에 소책자를 활용해 벌어졌던 여론전을

'팸플릿 전쟁'이라고 부른다.) 비록 이 새로운 종류의 인쇄물이 처음 등장한 것은 15세기였지만, 소책자가 진정한 대중매체로 자리 잡게 된 것은 다양한 소통방식을 활용해 특정 지역이나 계층에 국한되지 않는 광범위한 여론을 창출했던 '종교개혁 공론장'(라이너 볼파일) 속에서 개신교 진영의 핵심적인 투쟁수단으로 부상하면서부터였다. 독일 종교개혁기 소책자를 전문적으로 연구한 한스-요아힘 쾰러의 추산에 따르면, 종교개혁 시작 첫 해인 1517~18년 사이에 소책자의 제작은 무려 530퍼센트에 달하는 높은 증가세를 보였다. 또 16세기의 첫 30년 동안 출간된 소책자의 총 발행량을 당시 신성로마제국의 전체 인구수와 비교해보았을 때 대략 주민 한 사람당 소책자 1부가 돌아갈 정도로 방대한 양이 시중에 쏟아져 나왔다고 한다.

루터의 성경번역과 문체혁명

소책자가 종교개혁기에 중요한 역할을 수행한 것은 사실이지만, 장기적으로 독일 개신교인들의 신앙생활의 준거점으로 작용하며 문화적 측면에서 독일어 문어체의 발달에도 크게 기여했던 것은 역시 루터가 번역한 성경이었다. 레스턴은 우리가 흔히 잘못 알고 있는 사실, 즉 루터가 번역한 성경이 최초의 독일어 성경이 아니었다는 점을 제대로 짚어주고 있다. 『9월 성경』이 출간될 무렵 신성로마제국에는 이미 18종에 달하는 서로 다른 독일어 판본의 성경이 유통되고 있었던 것이다. 하지만 이 독일어 성경들은 중세의 라틴어 성경인 불가타(Vulgata) 본을 번역한 것이어서 일반인들이 이해하기에 난해한 측면이 많았다. 아직 표준 독일어가 확립되지 않은 상태에서 각 지역 방언으로 씌었기 때문에 전국적으로 널리 확산되기에도 한계가 있었다. 이에 비해 루터가 바르트부르크에서 번역한 신약성경은 서기 1세기에 신약성경이 처음 편찬되었을 때

쓰인 언어인 그리스어를 기반으로 해서 당대 최고 지성이었던 인문주의자 에라스무스가 1516년 새롭게 출간한 그리스어 판본 성경을 원본으로 활용해 번역한 것이었기에, 천 년이 넘도록 사용되면서 불가피하게 여러 문제점을 안게 된 불가타 성경의 오류를 피할 수 있었다. 게다가 번역자 루터가 당시 치열한 논란의 중심에 서 있었던 유명 인사였다는 사실 이외에도, 그가 번역작업을 수행하면서 되도록 현학적인 표현은 피하고 대신 가정주부와 시장의 보통사람들도 이해할 수 있게끔 문장을 쉽게 풀어썼기 때문에 루터 성경은 다른 독일어 성경들과는 달리 여러 지역에 널리 보급되기에 이르렀다. 루터 성경이 베스트셀러로 자리 잡게 되면서 그가 번역할 때 사용한 중동부 지역의 고지(高地) 독일어는 북부 지방의 저지(低地) 독일어와 다른 방언들을 제치고 점차 우세한 지위를 차지하게 되었고, 이는 향후 표준적인 독일어 문어체의 발전에 기본 토대를 제공했다.

루터의 성경번역이 가져온 파급효과는 비단 독일에만 국한된 것이 아니었다. 루터의 시도에 자극 받아 유럽 다른 나라들에서도 자국어 성경 번역이 이루어지기 시작했다. 단적인 예로 영국의 윌리엄 틴들은 신약성경을 영어로 번역할 생각을 갖고 일부러 루터를 만나기도 했으며, 실제로 1526년 출간된 틴들의 영어성경은 당시 자국어 성경 출판을 금지하고 있었던 영국이 아니라 독일의 보름스에서 처음 인쇄되어 나왔다.

2

언어를 매개로 한 민족의식의 발흥

16세기 종교개혁 시대에 들어와서 이탈리아나 스페인 같은 강력한 가톨릭 국가의 국민들까지도 자국어로 된 성경을 접할 수 있게 되었다는 사실과 관련해서 우리는 종교개혁이 촉진시킨 또 다른 중요한 역사적 발전과정, 즉 종교개혁이 근대 민족국가 형성에 유리한 여건을 조성했음에 주목할 필요가 있다. 민족을 근대 시기의 문화적 구성물인 '상상의 공동체'로 간주하는 베네딕트 앤더슨은 종교개혁이 유럽 각국에서 라틴어가 통속어에 의해 대체되는 과정을 가속화함으로써 민족의식의 발흥에 기여했음을 강조한 바 있다. 실제로 루터 스스로가 처음 95개조 논제를 라틴어로 썼던 것과는 달리 이후 차츰차츰 독일어로 글 쓰는 비중을 늘려나가면서 자신이 독일 민족을 위해 봉사하고 있다는 의식을 명시적으로 표현한 적이 있고, 유례없이 대성공을 거둔 『독일의 그리스도인 귀족들에게 고함』에서도 독일 귀족들의 반(反) 로마 감정(레오 10세를 포함해 로마 가톨릭교회의 수장인 교황은 대개 이탈리아인이었음을 기억하자)을 부채질하면서 독일인의 민족적 감수성을 적극 고무하는 전략을 취했다. 종교개혁사가 제임스 키텔슨이 올바르게 지적하고 있듯이 저 유명한 '만인사제설'을 주창하고 있는 루터의 이 소책자는 신학적인 문서였을 뿐만 아니라 또한 민족감정에 호소하는 정치적인 문서이기도 했던 것이다.

무엇보다도 루터의 성경번역이 촉발시킨 유럽 각국의 자국어 성경 출간은 지역 방언의 퇴보와 표준어 발전에 기여함과 동시에, 그동안 중세 교회의 '신성한' 라틴어가 독점하고 있었던 위엄과 권위를 각국의 언어에 새롭게 부여함으로써 결과적으로 언어를 매개로 한 민족의식의 발전을 고취시키는 결과를 가져왔다. 루터의 독일어 성경이 이후 교파를 초월해서 독일어와 독일인의 사고체계에 얼마나 지대한 영향을 미쳤는지를 보여주기 위해서는 19세기 가톨릭 신학자이자 교회사가인 이그나츠 폰 될링어의 다음과 같은 고백을 인용하는 것만으로도 충분하리라. "오직 루터만이 독일어와 독일 정신에 불멸의 흔적을 남겼다. 그 결과 심지어는 루터를 이단을 퍼뜨린 자이자 민족을 잘못된 길로 오도한 자로 혐오할 수밖에 없는 사람들조차도 그가 쓴 단어로 말해야 하고 그의 사상을 가지고 생각해야 할 정도이다."

신앙의 영토국가화 : "지역을 통치하는 자가 종교를 결정한다"

오해를 피하기 위해 덧붙이자면, 필자는 여기서 종교개혁이 곧바로 근대 민족국가를 형성시켰다고 주장하려는 것이 아니다. 종교개혁이 야기한 서구 그리스도교 세계의 분열과 신·구교 사이의 갈등이 격화되면서 발발한 종교전쟁을 거치며 형성된 특정한 신앙적·교파적 정체성은 민족 정체성보다 훨씬 더 보편적인 특성을 지니고 있었다. 예컨대 17세기 하반기 프랑스의 칼뱅파인 위그노들은 프랑스에서 종교박해를 피해 개신교 국가인 브란덴부르크-프로이센으로 대거 집단망명을 와서 정착해 살았는데 큰 문제없이 그곳 독일사회에 통합될 수 있었다. 아직까지는 민족적·국민적 차이보다는 신앙적 동질성이 더 중요했던 것이다.

하지만 독일 종교개혁사에서 중요한 분수령이 되는 1555년의 아우크스부르크 종교화의(和議)에서 신·구교 양 진영에 의해 합의된 "지역을 통치하는 자가 종교를 결정한다"(*cuius regio, eius religio*)는 대원칙이 시사해주는 것처럼, 종교개혁이 서구 그리스도교 세계의 통일성을 붕괴시킴으로써 '신앙의 영토국가화'(territorialization of faiths)를 초래했다는 점을 상기할 필요가 있다. 오늘날에도 독실한 개신교 이탈리아인이나 스웨덴인 가톨릭 신자를 상상하기가 쉽지 않다는 사실은 특정 신앙의 영토국가화가 서구 세계에 얼마나 장기적인 영향을 미쳤는지를 여실히 입증해준다.

그것이 가톨릭 신앙이든 루터파 혹은 칼뱅파 신앙이든지간에 교파적 정체성은 국가와 교회의 일치를 추구하면서 중앙집권화에 박차를 가하고 있었던 유력한 통치자들에 의해 강력한 영토국가 건설을 위한 국민적 통합의 도구로 적극 활용되었다. 종교개혁 이후 각국마다 서로 다른 교파적 정체성이 형성되면서 서구 세계 엘리트 집단의 초민족적 유대감이 약화되었던 것과 반비례하여, 한 영토국가 내에서는 개별 직업군과 공동체의 경계를 뛰어넘어 상호 유대감이 강화되어나갔다. 그럼으로써 정치적 정체성의 측면에서 유럽인들은 이제 더 이상 그리스도교 세계를 대표하는 보편적인 제국이 아니라 근대적인 영토국가와 점점 더 스스로를 동일시하며 소속감을 느끼게 되었다. 한마디로 종교개혁이 초래한 신앙의 영토국가화는 같은 정치체에 속한 구성원들의 내부 응집력을 높이는 데 이바지함으로써 향후 도래할 근대 민족국가의 정신문화적 기초를 닦았다고 볼 수 있다. 이런 맥락에서 볼 때, 예컨대 독일이 서유럽의 다른 나라들과는 달리 19세기 하반기에 가서야 뒤늦게 통일국가를 이룩할 정도로 오랫동안 정치적 분열 상태에 놓였던 것도 독일인들 사이의 종교적·교파적인 차이에서 비롯된 측면이 적지 않다고 하겠다.

이처럼 루터의 종교개혁은 종교적인 측면에서뿐만 아니라 비종교적인 역사 진행과정에서도 심대한 변화를 몰고 온 사건이었다. 물론 종교개혁이 루터 한 사람의 작품이었던 것은 결코 아니지만 그의 굳건한 신앙과 과감한 추진력, 그리고 왕성한 문필력이 없었더라면 종교개혁은 아마도 우리가 알고 있는 것과는 상당히 다른 방향으로 전개되었을 것이다. 하지만 레스턴이 잊지 않고 지적하는 것처럼, 루터는 농민전쟁의 와중에서 반란을 일으킨 농민들에 대해 거칠고 냉혹한 태도를 보여주기도 했으며 반유대주의 편견에서도 자유롭지 못했던 약점 많은 인간이었다. 그런 점에서 17세기 독일의 경건주의자 필립 야콥 슈페너가 루터의 종교개혁에 대해 내린 평가는 전 세계적으로 종교개혁 500주년을 기념하는 행사가 끊이지 않는 현 시점에서도 여전히 되새겨볼 만한 가치가 있다. "나는 루터의 종교개혁이 마치 완벽함에 도달한 것처럼 생각해본 적이 없다. 개혁의 성과는 현재 교착 상태에 빠지고 말았다. 이루어야 할 모든 것이 종교개혁을 통해 결코 다 성취된 것은 아니다."

필자는 현재를 살아가는 우리에게도 종교개혁이 어떤 실천적 의미를 지닐 수 있는지를 슈페너가 압축적으로 잘 표현해주고 있다고 생각한다. 분명 루터의 종교개혁은 독일과 유럽, 더 나아가 전 세계적 차원에서 역사의 물줄기를 바꿔놓은 중요한 사건이었다. 하지만 종교개혁은 이미 지나가버린 과거에만 머물러 있는 그런 사건은 아니다. 종교개혁을 의미하는 Reformation이 본래 모든 종류의 개혁 일반을 지칭하는 라틴어 reformatio에서 유래한 단어라는 사실이 시사해주듯이, 종교개혁은 태생적으로 끊임없는 자기개혁을 영원히 추구할 수밖에 없는 '아직 오지 않은 과거'와 같은 사건이다. 그런 점에서 레스턴의 『루터의 밧모섬』은 오늘날 빛과 소금의 역할을 제대로 감당하지 못하고 방황하는 한국 교회와 물신숭배에 깊이 물들어 있는 한국 사회를 안타깝게 여기며 참된 '개혁'을 구현하고자 노력하는 모든 이들에게 의미있는 독서의 기회를 제공한다.

| 옮긴이의 말 |

역사 속 루터의 인간적 매력을 만나다

인류가 출현한 이래 원시종교에서 고등종교에 이르기까지 종교는 인간의 의식이나 삶과 불가분의 관계에 있었다. 세속화 과정을 거쳐 현대에 이르며 그 영향력이 많이 줄어들긴 했지만 오늘날에도 종교는 많은 사람들의 삶에 여전히 중요한 영향을 미치고 있다. 어느 종교든 태동기를 거쳐 기성 종교로 자리 잡게 되는 힘은 그 사회의 가장 낮은 자리에 있는 가난하고 힘없는 사람들을 외면하지 않고 그들을 대변하며 희망을 주는 데에 있었다. 그러나 종교가 힘을 가지게 되면서 부유하고 힘 있는 이들을 대변하기 시작하면 초심을 잃고 흔들리며 타락의 길을 걷는다. 그럴 때 보통 변방이나 하부에서 개혁운동이 일어나기 시작하여 점차 중심부와 상부를 향해 퍼져나가고 개혁이 성공하면 주류사회에 편입되며 안정기에 접어든다. 그러나 힘이나 권력이 있는 곳은 반드시 부패하게 되어 있다. 그래서 또다시 변방에서 개혁의 물결이 일어난다. 역사의 어느 전례를 보더라도 힘을 쥐고 있는 집단이 스스로 개혁하기란 거의 불가능에 가깝다. 누리고 있는 권력을 영원히 손에서 놓고 싶어하지 않는 것이 기득권의 속성이기 때문이다.

2017년이면 루터가 95개조 논제로 종교개혁에 불을 지핀 지 500주년이 되는 해다. 루터의 개혁운동으로 프로테스탄트가 태동되었고 루터를 계승했다고 할 수 있는 오늘날의 개신교는 루터 시대 당시의 가톨릭 못지않게 교세가 확장되었다. 그리고 개혁을 부르짖었던 루터가 본다면 놀랄 정도로 또 개혁이 필요한 상황에 놓였다. 그래서 루터의 종교개혁은 지나간 과거의 사건이 아니라 여전히 진행되어야 할 현재형이며 앞으로도 계속되어야 할 과정이다. 고인 물은 썩는 것이 자연의 순리이듯 교회가 세상에서 소금과 빛의 역할을 포기하는 순간 교회 역시 부패할 수밖에 없다. 자기 성찰을 통한 쇄신이 없다면 아마도 교회는 그 정체성을 잃고 말 것이다. 500년이 지난 지금도 여전히 루터의 종교개혁이 진행되어야 할 이유다.

사실 루터만큼 이름이 잘 알려져 있으면서도 그 삶의 면면에 대해서는 잘 알려지지 않은 인물은 없는 것 같다. 가톨릭과 개신교에서는 상반된 입장에 있으므로 완전히 객관적으로 루터를 보는 것이 어렵다고 생각된다. 그렇기 때문에 순전히 역사적 관점에서 루터라는 한 인물을 객관적으로 서술해놓은 데 이 작품의 의미가 있다고 생각된다. 하나님에 대한 영성으로 충만했던 루터를 성인처럼 미화시키지 않으면서, 종교개혁을 추진해나간 그의 강인한 정신력과 육신을 지닌 인간으로서 겪는 어려움이나 나약함 등을 차분한 시선으로 입체적으로 그리고 있다. 이 작품은 루터의 신학에 관한 전문적인 학술서가 아니라 서양 역사의 맥락에서 루터라는 한 인물을 조명한 교양서라고 할 수 있다. 약간 어렵게 느껴질 수 있는 종교적 교리나 용어도 비교적 이해하기 쉽게 풀어서 설명하고 루터의 개혁운동이 당시의 정치적·사회적 맥락에서 어떻게 발전하고 확립되어갈 수 있었는지 넓은 시야에서 보려고 노력한다. 이전에 종교개혁을 부르짖었던 얀 후스나 사보나롤라 등과 달리 루터의 종교개혁이 성공할 수 있었던 요인으로 독일 및 로마의 정세로 대변되는 유리한 시대적 상황, 인쇄술의 등장, 멜란히톤이라는 걸출한 조력자와 프리드리히 선제후를 비롯한 정치적 후원자들을 잘 짚어가며 설명했다.

저자는 이야기꾼으로서의 재능을 한껏 발휘하여 많은 서신과 기록 등을 토대로 역사의 여러 장면들을 소설처럼 재미있고 흥미롭게 구성해놓았다. 그래서 드라마처럼 내용이 속도감 있게 전개되고 구체적인 상황이나 인물에 대한 묘사가 아주 세밀하고 구체적이다. 역사 속 인물의 행위나 사건들을 눈앞에 그리듯 생생하게 묘사해 책 속으로 끌어들이는 힘이 있다.

이 작품을 보며 나 역시 저자처럼 여러 가지 인간적인 약점에도 불구하고 루터라는 인물이 주는 매력에 빠져들었다. 변방의 한 수도사에 지나지 않는 루터가 교황이든 황제든 권력의 심장부를 향해 거침없이 맞설 수 있었던 데는 지상의 그 어느 힘에도 굴하지 않는 신념이 있었기에 가능했을 것이다. 그 신념은 자신이 가는 길이 그리스도를 따르는 길이라는 굳건한 확신에서 나왔을 것이다.

그리고 신약을 번역하는 과정에서 보이는 루터의 고민들이 각별하게 다가왔는데, 이 부분은 번역가라면 누구나 고민하는 지점이기도 하다. 번역이라는 것이 말마디에 집중하기보다 전체 흐름과 맥락에서 의미를 먼저 정확하게 파악하고 표현은 최대한 옮겨지는 언어에 맞게 자연스럽게 써야 하는 과정이기 때문이다. 누구나 이해할 수 있는 언어로 번역하여 성서를 민중에게 돌려주고자 애쓰는 루터의 모습이 가슴을 울린다. 그 당시 성서 번역이란 단순히 책 한 권을 번역하는 차원의 문제가 아니었다. 그것은 한글을 창제하려던 세종대왕이 정보를 독점하려던 지식권력과 맞서 싸웠던 것처럼 성서로 대변되는 그리스도교의 핵심 지식을 독점하려던 기득권에 맞선 반역행위나 다름없는 일이었기 때문이다.

사실 내용이 흥미롭고 역사 속의 소소한 이야기들까지 알게 되어 번역과정이 재미있긴 했지만 가톨릭과 개신교에서 쓰는 성서명이나 인명, 용어가 다르다보니 겪는 어려움이 있었다. 이 작품에서 다루는 시기는 루터가 가톨릭의 범주 안에서 개혁 노력을 기울이고 있던 때까지였다는 점을 감안해 전례나 교계 관련 용어들은 가톨릭 표기를 따랐고, 성서명이나 인명은 개신교의 표기법에 따랐다. 종교가 다름에도 서로 소통을 통해 절충해나간 편집부에 감사드리며 그 과정이 작은 종교간 대화가 된 것 같아 개인적으로도 의미 있는 시간이었다.

2016년 11월

서미석

1판 1쇄 인쇄일 2016년 11월 15일
1판 1쇄 발행일 2016년 11월 20일

지은이 제임스 레스턴 **옮긴이** 서미석 **펴낸이** 박희진
편집 안신영 안창준 **디자인** 정아름

펴낸곳 이른비 **출판등록** 2014년 9월 3일 제2015-000027호
주소 10517 경기도 고양시 덕양구 행신로 143번길 26, 2층
전화 031) 938-0841, 010-6322-2996 **팩스** 031) 979-0311
전자우편 ireunbibooks@naver.com

ISBN 979-11-955523-1-3 03920

값 18,000원

이른비 씨 뿌리는 시기에 내리는 비를 말하며, 마른 땅을 적시는 은혜로운 비처럼
인간의 정신과 마음을 풍요롭게 하는 책을 만듭니다.